B.J and Bob!
Muchas gracias por todo.
Espero que os guste un clásico
de la comida catalana...

poránea
Narrativa

Biografía

Josep Pla nació en Palafrugell en 1897 y murió en Llofriu
en 1981. Desde muy joven colaboró en periódicos y revistas,
y durante muchos años fue corresponsal en el extranjero.
Los cuarenta y seis volúmenes de su obra completa son
el contundente testimonio de una de las más grandes
prosas en lengua catalana de todos los tiempos.

JOSEP PLA

LO QUE HEMOS COMIDO

Prólogo de Manuel Vázquez Montalbán

Traducción de P. Gómez Carrizo

AUSTRAL

DESTINO

Título original: *El que hem menjat*

© Herederos de Josep Pla i Casadevall
© por la traducción, P. Gómez Carrizo
© Editorial Planeta, S. A., 1997, 2014
 Ediciones Destino, un sello editorial de Editorial Planeta, S. A.
 Avinguda Diagonal, 662, 6.ª planta. 08034 Barcelona (España)
 www.edestino.es
 www.planetadelibros.com

Diseño de la colección: Compañía
Ilustración de la cubierta:© J.Senosiain / silversaltphoto/ Getty Images
Primera edición en Austral: noviembre de 2013
Segunda impresión: octubre de 2014

ISBN: 978-84-233-4716-2
Depósito legal: B. 20.306-2013
Impresión y encuadernación: CPI (Barcelona)
Printed in Spain - Impreso en España

ÍNDICE

PRÓLOGO

Pla era un punto de vista ambulante con boina, cilicio empleado contra la tentación de cosmopolitismo a la que le condujera una vida llena de viajes profesionales, asumidos como destierros mejor o peor pagados, nunca demasiado bien pagados, según su expreso deseo, desconfiado de la escritura que daba demasiado dinero. Si la boina de Pla era una declaración de principios cósmicos, su paladar pertenecía al país de la infancia como casi todos los paladares, infancia ampurdanesa al calor de una cocina marcada por las texturas de tierra y mar, por el sustrato de una memoria culinaria ensimismada. Nostálgico del paladar de su infancia, Pla tiene una retina balzaquiana ante las nuevas pautas gastronómicas o simplemente alimentarias, desde la sospecha de que al menos en la cocina cualquier tiempo pasado fue mejor y que la sociedad burguesa, pequeñoburguesa para ser más exactos, lo había impregnado todo de adocenamiento y prisa.

Este punto de vista acuñado sobre todo después de la Guerra Civil –el momento en que se van configurando nuevas, mediocres, insípidas, incoloras, inodoras capas medias

7

de una España cada vez menos agraria y más urbana– fue suficientemente puesto a prueba por el progresivo agravamiento del proceso. Aún vivió Pla para ver desde la más sarcástica melancolía cómo los congeladores destruían la lógica alimentaria de las estaciones, dicho de otra manera, en los últimos años de Pla, los guisantes ya poco tenían que ver con la primavera y los bogavantes llegaban desde África a las mesas catalanas después del doble holocausto de la pesca industrial y de la congelación. Desde los años cuarenta hasta su muerte, la presencia crítica de Pla ante la operación de comer cumplió diferentes funciones, fundamentales para entender la evolución del gusto gastronómico en Cataluña e indirectamente en España. Es el paisano ampurdanés viajero que cuenta lo que ha comido y bebido en otros lugares y lo compara con la cocina de su memoria y de su tierra. También el buen *gourmet* que recomienda un respeto por las raíces del gusto y se pronuncia a favor de los sabores lo más próximos posible a la desnudez natural de las materias primas. Es un sibarita que apuesta por la cultura del placer, si se quiere menor, pero desde luego inocente, de comer bien, que no es otra cosa que *saber comer y comer sabiendo*.

Los trabajos que compusieron *El que hem menjat* eran aperturistas hacia el saber gastronómico universal en unos tiempos de grave autarquía material y cerebral; identificadores de una cocina catalana por entonces amenazada por las escaseces de la posguerra y el supuesto cosmopolitismo del paladar de una nueva burguesía advenediza capaz de demostrar su riqueza pidiendo langosta de primer plato y pollo de segundo o la austeridad *carrinclona* de otra zona burguesa dispuesta a cenar toda la vida col y patata y mortadela; escritos lúdicos y a la vez armadores de la evidencia de que comer bien no significa gastar mucho dinero sino saber lo que se come, cuándo se come y cómo se hace. Lógicamente Pla, a pesar de su nostalgia balzaquiana del *ancien régime*, influyó sobre una serie de jóvenes intelectuales catalanes liberales, partidarios de la felicidad que siguieron sus paradigmas culturales con respecto a la operación de guisar y comer y esa ramificación de la posición del escritor ampurdanés llegó hasta las nuevas hornadas de las capas medias más ilustradas y progresistas de los años setenta, agentes de una importante recuperación de la cocina en Cataluña y en España. Esas nuevas capas medias protagonistas de la Transición Democrática mejoraron a la burguesía del estraperlo y de la complicidad con la mediocridad franquista, consiguieron elaborar una Constitución y llegar a escoger un menú con cierto conocimiento de causa y efecto. ¿Se puede pedir más a una generación de capas medias? Pla creó escuela de *teóricos del comer* influyendo poderosamente sobre la pedagogía culinaria de Néstor Luján o de Juan Perucho y prolongando esa presencia hasta Xavier Domingo o Llorenç Torrado. La acción de estos divulgadores sirvió para marcar unas ciertas directrices seguidas sobre todo por las capas medias más culturalizadas y avanzadas, dispuestas a secundar una operación cultural a la vez identificadora de unas raíces y militante en el objetivo del placer. No es sorprendente que del *viejo kulak*, como calificara Montserrat Roig a Pla, derivara una filosofía progresista de la cocina y de la alimentación que hoy día se percibe en casi toda la literatura especializada en la relación existente entre el cerebro y el estómago, largo recorrido para todo placer, que en este caso pasa por el paladar.

Al seleccionar los textos que compusieron *El que hem menjat*, he tenido en cuenta esa función de memorialismo del gusto colectivo que tuvo la obra de Pla. He prescindido de algunos de sus artículos perecederos porque se basaban en percepciones perecederas y he respetado aquellos que vertebraban su filosofía del guisar y del comer. Por ejemplo el dedicado a las grasas y las salsas, hechos diferenciales de cualquier cosmogonía de las cocinas. Son indispensables para la supervivencia las posiciones absolutamente militantes, sectarias, dogmáticas de Pla ante la *escudella i carn d'olla*, el *potaufeu* catalán, algunos arroces o el tomate, por poner tres ejemplos de la pedagogía planiana, articulada sobre el procedimiento de viajar de la anécdota a la categoría según la consigna de Eugenio d'Ors. Es elemental la sanción de Pla sobre la casi inexistencia de la cocina bovina importante, así en Cataluña como en la totalidad de España y en cambio la importancia que tienen el cerdo y el cordero, en su justa edad, enemigo el escritor de los infanticidios al servicio de paladares pueriles y paidófilos. Su apología de la cocina del pescado se fundamenta no sólo en su condición de ilustrado payés mediterráneo, sino también en su curiosidad por la vida de las especies que se come, como si hubiera sido capaz de bucear en la Costa Brava para entrevistar a los calamares y los bogavantes autóctonos. Las salsas caracterizan las cocinas vertebradas y la catalana tiene las salsas que se merece, pocas pero con mucho carácter y ahí está el *romesco* para demostrarlo.

Especialmente atractivos los capítulos que dedica a la relación entre la fiesta y el comer, ratificación contemporánea de aquella grosería materialista de Brecht... *primero el estómago y luego la moral*, pero a la vez intento de quitarle contexto de lucha de clases. Siempre fue el banquete compañero de la fiesta popular, aunque sólo fuera por sacar una vez al año el vientre de penas y los sectores populares han defendido desde que lo son el derecho a ser felices comiendo lo mejor posible en *los días señalados*, sin que debamos dar una interpretación rigurosamente reconsagrada a la señal que ha seleccionado tales días, sea Señal con mayúscula, sea con minúscula. Finalmente han querido conservar las reivindicaciones de Pla contra la prisa, defensa de una supuesta calidad de vida del mundo antiguo que al parecer para la mayoría sólo se demostraba en el derecho a una cierta parsimonia. A pesar del perfume antiguo régimen que emana de la condena del *frenesí de la vida moderna* o de su desprecio de corte y alabanza de aldea, Pla puede ser interpretado como un nostálgico y reaccionario notario de unas normas de vida obsoletas, pero también como profeta de una nueva convención de vivir futura, superada la era del crecimiento material cueste lo que cueste, del colesterol y del infarto de miocardio.

Tal vez sería una ironía de la democracia futura, si es que tiene futuro la democracia, que la posición de Pla ante la dieta y la prisa se socializaran. Sin duda Pla se hubiera disgustado ante cualquier avance socializador y quién sabe cómo habría reaccionado. De momento le debemos que su nostalgia coincida con nuestros deseos y nuestras esperanzas alimentarias. En Italia, el poderoso movimiento *Slow Food* puesto en marcha por jóvenes progresistas que sabían comer y vivir, parece inspirado en la filosofía planiana: una cocina de la memoria mediterránea con tiempo suficiente para llenar nuestro presente y un generoso turno de tertulia de sobremesa para planear las comidas del futuro. Es decir, memoria, deseo y esperanza.

Manuel Vázquez Montalbán

PROPÓSITO DE ESTE LIBRO:
NUESTRA VIEJA COCINA FAMILIAR

En el Ampurdán, país donde resido habitualmente, existe cierta cocina familiar que hoy día, de hecho, se está acabando de una manera segura e inevitable. Era una cocina buena; o al menos así nos lo parecía a los naturales del lugar. Hoy día se come bien en algunas –muy pocas– casas particulares; hace años comía bien todo el mundo, ricos y pobres. La cocina de ahora, cada vez más escasa, está encerrada entre las cuatro paredes del hogar; mientras que antes se formaban cofradías de amigos obsesionadas por la culinaria que aprovechaban cualquier excusa para organizar comilonas al aire libre. Cuando de joven oía hablar de estos festines, se me antojaban pantagruélicos, usando el término en el sentido hiperbólico que la gente le suele dar. Quizá no eran pantagruélicos, sino simplemente excelentes: ya es bastante, para ir tirando.

El Ampurdán sigue fascinando a mucha gente de nuestra área. Yo he oído decir que la calidad de nuestra cocina es consecuencia de la proximidad de esta comarca con Francia. Esta afirmación, del todo errónea, es un simple tópico que se ha puesto a circular sin haber dedicado antes ni un solo momento a examinar la certeza de la comparación. A pesar de nuestra cercanía a Francia y de las mezclas entre las gentes de las comarcas vecinas, que estuvieron unidas durante varios siglos, la frontera, sobre todo las viejas lindes del castillo de Salses y de las Corberes, marca una disparidad culinaria total.

Sobre los condados catalanes que pasaron a ser franceses después del Tratado de los Pirineos –obra inicua del imperialismo francés y de su teoría de las fronteras naturales–, Francia no sólo proyectó su cocina: también extendió todas las formas de su derecho, de su arquitectura y, en general, de su vida, esparciendo incluso sus tejados rojos. Tuvieron que someterse. Destruyeron las masías y las sustituyeron por sus infectos *châteaux* burgueses. Pero una cocina basada en la mantequilla, en la abundancia del buey y en los principios de la cocina burguesa, ¿cómo podría confundirse con la nuestra? No. Quedaron reminiscencias: las de las cosas gustosas. A los roselloneses les gustan los caracoles, lo mismo que a nosotros. El escultor Arístides Maillol no sólo presidió grandes caracoladas en Banyuls, también lo hizo en las tierras fragosas del país. Pero al margen de esto y de poco más, ¿qué ha quedado?

Aun suponiendo que los roselloneses guarden un gran parecido con nosotros –los campesinos del Rosellón hablan un catalán mucho más fundamental que nuestros payeses, como me comentó tantas veces el poeta Josep Sebastià Pons–, es un hecho que la frontera fue decisiva. Por tanto, si aquí podemos presentar una buena cocina, a pesar de la marca, no es por la proximidad de Francia, sino porque la gente del país, en virtud de su propio rendimiento, ha creado su peculiar concepción culinaria, que tendrá tantos defectos o cualidades como se quiera, pero que a la postre es la que más nos gusta.

Mi experiencia me lleva a creer, por otra parte, que la cocina francesa, la cocina nacional francesa, no ha existido nunca. La cocina nacional francesa es la que sirven en los vagones-restaurante de los trenes expresos en gran parte del continente. Lo que existe en Francia son las cocinas regionales, las que el pueblo ha elaborado en lugares concretos y con productos autóctonos específicos. Los grandes restaurantes de París han hecho suyos estos platos y han creado así la cocina francesa. Esto, evidentemente, tiene mucho mérito, y además ha asegurado la continuidad en el tiempo de una gran cocina, cosa aún más meritoria. Eso sí, ante esta cocina, yo me permitiría decir un par de cosas: en primer lugar, es una cocina a la cual la inmensa mayoría de los franceses nunca ha tenido acceso; en segundo lugar, esta cocina ha tenido tantos admiradores dentro como fuera de Francia.

Con lo dicho creo que basta para desmentir que nuestra cocina tenga una determinada calidad como consecuencia de su proximidad a la frontera francesa. Es éste un juicio puramente fantástico que sólo demuestra que quien lo respalda tiene una idea mínima de Francia, y aún menor de nuestro país.

Nosotros tenemos una cocina modesta, pequeña, si queréis precaria y monótona, llena de tantos defectos como bondades, pero que en definitiva ha alimentado un país. Podrá gustar más o menos, estar mejor o peor considerada, pero qué le vamos a hacer, a fin de cuentas es la única que tenemos. No hay otra. Desviarme, en este punto, de la realidad, no está en mis manos.

Así pues, en este libro vamos a hacer constantes referencias a nuestra vieja cocina familiar, que en definitiva es la única que merece la pena mantener y continuar. En estos últimos años, esta manera de cocinar ha sufrido grandes embates. Algunos platos, como el cocido catalán –la *escudella i carn d'olla*– han venido a menos, y su decadencia se acentúa sin parar. Este plato, considerado antaño, quizá por su mismo arcaísmo, uno de los puntales de toda la sociedad, ha resultado en nuestros días demasiado caro. Un buen cocido como los que se hacían antes ahora vale un dineral. En general, todas las formas de la cocina de nuestros padres se corresponden más bien poco con la manera de pensar y de hacer del mundo actual, y así todo parece muy extravagante. En este libro haremos algunas alusiones a este hecho con la intención de aclarar sus causas. Ya veremos, o verán, adónde nos lleva este camino. Aventurar ahora cualquier conjetura no tendría sentido; sólo diré que los resultados a que este proceso nos conduzca, sean los que fueren, tendrán difícil comparación con los obtenidos por la vieja cocina familiar. Si yo fuese el único en decir esto, podría parecer movido por un sentimiento personal de añoranza desprovisto de toda trascendencia; pero el caso es que toda la literatura, abundantísima, que hoy se escribe sobre esta materia, la de casa y la de fuera, responde a esta tendencia, así que la postura está bastante generalizada: no es una veleidad aislada y romántica, sino una corriente muy extendida.

Es incuestionable: la cocina ha decaído en todas partes. En definitiva, todo se ha industrializado. El gusto de las cosas es otro. Se han envasado las mercancías y los platos más inverosímiles en virtud de procedimientos químicos más o menos recreativos, pero crematísticos, espeluznantes. La cocina como arte de lentitud, paciencia, moderación y calma va de capa caída. Me gustaría saber si es posible hacer algo en este mundo, si no es a base de observación y de calma. Todo lo que no sea obedecer este principio es una pura fantasía para primarios. Ahora se quiere hacer una cocina llamada revolucionaria: a procedimientos tradicionales y arcaicamente meditados se les aplica este adjetivo de la más repugnante demagogia. Vayan entrando, si así lo desean, en la cocina revolucionaria, y cada día comerán peor. ¡La cosa es tan notoria y tan clara!

Pero curiosamente la gente quiere comer cada día mejor, sobre todo en verano, cuando acuden con asiduidad al restaurante. Quieren comer cada día mejor, aunque siempre fuera de las cosas tradicionales. Esto ha llevado a los propietarios de algunos establecimientos a hurgar en la vieja cocina familiar, y de ahí han surgido platos tan extravagantes como los combinados de carne y pescado, mezcla que yo sólo he visto en este país y que se puso de moda con gran facilidad. Estas fórmulas, absurdas *a priori* por no decir monstruosas, mientras se mantuvieron en los límites de la cocina familiar dieron lugar, a veces, a muy buenos platos.

Un ejemplo es la langosta con pollo que comí en casa de niño. Si se acierta, la combinación de elementos tan opuestos, casi aberrantes, bien ligados por el sofrito, una de las señas de identidad de nuestra cocina, puede resultar muy agradable. A simple vista no hay nada más arriesgado que poner en una misma cazuela un pollo y un crustáceo, ambos ingredientes de inconfundible personalidad. Cuando explicamos este plato a un forastero –y no digamos a un extranjero– lo primero que podemos apreciar es que se lleva las manos a la cabeza. «Es imposible –os dicen–. La mezcla es absurda y los resultados han de ser fatalmente catastróficos. Cosas tan diferentes nunca se podrán combinar.» De acuerdo. Y no obstante...

La teoría es una cosa. La práctica, otra, generalmente distinta. Se encuentran en el mismo cuadro, pero los resultados pueden ser muy diferentes. La cocina es una especie de bautismo. El bautismo es un exorcismo para sacar los demonios del cuerpo del niño que se desea bautizar, un exorcismo –probablemente gratuito, pero muy bien visto– para limpiarlo de los pecados capitales. La cocina hace lo mismo con los alimentos: les quita el salvajismo intrínseco y trata de unificarlos. La realidad de cada día –la práctica habitual es una actividad normalmente mucho más aguda que la teoría– puede producir en la cazuela una unión indiscutible de estos elementos tan aberrantes. Aunque se trata de un plato viejo de nuestra cocina familiar, ha tenido mucha aceptación como receta nueva y desconocida. De la misma manera se han presentado otros platos típicos del país, como la langosta con caracoles, las gambas con pollo, etcétera. Son combinaciones que dan miedo, difíciles y peligrosas, pero han llegado a despertar mucha curiosidad entre la gente interesada en apartarse de las cosas normales y corrientes, que es lo que la época reclama, según parece.

¿Se ha obtenido algún resultado?

He tratado de escribir que estas mezclas sin sentido pueden, a veces, desembocar en algún resultado. Soy testigo de ello. Pero ha pasado una cosa curiosa: estas mezcolanzas se han desplazado de la cocina familiar a los establecimientos de restauración pública, gracias precisamente a que son muy caros. Son platos de establecimientos dirigidos a personas que desean hacer un extra. Como hay gente que gana tanto dinero, nunca están vacíos.

Ahora bien, estos y otros platos del mismo tenor no siempre se aciertan. Y si esto era verdad en la vieja cocina, aún lo es más en los restaurantes, con lo que, a pesar de todos los miramientos, la langosta suele acabar yendo por un lado y el pollo por otro, sin que el sofrito haya integrado nada: al final, los elementos se han menospreciado mutuamente. Es un plato peligroso, ¿quién podría hacerlo con seguridad? Alguna vez me he visto obligado a enfrentarme con estos impresionantes guisados y mi decepción ha sido, salvo contadas excepciones, muy pronunciada. A los turistas y forasteros les parece magnífico, faltos como están de un punto de referencia. Lo comen por su extraña novedad y su extrema rareza. A buen seguro nos encontramos ante un plato sofisticado elaborado bajo capa de la novedad. Estas cosas son, para mí, completamente absurdas.

Este libro, escrito por la insistente demanda de la editorial y en el recuerdo del profesor Vicens i Vives, que en los años del hambre me presentaba ditirambos destinados a poner de manifiesto lo agradable que es vivir en un país habitado por gente normalmente alimentada, ha de ir precedido de algunas referencias personales.

Yo nunca he sido cocinero. No tengo la menor idea sobre recetas culinarias. Lo que me interesa de la cocina son los resultados, la eficacia. Nunca he sido ni un *gourmet* ni un *gourmand*. Mi capacidad de absorción de alimentos siempre ha sido muy precaria. Es probablemente éste el motivo por el que he llegado a vivir algunos años. Estos papeles los escribo habiendo cumplido setenta y cuatro años, que ya son muchos. Mi ideal culinario es la simplicidad, compatible en todo momento con un determinado grado de sustancia. Pido una cocina simple y ligera, sin ningún elemento de digestión pesada, una cocina sin taquicardias. El comer es un mal necesario y, por tanto, se ha de airear. Soy contrario al vino fuerte y de alta graduación. El vino dulce me horroriza. El vino ha de ser seco, fresco y de pocos grados. No me gustan las cosas crudas, ni dulces, ni demasiado saladas. El lujo, en el comer como en todo, me deprime. Siempre he creído que la mesa es un elemento decisivo de sociabilidad y tolerancia.

Nunca he sido partidario de las cocinas exóticas ni de los platos de pueblos lejanos, remotos. En alguna ocasión, encontrándome en una ciudad u otra, mis amigos me han querido llevar a algún restaurante chino o judío o polinesio... Jamás he puesto los pies en esos extraños recintos. Nunca he sentido la menor curiosidad ni por la cocina árabe, ni semítica, ni del Extremo Oriente. Prefiero comer con cuchara, tenedor y cuchillo, antes que con los dedos o con palillos. Soy un franco partidario de la cocina de este continente, tan variada, y de la cocina de América del Norte. Si bien se mira, lo acepto, es en conjunto algo corriente y aburrido, monótono. Pero esta monotonía me encanta, pues desconfío de que las novedades por sistema ayuden a pasar la vida. No me atrevería a hacer comparaciones entre países: que cada cual haga lo que pueda y coma de la manera que más le guste, cada maestrillo tiene su librillo. Me gustan nuestras cosas, sobre todo si son corrientes y simples, limpias e impecables; así que nunca he llegado a comprender por qué lo exótico, por el mero hecho de serlo, ha de ser, sistemáticamente, adorable.

Nuestra cocina es muy variada, especialmente ahora que se ha acabado la dieta de *escudella i carn d'olla* diaria y arroz los domingos. Sobre los elementos extraños que parecen haberse infiltrado en nuestra cocina, me mantengo en una adhesión incompleta: dentro de mi europeísmo metódico, me atengo a la eficacia. Es necesario juzgar nuestras cosas después de haberlas probado. Lo demás es una pretensión ridícula y sin lógica apreciable.

COCINA DEL ACEITE Y COCINA
DE LA MANTEQUILLA. LAS SALSAS

En el continente donde transcurre nuestra vida no hay, básicamente, más que dos cocinas: la cocina de la mantequilla y la del aceite de oliva. La frontera entre ambas la determina *grosso modo* el límite del cultivo del árbol de Minerva, que no coincide, dicho sea de paso, con el de las tierras de cultivo de la viña, que puede vivir mucho más al norte que el olivo. Pero en fin, para hacernos entender de momento y hablando en general, digamos que la cocina de la mantequilla es la del norte, o sea la de los países en que la bebida normal es la cerveza, y la cocina del aceite de oliva es la del sur, es decir, la de los países donde se bebe vino.

Tampoco es exactamente apropiado hablar de la cocina de la mantequilla de una manera absoluta, porque los países que utilizan esta grasa animal acostumbran a cocinar echando mano de muchos sustitutos de la mantequilla, en especial la margarina. Y lo mismo pasa con la cocina del aceite de oliva, que es una grasa vegetal: en Francia y en Italia, a pesar de ser países total y parcialmente mediterráneos, el aceite de oliva es cada día más escaso. Lo que se usa sobre todo es el aceite de cacahuete que con tanta prodigalidad producen algunos países de África. Es necesario anotar estas excepciones porque cada día son más ciertas y visibles. El caso es que se va haciendo progresivamente más difícil saber qué ingredientes han entrado en la composición de lo que uno come, y si la especie humana sigue en su aumento al ritmo de los tiempos presentes, llegará un momento en que será imposible tenerlo claro.

En nuestro país, que es un considerable productor de aceite de oliva, la grasa vegetal se mantiene con mucha integridad. Somos un resultado del aceite de oliva, de la grasa vegetal. Creo que no es nada desdeñable, y no sólo por razones intrínsecas, sino porque soy un gran admirador de los olivos, que es el árbol más bello del mundo, el más claro y el más elegante.

He oído sostener la teoría de que las grasas animales, sobre todo la mantequilla de gran calidad, son infinitamente superiores al aceite de oliva por lo que se refiere al mantenimiento del cuerpo humano. A la gente acostumbrada a esta grasa vegetal se le hace muy cuesta arriba comer la cocina de la mantequilla. Lo contrario también es cierto. Después de pasar tantos años de mi vida fuera de mi país, estoy familiarizado con las dos cocinas: puedo alternarlas con la mayor facilidad. Si estuviese en mis manos, haría cocinar algunos alimentos, como las tortillas, en mantequilla y otros, por ejemplo muchos pescados, en aceite de oliva sin acidez. En este punto, mi fuerza estomacal tiene una absoluta abertura de compás; sólo pido pequeñas y naturales cualidades: el aceite de oliva no ha de despedir olores infames y repelentes y la mantequilla no debe presentarse en forma de sucedáneo, pues tengo de la margarina, cada día más introducida en nuestro país, una idea absolutamente nefasta.

Estoy por tanto dispuesto a aceptar que las grasas animales son excelentes para la formación del cuerpo humano y para promover todas sus posibilidades. Al fin y al cabo, el norte y el centro de Europa y los Estados Unidos constituyen el área geográfica que contiene la humanidad más importante del mundo; y su grasa habitual es la mantequilla. Los del aceite de oliva somos más pobrecitos y risueños, excepto Italia, que es un país cada día más importante. Hay que añadir sólo un par de cosas: los índices de mortalidad de los que viven en estas dos cocinas son prácticamente iguales, y en los países del aceite de oliva los borrachos son pocos, insignificantes.

Quizás un somero examen de las salsas nos ayude a comprender estas dos cocinas básicamente distintas. De hecho las salsas, si prescindimos por el momento de las que tienen como fundamento los productos del mar –como la salsa de anchoas– o de la tierra –como la salsa de tomate–, siguen las directrices del aceite o de la mantequilla de una manera indiscutible.

La salsa clásica de los países de la mantequilla será siempre la holandesa, que no es más que mantequilla fundida al fuego con un poco de sal. En realidad, todas las salsas utilizadas en el mundo occidental no son sino imitaciones elaboradas partiendo de la mantequilla. La salsa holandesa es un poco insulsa, pero muy respetable. La salsa tártara tiene mayor amenidad, mucho más panorama.

A mi modesto entender, los países del aceite de oliva poseen dos salsas con mucha punta: la mayonesa y el ajoaceite. Incluso estando fundamentada en el aceite de oliva, la mayonesa es la salsa universal por excelencia, el común denominador del mayor número de estómagos pensable y concebible, un producto prácticamente sin fronteras. Se ha discutido mucho si la mayonesa es la mahonesa, si tuvo su origen en la isla de Menorca y fue trasladada a París cuando las tropas de Crillón se apoderaron de la isla durante el reinado de Luis XV, desplazando temporalmente a los ingleses. Este origen, aunque verosímil, no ha llegado a aclararse de manera decisiva. La mayonesa o mahonesa –la he visto escrita también *magionaise* en los viejos recetarios franceses– puede haber tenido su origen en los países del sur, ya que su ingrediente es el aceite de oliva (hoy de lo que sea, como puede suponerse). Para lo que les conviene, los franceses son endemoniados; para otras cosas, no tanto.

El ajoaceite es una cosa muy misteriosa. Se trata, sin duda, de la punta extrema, del elemento culminante de todas las salsas meridionales o del aceite, pero sus fronteras son mucho más limitadas que las de la mayonesa. La mayonesa es al ajoaceite como un minino a un león: en el centro y norte de Europa, en los países anglosajones, el ajo pone la piel de gallina a sus habitantes. En esas latitudes no se ingiere ajo más que en rarísimas ocasiones. La gente rica de nuestro país, distinguida y finolis, es contraria al ajo, pero a veces se mueren de ganas de tomarlo. A menudo he visto a maridos pedir permiso a sus señoras para acercarse a él. Ciertamente, en la cama, el ajo individual y monográfico tiene que ser poco ameno... para el otro. Yo también soy contrario al ajo, pero no por razones olfativas: soy contrario porque el ajo ofrecido en abundancia destruye de manera ineluctable el gusto de los alimentos. Con todo, el ajo se ingiere en el sur por determinadas personas por consejo médico o prescripción facultativa. El doctor Marañón recetó ajo crudo contra el reumatismo, lo que acercó este tubérculo a las personas distinguidas; pero el hielo no se ha roto. Por estas razones el ajoaceite dispone de un área limitada y su difusión es sobre todo provinciana y rural. En invierno el ajoaceite es la calefacción central del campesinado. Es un producto importantísimo, y cuando hace frío decisivo. En esos ambientes la cebolla desplaza a veces al ajo durante el invierno. Desde el punto de vista económico la trascendencia del ajo es enorme; es probable que sea el fundamento multisecular de la sobriedad espartana de la vida rural. Es una de las mayores ilusiones del área del Mediterráneo. En algunos países, para sentirse satisfecha, la gente ha de comer considerables cantidades de carne. Cuatro dientes de ajo hacen entre nosotros, de manera momentánea, el mismo efecto; aunque tal vez no sea exactamente el mismo efecto,dicho sea sin pretender molestar el patriotismo colectivo. Hay que reconocer que valiéndose del ajo y de la cebolla, la naturaleza ha hecho lo que ha podido para que todo el mundo vaya tirando.

En los recetarios de cocina posteriores al triunfo de la burguesía es difícil encontrar alguna referencia al ajoaceite. Ya he expuesto las razones: la distinción no tolera el ajo. En cambio, en los libros regionales de cocina –que en Francia son muy relevantes, sobre todo los dedicados a la cocina provenzal– esta salsa se presenta con todos los honores correspondientes a su intensa complejidad. Hay una gran literatura, principalmente lírica, sobre el ajoaceite. Algunos grandes escritores, como Mistral, los Daudet o Félix Gras, la han cantado cual ruiseñores en la enramada. Es una salsa con mucha sustancia dentro y fuera, que proporciona abundante satisfacción y tanto puede servir para acompañar un plato de pescado como de carne. Una declaración semejante no podría hacerse de todas las salsas. Del ajoaceite lo podemos afirmar sin que el rechazo sea concebible.

¿Se podría decir algo parecido del *romesco*? Las primeras noticias que tuve acerca de esta salsa me llevaron a considerarla específica para el pescado. Después la he visto utilizar para amenizar platos de carne. ¿Se trata de una salsa intercambiable, como el ajoaceite? Ignoro si conozco la ortodoxia misma de esta salsa, mi cultura sobre el particular es muy precaria; si me equivoco, tendrán que perdonarme. Lo que querría decir, aprovechando la ocasión, es que el *romesco* es objeto de manipulaciones que no lo favorecen demasiado: excelente en la marina, en el campo de Tarragona y en la bellísima población del mismo nombre, a medida que se va alejando de su lugar de origen va tornándose una salsa de tomate para personas pálidas, se desvirtúa y pierde personalidad. Es bien sabido que estos últimos años el *romesco* ha tenido una gran difusión en toda nuestra área, dejando de ser un producto meramente local o comarcal para pasar a tomar un volumen considerable. Quizá merecería la pena respetar sus principios y mantener su perfil auténtico y real.

Con las salsas pasan de vez en cuando cosas sorprendentes. Así por ejemplo, la salsa bearnesa, a pesar de haber nacido en un país tan afectado de meridionalidad como el Bearn, tocando los Pirineos, es una sabrosísima salsa de la cocina de la mantequilla. La intencionada, graciosa y admirable salsa tártara, en cambio, es un capítulo de las salsas fundamentadas en el aceite de oliva, aunque su nombre suscite una lejanía tan remota y extraordinaria. Sería curioso saber alguna cosa concreta sobre la salsa tártara y su aclimatación en el mundo occidental. No sé si es cierto lo que dicen algunos tratadistas, para quienes la salsa tártara llegó a París a raíz de la invasión de Rusia por la *Grande Armée* de Napoleón. Cuesta creerlo. La invasión de Rusia por Napoleón dio lugar a uno de los más impresionantes desastres militares que recuerda la historia: el infligido por el general ruso bizco, juicioso y en extremo sagaz Suvarov, prodigiosamente descrito por Tolstoi en *Guerra y Paz*. La retirada de Rusia fue un desastre fenomenal, una inmensa y merecida desgracia, un suceso de los que suelen provocar muy trágico humor, una situación no muy indicada para pasear salsas y cultivar frivolidades. Y eso es lo que han opuesto otros tratadistas a lo que dijeron los citados. En todo caso, suponiendo que la mayonesa sea la mahonesa de Menorca, su traslado a París sería más verosímil, porque se basaría en una victoriosa invasión militar que en su tiempo –la época de los chambergos– tuvo una resonancia fenomenal.

En los Estados Unidos las salsas han llegado a una etapa de frenética industrialización y casi todas se presentan envasadas, y algunos líquidos espesos, embotellados. Son de muchas clases, está claro. Hay americanos, como hay ingleses, a quienes les gusta la comida acompañada de estos productos especiosos, a menudo fuertes en exceso, francamente. A veces se dejan caer unas gotas explosivas en las sopas, sin duda para darles el gusto del líquido manipulado. Ahora bien, en mi opinión, es un error sofisticar los alimentos y fatigar el estómago más de lo necesario, porque los servicios que presta este órgano son de consideración y su paciencia ha de batallar contra las inacabables locuras humanas.

Las personas que viven en los dominios de la mantequilla no suelen apreciar la cocina del aceite de oliva, y menos las salsas de esta tendencia. Por contra, las personas del lado opuesto no pueden tolerar las grasas animales y les cuesta mucho habituarse. El aceite los crispa, en especial si su punto de acidez lo hace incisivo y apestoso. La mantequilla es considerada por los del otro lado un producto empalagoso y de imposible absorción. Es necesario mantener la calma y acostumbrar el estómago a la tolerancia ante las cosas, tan diversas, que la vida te presenta a cada instante. De lo contrario, más vale no moverse de casa, porque se sufre enormemente. Lo que el mundo tiene de divertido y de interesante proviene de su diversidad; sin embargo, si la diversidad no da más que molestias, se convierte en un suplicio. En casa se está bien, y la monotonía... ¡es tan agradable y divertida!

LAS SOPAS

Creo que podríamos afirmar que el ciudadano de este país, en realidad, es por lo general poco sopero y no está muy interesado en esa faceta de la cocina. Me apresuro a decir que la constatación de este hecho me produce bastante extrañeza.

Durante siglos la alimentación popular autóctona ha sido la *escudella i carn d'olla*, es decir, el puchero o *bullit* a la catalana, un plato que puede encontrarse, con los naturales matices, en todo el occidente europeo, concentrado sobre todo en el ámbito familiar: es el *potaufeu* francés, el cocido peninsular, la *potée flamande*, el *bollito* italiano... Este modo de hervir variados elementos vegetales y animales da origen a un caldo, perfeccionado entre nosotros de manera modélica con el arroz y fideos o alguna otra pasta y legumbres verdes y secas, que ha llegado a construir, especialmente en el campo, la llamada *escudella de pagès*, un plato que apenas puede discutirse porque es un hecho de volumen incuestionable. De manera que la verdadera sopa del país, la que se ha comido en el curso de los siglos, ha sido la del puchero, la *escudella*, que ha tenido una popularidad vastísima, tanto en el campo como en los pueblos y en las ciudades, en los medios rurales como en los industriales. Yo soy de una época en que a la hora de comer, en los hogares, se daba *escudella i carn d'olla* cada día de la semana. El domingo era excepcional: se presentaba en familia un arroz cocinado según principios comarcales, es decir, de la geografía, de la producción y del clima imperante.

Ahora mi intención es hablar del trasfondo histórico de las sopas. En los decenios que atravesamos es la misma evidencia que el cocido –la carne de la olla y el caldo o sopa subsidiaria– ha venido a menos, no solamente porque los ingredientes que lo componen son muy caros, sino porque el plato requiere, si queremos presentarlo de una manera digna, unas horas de cocción, y una de las características más acusadas del tiempo en que vivimos es la posibilidad de encontrar personas interesadas en las cosas más absurdas y grotescas de la tierra y la imposibilidad de encontrar personas que muestren curiosidad por el fogón, la cazuela o las parrillas. De la misma manera que hay manuales para aprender griego o latín sin lágrimas, ahora se pretende comer bien sin el mínimo esfuerzo, haciendo las cosas de cualquier manera, sin dificultad. Cada día es menor el interés por la cocina, lo que resulta fatal para el mantenimiento del amor y de los matrimonios reales, quiero decir monógamos. Es absurdo, pero cierto. El caso es que la *escudella* va de capa caída, cosa por otra parte natural en un país cuyos dirigentes han abaratado los artículos de lujo permitiendo, escandalosamente, el encarecimiento de los productos populares. La *escudella* era una cosa popular.

El resto de sopas popularizadas en el país carecen realmente de consistencia y no tienen ninguna importancia. Las tazas de caldo que tuvieron una presencia tan difundida en los estados de convalecencia forman parte del sistema de hervido del que ya hablaremos. Cuando en esos casos se quería hacer algo sustancioso se obtenía del hervido de los huesos con tuétano, de los huesos cilíndricos del *osso bucco* italiano. Era el tuétano de estos huesos lo que generaba las lunas de nuestras viejas tazas de caldo. Las sopas de restos, las sopas de pan, amenizadas a veces con un huevo, eran sopas sin sueños posibles y sin realidades. La sopa de ajo, con un chorrito de aceite de oliva, es un buen plato peninsular siempre que el ajo no arrase el contenido del recipiente. La sopa de tomillo –*de farigola*– es muy agradable, para mi gusto mucho más que la de ajo, sopa clérico-rural que por su extrema facilidad se ha impuesto no sólo en el mundo eclesiástico, sino en estamentos de la vida ciudadana. La sopa de tomillo se suele comer todo el año, pero sobre todo hacia marzo, que es cuando la flor de este arbusto es más aromática. Es una sopa muy antigua, poética y de campo; hay un dicho en el país que dice *sopes de farigola, parts de rosari...*

Queda otra sopa que seguramente es la más gustosa del país y que en los últimos años ha tenido mucho predicamento: la sopa de pescado. Se trata, no obstante, de una sopa muy limitada a nuestro litoral, pues nada hay más discutible, a pesar de los frigoríficos al uso, que esa especie de caldos que cocinan en el interior. Las sopas de pescado que hacemos aquí, auténticas y reales, poseen la cualidad de ser sopas de caldo de pescado; en este sentido, aspiran a ser sopas muy distintas de la bullabesa provenzal –dicen que Marsella es la capital de la bullabesa– y de esas horribles zarzuelas que se sirven en los establecimientos, sin ningún sentido culinario y con cierto riesgo para los estómagos. La sopa de pescado está en franca decadencia; en este libro la examinaremos cuando llegue el momento.

Habiendo vivido y viviendo, con mucha continuidad, entre payeses, una cosa me ha sorprendido siempre de este estamento tan importante: los payeses no toman más sopa que la del cocido, plato que está en franca decadencia, como decía hace un momento, y que ellos mantienen, sin duda, acentuando la precariedad. El hecho de que los payeses no dispongan en su alimentación de las sopas de verduras secas o verdes que constituyen uno de los factores esenciales para el mantenimiento de las clases rurales en el continente europeo siempre me ha causado una gran extrañeza, llevándome hacia reflexiones de escasa amabilidad. A fin de cuentas, soy fiel partidario de las sopas de verdura del tipo campestre y agrario.

Creo que se podría afirmar que los payeses de este país comen muy mal; y desde un punto de vista higiénico, de manera equivocada. Comen *escudella i carn d'olla*, por supuesto, amenizada con cerdo y tocino rancio, alimentos que utilizados en exceso son una barbaridad. Proyectan sobre casi todo lo demás su aversión a los hervidos y lo hacen todo frito y refrito, siempre que pueden con tomate, que acaba de estropearlo de forma irreparable. Las sopas hechas con los productos naturales que tienen al alcance de la mano, las sopas de legumbres y de verduras, no son de su gusto, al contrario de lo que ocurre en toda la cocina europea rural. ¿Por qué no comen sopas, ni siquiera a la hora de cenar? Nunca lo he entendido. En parte, quizás, es debido al hecho de que estas sopas son de cocción lenta y requieren tiempo, mientras que las frituras son rápidas, y las mujeres, en la vida rural, tienen mucho trabajo. Pero tal vez la cuestión ha sido mal planteada por razones temperamentales y ha ocasionado soluciones en general contrarias.

He sostenido siempre que uno de los mayores escollos de esta península guarda relación con la alimentación popular. En esos vastísimos espacios donde no existen huertos, resolver este problema será muy difícil. Ahora bien, en el país en que vivimos no se puede concebir una aglomeración rural sin la producción hortícola correspondiente inmediata. En estos parajes no puede concebirse una masía sin su huerto en cuidado funcionamiento, a veces muy productivo y bien cultivado. Eso sí, el payés, sobre todo el de las tierras bajas o de media altura, tiende lo primero a llevar sus productos al mercado y convertirlos en moneda. Es un elemento positivo de la economía general. De lo que produce, lleva siempre lo mejor al mercado; puertas adentro lleva una vida precaria. Prefiere mercadear a comer de una manera pasable; su ansia de seguridad lo empuja a desarrollar una vida mediocre, estrecha, y esta tendencia lo conduce a menudo a extremos exagerados.

Las sopas de verduras y de legumbres son pues, por lo general, inexistentes en el campo, y este hecho es igualmente constatable en las poblaciones y ciudades, si bien en los últimos años estos condimentos se han difundido un poco, no demasiado. Estas sopas son cuando menos uno de los mayores alicientes de la vida europea rural, que ha hecho con ellas una alimentación inteligente, sustanciosa y muy apta para estimular el rendimiento humano. En nuestro país esta clase de sopas apenas se conoce. Se hacen generalmente con los huesos correspondientes y una mezcla de patatas, zanahorias, apio, judías blancas, puerro, etc., mantequilla y leche; después están las sopas de verduras o legumbres de carácter monográfico, es decir, con un solo ingrediente fundamental: las sopas de patatas, las sopas de guisantes, las de tomate... y muchas más que podríamos citar. Con lo dicho pretendo señalar que la mayor parte de la producción hortícola no es aprovechada por el payés para su satisfacción personal. Se suele objetar a esto diciendo que la nuestra no es tierra de prados, ni de vacas, ni de leche abundante, ni en definitiva de mantequilla, y que es precisamente todo esto lo que da a esas sopas un interés sensacional, puesto que la leche arregla en la cocina muchas cuestiones, y no digamos la mantequilla. Esto es cierto, y tratar de negarlo sería absurdo. Pero no lo es menos que el uso de un buen aceite de oliva para la condimentación de estas sopas no hace ningún mal, y al fin y al cabo, siempre se puede disponer de leche. De hecho, hemos de manipular lo que tenemos; no hay dos países iguales y no se pueden hacer milagros. Lo que nunca he dicho es que estas sopas no puedan ser mejores en algún otro lugar; sólo digo que no aprovechamos lo que tenemos por pura desidia, por nuestra tendencia a hacer las cosas con dejadez, de un modo rutinario y sin interés de ninguna clase.

En nuestra historia no se han producido sopas de verduras y de legumbres de importancia. En nuestras ciudades se está pasando ahora de la pura inanidad a la presentación de sopas envasadas. Tenemos en este punto una posición muy distinta de la cocina popular y agraria del mundo occidental; una posición que a mi juicio no es precisamente de superioridad, sino todo lo contrario. En Francia hacen una de esas sopas que a mi modesto entender son extraordinarias: la de cebolla, *la soupe à l'oignon*. Esta sopa hay que gratinarla con queso rallado y mantenerla al horno el tiempo que sea preciso. Y nos abstendremos de hacer la menor referencia a una de las sopas más sustanciosas y finas de Europa y que yo he comido sobre todo en Alemania: la *oxtail soup* o sopa de rabo de buey; algo, para mi gusto, absolutamente atinado.

Una de las cuestiones más complejas y de mayor profundidad de esta península es la mejora de la cocina popular y rural, no solamente para llegar a vivir con un punto de discreción, sino con vistas a la eficacia. Independientemente de lo que se pueda haber mejorado en estos últimos años –tema complicado que cada cual juzgará a su modo–, siempre he creído que en estas tierras se podrían comer muy buenas sopas de esta clase, al menos porque los productos esenciales para hacerlas se hallan en los huertos de al lado. Si no se ha hecho es por incuria y por dejadez ancestral. Sigue en pie la idea de que la cocina sólo merece la pena cuando es algo extraordinario, cuando en realidad tendría que ser la cosa más normal y corriente que existe. Ésa es, en resumidas cuentas, la tendencia que debería dominar. Por decirlo claro: soy partidario de las sopas, de que el país sea cada día más sopero, y esto no sólo para la buena marcha de la salud física, sino también del equilibrio espiritual. Vamos entrando en un mundo donde lo único que tendrá valor será el trabajo y la integración personal, y a este objetivo podría contribuir una alimentación que pusiese fin al hiperclorhídrico, al frenesí y al uso de las incontables formas del bicarbonato.

EL COCIDO CATALÁN

En el curso de mi vida he conocido, en el área de la Europa occidental, cinco formas de cocido, todas prácticamente iguales pero de una matización tan acusada que no resisten la comparación. El hervido mayor de nuestro país, el plato más tradicional, arcaico y habitual que puede presentar, es la *carn d'olla*. En la actualidad esta afirmación quizá no sea del todo exacta. En cualquier caso, yo lo he comido desde la infancia, y por tanto he sido criado en la cocina tradicional. Por aquel entonces, la *escudella i carn d'olla* se comía seis días a la semana y el domingo se reposaba con el arroz dominical.

Con la *carn d'olla* ha ocurrido estos últimos años una cosa fantástica. Antes de la última guerra civil fue el plato accesible por definición, hasta el punto de que lo comió toda la población del país, con ese sentido del ahorro y del equilibrio social que siempre nos ha caracterizado. Después de la guerra se convirtió en una de las combinaciones culinarias más difíciles de hacer –en igualdad de condiciones, se entiende– y en gran medida tuvo que ser abandonada o reducida a tan poca cosa, a una mezcla tan precaria, que hoy, cuando se oye contar con detalle los cocidos que comieron el general Savalls y su Estado Mayor en alguna masía de Collsacabra en la época de la segunda guerra carlista, se queda uno viendo visiones y totalmente desarmado. Sí. Ha habido muchos cambios. Aunque a veces, a juzgar por el ruido de los motores de explosión, parece que progresamos mucho, en otros momentos parece que retrocedemos de una manera clara.

He esperado durante muchos años que los economistas dijesen algo sobre el extraño fenómeno que se ha manifestado en la alimentación, pero los economistas, por ahora, no han dicho nada claro. Lo que la experiencia, en una situación como ésta, parece demostrar es que la vida de los pobres es cada día más cara y la de los ricos –siempre en el terreno de la relatividad, por supuesto–, cada día más barata.

No me parece necesario describir el cocido catalán. El lector sabe perfectamente de qué se trata. Es un plato cuya difusión había sido tan vasta que ha perdido totalmente la solemnidad. Nuestro puchero contiene, sin embargo, un elemento de originalidad que no se encuentra en el resto de cocidos: la *pilota*. La *pilota* lleva una serie de ingredientes picados y luego consolidados de manera real pero ligeramente fláccida. La *pilota* no tiene forma de pelota, quiero decir que no es redonda sino que tiene más bien una forma tubular alargada. La *pilota* gusta a la ciudadanía; es un elemento que da facilidades al diente, cosa que siempre se valora. En nuestra *escudella* echamos un poco de todo sin que nada predomine demasiado. En el cocido castellano, por ejemplo, ponen muchos garbanzos, la presencia de garbanzos es considerable; en nuestro cocido, sin embargo, su número no es excesivo, sino equilibrado. Cada país aprovecha lo que tiene para realzarlo. Quienes vengan en busca del célebre *seny* catalán no harán el viaje en vano si se acercan a nuestra cocina, que es el lugar donde esta inclinación se ha impuesto de manera más visible. «En la cocina –solía decir mi madre–, se ha de poner de todo... ¡Pero poco!»

El resto es bastante similar: la gallina, los menudillos del pollo –el hígado y la molleja–, la ternera, el tocino –que nunca ha de ser rancio–, las patatas, la col, las zanahorias, los garbanzos, cuatro judías secas y, evidentemente, la butifarra negra o blanca, porque éste es el país ideal de las butifarras. Todo junto constituye un pequeño mundo muy apreciable. Ahora bien, cuando comparamos los cocidos que se comen hoy con los que se sirvieron en las grandes masías del siglo pasado, especializadas en la posesión de tantos cerdos en salazón o por matar, con las orejas, rabos, los morros, pies y carnes magras correspondientes, podemos hacernos un poco a la idea de cómo se ha ido adelgazando todo.

El *potaufeu* francés, aparte de las diferencias que proponen las legumbres del país vecino, aporta como novedad la presencia del buey en el plato. Nosotros tenemos una cocina sin buey, carencia de la que se resiente el cocido de una manera muy acusada. Formamos parte de un mundo de almas pálidas, más dadas a cantar que a razonar, y de cuerpos o muy gordos o demasiado escuálidos, sin que esto signifique la inexistencia de mujeres de gran belleza. Nos falta el buey –el clima, la lluvia, los prados– para llegar a obtener el punto de corpulencia deseado. Si tuviésemos el clima apropiado a la alimentación normal del ser humano, acaso seríamos más plácidos, más comprensivos y más tolerantes. Pasamos con mucha facilidad de la sempiterna indiferencia al desenfreno momentáneo. Estamos demasiado dominados por los nervios, por la impresionabilidad a menudo gratuita, por la angustia que nace del vacío del estómago cuando se ha comido de manera extravagante. Treinta días más de lluvia al año y el país sería mucho más agradable.

La *potée flamande*, el cuarto hervido a que hacía referencia, tiende a una simplificación mucho más visible y acusada: el buey, la ternera, nada de animales de corral y las legumbres del norte, que seguramente no son tan importantes como las de los países soleados y menos abundantes que en Francia, pero fácilmente importables. Todo esto conforma un plato sobresaliente que se suele acompañar de mostaza y regar, naturalmente, con cerveza, pues el vino, además de muy caro, no goza de una aceptación generalizada en los gustos del paladar y del corazón humano. De hecho, la *potée flamande* constituye en el norte de Europa la forma básica del cocido en aquellas hiperboreidades.

Huelga decir que se hace cocido en todos los países del mundo occidental. Existe incluso en Italia, donde la pasta –los *spaghetti* en sus variadas formas– es el gran primer plato. El *bollito* italiano se presenta muy al norte, en las faldas alpinas, y consiste sobre todo en carne hervida de manera admirable. El puchero hace verdaderas filigranas: comed una gallina entera y gorda hervida, bien hervida, y ya me daréis alguna noticia, si os complace, claro.

Del puchero de nuestro país y de todos los cocidos en general he hablado con médicos eminentes y me he hallado ante una inusual unanimidad: la ciencia médica es más bien refractaria al cocido, no solamente en su forma sólida, sino al caldo mismo. Los facultativos creen que desde el punto de vista nutritivo el caldo es un engañabobos. Sostienen que el arrasamiento y la devastación de los alimentos a través de la ebullición los desbarata, despojándolos de toda sustancia. No deja de ser curioso que un plato tan viejo y tan arraigado, que ha servido durante tantos siglos para alimentar a la gente, sea considerado insustancial y escasamente apreciable por la expresión más actual de la ciencia médica.

Cuando estuve en Madrid por primera vez, en 1920, me acercaba a veces al Senado, que era entonces la Alta Cámara de la monarquía constitucional. Era una institución muy atildada, llena de personajes impresionantes: obispos, arzobispos, generales, condes, duques, barones, marqueses, grandes propietarios, banqueros, financieros, ex embajadores, altos funcionarios, etc., y los senadores electos que en definitiva eran, por discreción, los más adaptados al tono general de la casa. Todos tenían una elevadísima categoría; la mayoría era gente de venerable ancianidad, algunos eran muy conocidos, muchos creían que el recuerdo histórico que quedaría de ellos sería indeleble, y todos, que el vacío que dejarían con su marcha no lo podría llenar nadie por muchos años que pasasen. Era un establecimiento callado, discreto, de absoluta respetabilidad, muy envarado, aunque en ocasiones se produjesen allí piezas oratorias más bien saladas y poco convencionales. Casi todos lucían barba, unas barbas bien cuidadas pero que les hacían representar más años de los que seguramente tenían. Algunos eran achacosos, otros mostraban buena presencia y acudían allí enjoyados, muchos llevaban bastones magníficos; el sombrero de la casa era el sombrero de copa alta. Lo que solían decir era inefable.

En un momento determinado, hacia el final de la tarde, aquellos señores, que casi todos eran amigos, se hacían una señal, se ponían el sombrero de copa, salían del hemiciclo de dos en dos y uno decía al otro:

—Sí, vamos a tomar una taza de caldo.

Iban a tomar una taza de caldo con lunas —esas lunas de la grasa de las gallinas—, porque el caldo del Senado tenía reputación de ser el mejor que se hacía en España y uno de los más respetables que se podían obtener en cualquier parte del mundo. El caldo de los mejores restaurantes del país, de Madrid o de Barcelona, era tenido en bien poco si se comparaba con el del Senado. Era éste un dogma de la casa, un dogma real e incuestionable. Aquellos señores tomaban su caldo muy poco a poco, con el borde de los labios, y lo degustaban con gran interés. A tales horas el estómago de aquellos señores estaba agrio, triste y crepuscular, y la presencia del líquido los entonaba. El caldo presentaba unas lunas amarillentas, grandes, redondas y flotantes. Nunca más he visto, en ninguna otra parte, unas lunas comparables. Cuando la taza se había agotado, los senadores volvían al salón de sesiones, ocupaban su escaño personal y parecían escuchar con interés un discurso considerable, o iban a la reunión de una comisión, o prestaban la debida atención a la lectura de un documento largo, difuso y seguramente aproximado. Aquellas tazas de caldo tenían la virtud de resucitar un poco cada día a aquellos venerables padres de la patria, de salud tan delicada.

La ciencia médica moderna ha destruido, por lo que veo, la teoría del cocido. Si quieren crecer, las criaturas han de comer platos de arroz hervido y buenos trozos de carne a la brasa. Los adultos tendrían que hacer lo mismo, sería lo más conveniente y eficaz. La *poule au pot*, el célebre caldo de gallina tan exaltado por Enrique IV de Francia, es un brebaje, según los facultativos, insustancial y melancólico. El cocido propiamente dicho carece de realidad auténtica, es un plato devastado. Todo en él tiene el mismo gusto, el mismo gusto insustancial. Yo siempre he creído en la verdad científica, en el supuesto de que la medicina sea una ciencia, que no lo es. Por otro lado, las señoras no tienen tiempo de cocinar, están atareadas, no están para estas cosas... Pues sí, cuando pienso en los cocidos que se comían en las grandes masías de Collsacabra, en la época del general Savalls, unos pucheros en los que abundaban los productos del cerdo, quedo deslumbrado.

MÁS SOBRE EL COCIDO CATALÁN

Cataluña es el país de la *carn d'olla*. Es un plato muy antiguo que en los últimos años, a causa de las fabulosas convulsiones políticas y económicas, ha venido a menos. Estando así las cosas, es natural que el cocido catalán ocupe en este libro el lugar que le corresponde. Yo soy un defensor de la *escudella i carn d'olla*.

Si nuestra sociedad vuelve a un equilibrio cierto entre sueldos y precios –sin olvidar la libertad de vivienda, único camino para que haya casas para todos–, se volverá al cocido. Es un plato que ha entrado en una visible decadencia no porque haya dejado de gustar a la gente, sino por razones económicas: es muy caro. Y sin embargo, he podido constatar a menudo que a medida que el puchero se ha ido adelgazando y reduciendo, el pueblo ha empezado a soñar en abundantes y fabulosos cocidos, por las mismas razones que, según Flaubert, los notarios sueñan odaliscas. El hecho de que este plato se mantenga en la memoria viva hace presumir algún porvenir, más o menos lejano. La cosa, cuando menos, es muy incierta.

La situación de las grandes masías del país ubicadas en las tierras bajas y en la media montaña, que fueron en otros tiempos las más independientes y las más ricas, no es lo que era. Ya se sabe: lo que no sube, baja. Fue en estas enormes casas de labranza donde se cocinaron los mejores pucheros del país, que estuvieron basados más en el uso de los productos del cerdo que en los de la ternera. La ternera siempre fue una cuestión de las carnicerías; los cerdos, en cambio, los tuvieron estas casas abundantemente y por derecho propio, quiero decir, por genuina producción particular. La *carn d'olla* con oreja, morro, pies, rabo y magro de cerdo, aparte de las grasas correspondientes, dio origen, sin reparar en gastos, a la gran *escudella de pagès*, plato incomparable, impresionante como ningún otro. Hoy ya no se puede concebir. En invierno, sobre todo, su presencia no tuvo rival, y en el ambiente de aquellas viviendas armatostes parecía tener un aliciente prodigioso. En el puchero todo era fresco y bonísimo: las hortalizas, las carnes, cada uno de los ingredientes. No creo que fuese un plato demasiado sano, pero era riquísimo. La salud llevada al filo de la navaja, pero no resuelta, es una invención de la época de la medicina socializada, cada vez más crematística, aunque a veces encontremos en ella alguna alma caritativa. En definitiva, hoy como siempre, hay personas saludables y otras enfermizas; siempre es lo mismo, y lo único que ha aumentado es la pedantería de los médicos, que no es diferente de la de los otros gremios aunque a veces, hablando en general, es excesiva. También es posible que la vidorra representada por el cocido haya contribuido, en mayor o menor medida y económicamente hablando, al hundimiento de muchas casas. Por supuesto es una verdadera pena, pero en este mundo no hay nada estable y preciso: todo adolece de una gran fugacidad, todo se va, la moneda se volatiliza y huye, algunas veces vuelve, otras, no regresa jamás. Todo es ondulante e incierto y aquellos viejos cocidos que parecían tan fijos contribuyeron a mantener la vida tal como es.

En estos últimos decenios, el elemento popular y mesocrático se ha tenido que adaptar a un cocido mucho más delgado y estricto, más basado en los tropezones sobrantes de ternera que en los de cerdo. La *escudella de pagès* se convirtió en un recuerdo histórico, aunque llegó alguna que otra vez a los núcleos industriales. En estos núcleos se dio una importancia fundamental a la *escudella*, al caldo, que fue abundantemente amenizado con las pastas soperas, siempre con la base del arroz y los fideos. La *escudella* con cuatro granos de arroz, como solemos decir la gente del lugar, y fideos, tanto los de gran calibre como el cabello de ángel, originó un gran negocio de pastas para sopa, que tuvieron diversas formas y medidas. Una de estas formas fue la de las letras del alfabeto. «Los catalanes son tan amantes de la cultura –me dijo un día el señor Unamuno en París– que ustedes llegan a comerse las letras del alfabeto.» Sí señor, se hicieron pastas de sopa imitando las letras del alfabeto: la *a*, la *b*, la *c*, la *d*... No creo que estas letras tuviesen nada que ver con la ilustración general del país, pero tampoco que desagradasen. Por lo menos, que los fabricantes de estas pastas soperas las lanzaran al mercado pensando en la cultura, es algo que me parece del todo claro. Tengo algún testigo. Pretendieron aportar su granito de arena, como todo el mundo suele hacer, en algún momento, en este país.

Fue una época de filigranas en las pastas de sopa y llegó a haber mucha variedad. En un momento determinado se adoptó la tapioca, que en Barcelona, en la época del vicio, tuvo mucha aceptación, sobre todo para comer al día siguiente de una noche de juerga. La tapioca son los granitos de la fruta de una planta; su nombre viene del tupí *tipiok*, palabra documentada en portugués del Brasil desde 1587, según Joan Coromines en su *Diccionario etimológico*.

Esta *carn d'olla* mesocrática, ciudadana e industrial es la que ha degenerado tanto en los últimos tiempos hasta convertirse en un plato traslúcido y triste. Había sido muy popular, pero en la posguerra se volvió demasiado caro. Se fue depauperando, su sustancia se volatilizó y se transformó en algo insignificante. El hecho incitó a la reflexión a muchas personas de buena fe. Queda claro que hay economías políticas que tienden a que las cosas de los ricos sean cada día más baratas y las de los pobres, más caras. Son cosas que pasan a veces en este mundo y sobre todo que han pasado. Esta economía, sin embargo, no la ha aceptado ningún país bien orientado y serio.

De la ebullición, si es posible respetando el tiempo, de

los productos cárnicos variados y de las legumbres y verduras correspondientes sale el caldo, un líquido que se entiende separado del que acompaña la combinación. Este líquido es una verdadera escala de mucha diversidad y matización. El de la *escudella de pagès* es muy sustancioso, y los hiperbólicos del país, que siempre los hay, aseguran que se puede calificar de grandioso. El de la *escudella* anterior a la de estos últimos decenios era socialmente muy equilibrado: una mediocridad aceptable, tanto si se amenizaba con los cuatro granos de arroz y los fideos básicos como con las pastas correspondientes. Los caldos actuales son muy raquíticos, resignados y pasivos: puro líquido. Éste ha sido el termómetro del cocido en el curso de mi existencia.

He escrito ya varias veces que el caldo va a menos. Esto no quiere decir que haya desaparecido de la circulación familiar. Ha decaído mucho el caldo que se hacía a la manera antigua. Ahora se consume otra especie de caldo, un caldo que se presenta generalmente envasado o concentrado en cubicaciones extrañas. Así pues, es el *bouillon*, que dicen los franceses, lo que ha venido a menos; mientras que el que se hace a la manera de nuestros días se toma en grandes cantidades. Siguiendo la corriente general de simplificar la cocina al máximo, se ha llegado a ese caldo como resultado. Muchas señoras miran la cocina con gran displicencia, es una habitación que no les gusta –ésta parece ser la tendencia general–, dicen que tienen prisa, que no están para estas cosas: deben de considerarla vulgar. La cocina requiere atención, memoria y un punto de persistente voluptuosidad. Es lo que se está perdiendo en esta época. Todo es superficial, frágil, delgado, incomprensible, agitado. Estos temas podrían ser objeto de hondas cavilaciones y de escritos muy largos. Las cavilaciones nos llevarían fatalmente a hablar del amor. No hay amor sin cocina. La práctica del amor es inconcebible entre personas mal comidas o tirando a hambrientas. En nuestra época, el amor, en general, ha sido sobrevalorado. Es una actividad sostenida solamente sobre palabras inconexas, sobre un erotismo abstracto: es el bla-bla-bla... La época es desagradablemente romántica, y probablemente por esta razón, es de una tristeza y de una decepción irreparables.

En mi juventud el caldo, en su primigenia presentación, tenía en este país una gran importancia. Se administraba a los moribundos, a los enfermos, a los convalecientes, a las personas que habían tenido un desmayo, una conmoción o un accidente cualquiera de los que ocurren habitualmente. Una taza de caldo –un *bouillon*– era una especie de remedio universal para todas las desgracias. Si alguien se encontraba mal o se trataba de hacerle recobrar un espíritu más o menos alejado o confuso o perturbado, le hacían beber una taza de este líquido saludable. El caldo los reanimaba, hacía que volviesen en sí, les subía los colores del rostro –o al menos eso decían y quizás el enfermo se lo creía: el resultado es el mismo–, era, en fin, la cura de urgencia más general. Discutir si estos ingredientes han tenido o no una gran trascendencia social sería demasiado banal.

Estos caldos han tenido muchos y variados matices. Pueden proceder de un gran cocido o de un hervido modesto o de un hervido insignificante. Esto dependía de las casas. En el peor de los casos, siempre causaban una primera impresión, seguramente perentoria, pero real. Algunos debían curar más por ilusión que por realidad. Otras veces se obtenía por ebullición de una gallina entera, costumbre que tienen en Madrid y da origen a lo que llaman el *caldo de ave*, del cual no es más que una vaga reminiscencia el llamado *consomé a la madrileña*, que tuvo tanta reputación. Este caldo de ave es una de las cosas que trajo Felipe V a España cuando, después de la guerra de Sucesión a la Corona, los borbones franceses se apoderaron de la península y de los extensos dominios que aún conservaba. Este caldo, de un acusado tono amarillento, es todo un sistema sideral de lunas; se considera muy sustancioso y ha sido por excelencia el brebaje de la aristocracia y de los señorones castellanos: el caldo que aún repartían en el Senado de mis tiempos y del cual hablamos en el capítulo anterior.

Así pues, de caldos, hubo muchos y de gran diversidad, de diferentes posibilidades, matices y cargas: desde el agua clara, o casi, hasta las sustancias ricas en grasas. El lector encontrará expuestas estas cuestiones en los manuales culinarios de los buenos tiempos. En los de hoy, estos temas han perdido interés, y llegará un momento en que los platos de la cocina real se recordarán sólo por motivos estadísticos. Nada más que los títulos. Vamos hacia la cocina sintética, rápida y repugnante. Los países de gran poderío químico –los Estados Unidos, Suiza y Alemania– han creado sopas envasadas y conservadas. Y los caldos. El resto de países los imitan, y el nuestro, muy mal, como saben todos los que tienen un punto de referencia para comparar.

La ciencia médica de nuestros días –que no es tal ciencia, como he dicho tantas veces– ha destruido la teoría y la práctica del cocido. De todas maneras, yo creo que el caldo, comoquiera que sea, persistirá obtenido de una manera o de otra, porque es algo que llevamos en la sangre, tradicional y con lo que hemos sido alimentados durante siglos. Los caldos antiguos se van adaptando a la sumaria cocina de hoy, y eso es lo que importa de una manera general. Día tras día se ven sopas y caldos sintéticos en mayor cantidad.

Ignoro si resucitará algún día el cocido de antaño. Las últimas generaciones parecen haberlo olvidado. Nuevas circunstancias económicas han oscurecido una tradición multisecular tal vez milenaria. Pero todo se podría restablecer. El resurgir del cocido dependerá de que la gente pueda acceder a él con facilidad. Las mujeres le han declarado la guerra, y aunque este tipo de guerras son complicadas, todo se podría arreglar. Nuestra antigua *carn d'olla* era barata y satisfactoria; ahora es cara. Si este último punto se aclarase, quizá volveríamos, más o menos, al pasado. La cocina está inexorablemente ligada a la tradición, a lo que la tradición multisecular representa, que es muy largo y vasto.

EL ARROZ EN CATALUÑA

Hablando del arroz en términos generales, ha habido quien ante el panorama actual de su cocina ha llegado a una cierta síntesis, que consiste en decir que sólo existen dos clases de arroces, los baratos y los caros.

En 1925 o 1926 el autor de este libro vivía con el escultor Manolo Hugué en Prats de Molló, en una casa de payés junto a un torrente que baja de la Presta y de las montañas pirenaicas. Es un torrente muy ruidoso cuyas aguas corren con gran ímpetu. Suele criar truchas, unas truchas blancas y de excelente calidad que la gente del lugar pesca. Nosotros hervíamos estas truchas en agua del torrente –Manolo estaba por entonces curándose de algunas secuelas de la vida y era partidario de las cosas absolutamente naturales–, y con el caldo que obteníamos cocinábamos un arroz en extremo exiguo y precario. No le echábamos nada más. Resultaba excelente. ¡Arroz con caldo de trucha! Está claro que en aquella edad teníamos mucho apetito, más apetito que dinero. ¡Las cosas del dinero son tan aleatorias! Lo más importante para dormir es tener sueño, y para comer, tener apetito. Aquel arroz de Prats de Molló costaba poco jornal, era un arroz barato.

Todas las formas del arroz hervido son, en realidad, ejemplos del arroz de poco precio. Esta gramínea es excelente para la alimentación, y por eso es muy adecuada para la infancia. Se suele presentar un plato típico de arroz hervido: el arroz llamado a la cubana, con huevos fritos, bananas fritas y una salsa que a veces es de tomate y otras de carne picada. Está claro que todo esto cuesta algo de dinero, pero no mucho. En el norte de Europa, como plato de postre, se elabora el arroz con leche. Es muy apreciado, pero nunca ha sido de mi preferencia, lo encuentro demasiado ideal y pueril.

A veces he pensado que en este país, donde contamos con una salsa que cuando está bien hecha y es auténtica no es nada desdeñable –me refiero al *romesco*–, deberíamos ver qué combinación se obtendría añadiéndola al arroz hervido. Quizá reservamos demasiado el *romesco* para el pescado. No prejuzgo nada, pero me parece que combinada como propongo esta salsa daría resultados positivos. ¿Por qué no lo probamos? Yo soy partidario de probarlo todo y de popularizar lo que tenemos de apreciable. En principio, no creo que fuese un error: en sí mismo, el arroz hervido es de una extrema inocencia, siempre parece de régimen, el *romesco* lo subrayaría y, para los paladares de una cierta malicia, probablemente tendría interés.

Los italianos han inventado, según creo, un plato de arroz no muy caro, universal y excelente: el arroz a la milanesa. Es un plato que contiene arroz, un poco de carne, jamón y queso rallado. El queso le da un gran interés. En el caso concreto de los quesos, vamos muy atrasados, ya hablaremos cuando llegue la hora. No cabe la menor duda: la marcha general del mundo es a favor de los quesos. Creo que sería muy positivo para nuestra economía cultivar la producción de estas mercancías en todas sus formas y calidades. El arroz a la milanesa es óptimo, magnífico.

Nuestros platos de arroz barato, si se presentasen espolvoreados del queso apropiado, aumentarían su gracia. Ahora bien, en los ambientes familiares, sobre todo, se sirven con pocas combinaciones y la falta de queso los mantiene en una cierta precariedad. Con un sofrito muy ligero, un poco de jamón, cuatro guisantes frescos –no envasados ni con dureza de perdigón– o unos pimientos verdes, el arroz es muy bueno; con el añadido del queso de Parma, sería una maravilla de alimentación y de economía familiar. El arroz del modo que acabo de describir invita a beber un buen vaso de vino tinto de una absoluta dignidad: la combinación de queso y vino ha sido desde siempre uno de los mayores aciertos de la vida, una integración insuperable.

En el país donde vivo, que es el Bajo Ampurdán, se cocinan toda clase de arroces, baratos y caros –el arroz de bacalao deshilachado del tiempo de Cuaresma es un ejemplo de arroz barato–, pero sin duda nos hemos especializado en arroces buenos. Aquí tenemos el arroz oscuro, al que llamamos arroz negro porque el sofrito que se encuentra en su fundamento se manipula y condimenta con la mayor atención y durante el tiempo indispensable, que siempre es más dilatado que el tiempo más bien exiguo que las señoras de hoy, hablando en general, dedican a la cocina. En este sofrito, sencillísimo, se pone cebolla en abundancia, un pensamiento de tomate –muy poco– y unos dientes de ajo, y ha de quedar, tal como dicen en el rodal, como una confitura, o sea que sus elementos han de acabar absolutamente integrados y ligados. Es el color de este sofrito lo que da al arroz su tan característico tono oscuro.

Ahora bien, del mismo modo que en este país hacemos el arroz oscuro negro, en muchas otras partes lo hacen claro, y así resulta que en Cataluña hay dos clases de arroz: el oscuro y el claro. La claridad de este último viene dada por el hecho de que echamos en él una especie denominada azafrán, que es más bien discutible. De lo que no cabe duda es de que mi país ha producido grandes expertos del sofrito perfectamente integrado. Hemos tenido excelentes cocineros populares. No soy hombre afectado por ninguna forma de patriotismo local, pero me apresuro a decir que a mi juicio el arroz negro es mejor que el arroz amarillo y que entre ellos no hay comparación posible. Hablo del pasado inmediato, que ya parece tan remoto. Este arroz negro se puede comer aún en algunos hogares, cuyo número se va reduciendo a diario. Los arroces que se confeccionan hoy tienen un denominador común: estar hechos de cualquier manera, al buen tuntún.

Después de elaborar el sofrito aludido, se añaden los ingredientes que lo han de componer: trozos de carne o de pescado o ambas cosas a la vez. Una vez fritos, todos estos elementos se ponen en el sofrito con el objeto de acabarlos de cocer en una cocción rápida. Luego se echa el arroz y el agua. Con la totalidad de elementos en la cazuela, bastan veinte minutos para que el plato esté listo. A mi gusto, el arroz nunca ha de estar pastoso, sino poco cocido, o sea *al dente* como dicen los italianos. Cada grano de arroz debe estar ligado con los otros, por supuesto, pero ha de tener una individuación propia. Nunca hagáis arroz con cordero, ni que sea añal, como dicen los entendidos, pues la grasa de este animal destruye el arroz y lo hace incomestible.

Así pues, el fundamento, lo importante, lo esencial del arroz –calificativos que solían utilizar los oradores del siglo pasado– es el sofrito. Si el sofrito queda integrado y se convierte en un licor, o sea en una confitura, el arroz se transforma en algo monumental, se ponga lo que se ponga en la cazuela, da lo mismo.

Este arroz se suele hacer con los menudillos del pollo y pescado que se tenga intención de poner. Se puede añadir marisco, como langosta, langostinos, gambas o mejillones de roca, que son extraordinarios, así como muchas clases de pescado. Hay pescados, como el congrio, que producen un arroz caldoso; según las especies utilizadas el arroz será más o menos seco.

En general, los arroces demasiado complicados me enojan, porque el aliño acaba por reducir los granos de arroz, que es lo que me gusta. Soy partidario de los arroces baratos; entre los caros prefiero los monográficos. O arroz de pescado o arroz de carne. Esos platos de arroz con langosta y pollo además de toda clase de elementos marítimos y terrestres de carácter esencialmente coreográfico son, para mi gusto, excesivos, y a la postre ligeramente pesados. Después de tantas discusiones y tantas catas he llegado a la conclusión de que los mejores arroces son los monográficos.

El mío es un país devorador de arroz. El paladar catalán tiende a esta clase de platos. Es una combinación que conviene a la manera de ser del país, no solamente porque responde a su economía, sino porque invita a echar una cana al aire. Aquí se creó, en la gran época de la burguesía, el arroz a la Parellada, que es un arroz sin espinas ni huesos que se puede comer, por tanto, con un simple tenedor. Gran plato, inolvidable solución de la que yo conocí sus últimos coletazos en el restaurante Suizo de la Rambla. Quienes lo recuerdan hecho por este establecimiento no lo han podido superar. La señora o señor de la familia Parellada que inventó este arroz vivía en el palacio Parellada de la calle Canuda, ocupado después por el Ateneo Barcelonés, hoy tan crepuscular e insignificante, según tengo entendido. La invención de este arroz es probable que contribuyese a la ruina de los Parellada, porque parece que la economía del país no da para esas desmesuras culinarias. ¿Pero qué le vamos a hacer? Vale más haber creado un arroz del que ya no se tiene la menor idea que haber inventado la televisión o los programas de radio. Contra la opinión de que el arroz monográfico número uno es el de pollo, me permitiré recordar, sin el menor aspaviento, que el arroz con palomino es muy destacable. Los pollos de hoy día, pollos de granja, han llegado a un estado espantoso. Son incomestibles, literalmente. El palomino no es lo que se dice un pájaro doméstico: vuela tanto como puede y atrapa lo que se le pone por delante, es muy voraz; nunca ha podido ser domesticado ni metido en granjas, lo que constituye una condición admirable. Lo mismo podríamos decir de los arroces de pescado. Ante el arroz de langosta o el arroz, caldoso, de crustáceos –la gente aprecia los crustáceos porque no tienen espinas–, defiendo platos de arroz más simples, con bichos marinos más asequibles. Cuando el agua que echamos en el arroz contiene jugos de pescado, el plato gana considerablemente y deviene incuestionable.

El lector habrá podido ver, en la reseña que acabamos de realizar, que tenemos muchos platos de arroz, y si el lector es joven verá aún más claro –porque de todo lo que estoy diciendo tiene una idea muy vaga– que la tradición no ha sido parca en absoluto. Ha producido resultados considerables. Ésta es la realidad. No hay otra.

La gramínea arroz, por sus solas y particulares características y cuando es demasiado idealista y romántica, resulta algo monótona y poco atractiva. Por eso se ha de ilustrar, como hicieron nuestros antepasados. Hoy en día tenemos arroz abundante y no sabemos qué hacer con él; lo enviamos al quinto pino. A nuestro país le gusta el arroz; incluso tendríamos que comer más. La paella valenciana es un gran plato, pero lejos del país valenciano no acaba de resultar. Los platos de la región son excelentes: si han desaparecido, o casi, o han sido escandalosamente sofisticados, habría que resucitarlos. Ésta es mi opinión personal: habría que resucitarlos por el respeto que merece siempre el paladar personal, y además porque contribuirán al progreso nacional. Tenemos que volver a los arroces a la catalana porque son muy buenos, tanto los caros como los baratos. Debemos volver al arroz condimentado con paciencia y conocimiento, eliminar los arroces hechos de cualquier manera, porque el sino de nuestro país es comer arroz, y estas tendencias son ineluctables.

LA PAELLA VALENCIANA

El arroz elaborado de una manera que recuerde alguna receta de la cocina peninsular, aunque no sea más que vagamente, se ha abierto camino en varios rincones del mundo; sobre este hecho no cabe ninguna duda.

En algunos restaurantes de Nueva York no es nada difícil toparse con el llamado, al menos en sus cartas, *arroz con pollo*; un arroz al que por cierto fue muy aficionado el gran presidente F. D. Roosevelt, antes de presidir los Estados Unidos. Este señor solía comer, con amigos, en un establecimiento de esa gran ciudad y su plato predilecto era el arroz con pollo al que hace un momento hacíamos referencia. En algún que otro restaurante parisiense es posible comer un arroz a la catalana, que uno come porque París es una población que despierta el apetito, pero que no tiene mucho que ver con ninguna de las innumerables formas de cocinar el arroz en nuestro país. Con todo, el hecho confirma lo que decíamos más arriba sobre la difusión de esta gramínea. En el Soho de Londres, donde pueden hallarse algunos restaurantes mallorquines y catalanes, podemos comer arroces aberrantes y estridentes, por no decir incomibles. ¡Encomendaos a Dios y a ver qué pasa!

En realidad, la paella valenciana es la forma del arroz peninsular que corre más por el extranjero, y cuando se sirve dentro del país es el plato que produce más acusada titilación en los paladares forasteros y en muchos paladares indígenas. Su divulgación está muy generalizada.

Ahora bien, mi pregunta es ésta: si excluimos los domicilios particulares, obviamente inaccesibles, ¿acaso alguien ha podido comer alguna vez una paella realmente cumplida y atinada más allá de los límites del antiguo Reino de Valencia? Esta inocente pregunta resume los malos ratos que uno ha tenido que pasar, fuera de Valencia, ante esas intolerables paellas de imitación. Varios amigos valencianos se han adherido francamente a la problemática planteada por esta pregunta. Los abusos que se perpetran en nombre de la paella valenciana son excesivos, un auténtico escándalo.

Nunca he creído en la cocina de exportación. Las cosas realmente sensibles no pueden exportarse, de la misma manera que la literatura de calidad nunca se ha podido traducir. Eso que dicen los italianos: *traduttore, traditore...*, es una verdad como un templo. De paella, lo que se dice paella, no hay más que una, y es la valenciana. Una paella en Valencia o en la ciudad de Alicante, en el paisaje de Castellón, en una casa tradicional del país, saturada de amor al terruño –porque sin esos sentimientos no hay cocina posible– es en verdad algo importante. Su falsificación en ámbitos foráneos e internacionales, ¿qué resultado puede dar si no es nefasto?

La primera sorpresa que da la paella en su país de origen es que no tiene nada de excepcional: es la cosa más corriente y habitual del país, carece de importancia. No busquen en la cocina nada más de lo que el horizonte inmediato puede generalmente ofrecer. La cocina lujosa, única, excepcional, basada en algún romántico sacrificio, en algún esfuerzo inusitado o en algo nunca visto es una fuente de enormes desilusiones y desengaños. La cocina es perfectamente compatible con un punto de decorativismo exterior, pero de aquí no se pasa. La cocina, toda forma de cocina, es limitada. Convertir las liebres en gatos o los gatos en liebres por razones de distinción, de esnobismo o de romanticismo es un error garrafal, una absoluta insensatez. En la cocina, el trasfondo de normal demencia humana es inadmisible: se puede hacer el loco en cualquier otro ámbito vital, jamás en la cocina.

Este plato tiene otra característica: contiene tantos ingredientes que gusta a todo el mundo. Hay quien va detrás del pollo; otros, de la costilla; el de más allá, de los langostinos. Hay especialistas en los caracoles del plato; otros se abalanzan sobre los vegetales; los verdaderos aficionados irán tras el arroz, el arroz directo y sin ninguna otra presencia. Yo voy a favor de estos últimos. En un plato de arroz, lo que más me gusta es el arroz, y en la paella, el arroz *torraet* del fondo, el más tostadito. Por muy numerosa que sea la mesa, todos los que forman parte de ella encuentran, por una u otra razón, su satisfacción concreta y precisa. Es indescriptible el número de elementos que puede contener una paella; es una especie de cajón de sastre, y perdónenme la comparación tan gastada.

Por otra parte, el plato no puede dejar de tener calidad, pues todos los elementos que intervienen en su elaboración son de primera mano. Sólo es menester reseñarlos: el pollo, el lomo de cerdo, la costilla, los caracoles de montaña pequeños –que en mi tierra ampurdanesa llamamos *joanets* y en Barcelona *vaquetes*–, el puñado de judías verdes –llamadas entre nosotros *caretes* o *garrafons*–, las alcachofas tiernas, el aceite, el azafrán y la sal. Si añadimos a toda esta bondad divina unos cuantos langostinos de Vinaroz, tendremos algunos ingredientes, acaso los principales, de la paella valenciana.

Esta dilatada mezcla produce *a priori* una línea rota y abrupta. Pero el caso es que en este plato todos los componentes parecen complementarios y el resultado es admirable.

La sartén –la *paella*– para elaborar el plato debe tener mucho diámetro y poco fondo. Para nosotros es decisiva la diferencia que hay entre la cocina del aceite de oliva y la cocina de la mantequilla. Esta última emplea la olla para cocinar, o sea el utensilio alto y vertical, mientras que nuestra cocina del aceite utiliza la sartén o la cazuela, que son mucho más horizontales. El combustible para elaborar el plato debe ser la leña. El fuego ha de ser muy vivo, de forma que el arroz se cueza con la llamarada, nunca con las brasas. Las

casas valencianas –las *alqueries*– disponen de la denominada *paellera*, que es un pequeño compartimiento de la cocina,
marginal, dedicado exclusivamente a confeccionar el plato
según los principios ancestrales.

Se podría dar el caso de que alguien tuviese interés en la
fórmula auténticamente valenciana de la paella, así que la
dejaré escrita en estas páginas. Se la debo a mi viejo amigo
Soler Godes de Benicarló, quien sobre esta y otras cuestiones tiene conocimientos muy notables.

En primer lugar se fríe la carne y se añaden en seguida
las judías y las alcachofas. Con todo esto a punto se echa la
sal suficiente y el agua. Cuando el caldo rompe a hervir se
adiciona el azafrán, los langostinos y los caracoles –evidentemente una vez que éstos hayan sido lo bastante «engaña-
dos» como dicen en Valencia, o sea puestos en ayuno. Por
cada dos tazas de agua, una de arroz. Esto es trascendental:
probablemente la clave del sabor de este plato. Dos a uno.
No se puede olvidar. Después hay que dar un golpe violento de fuego hasta que el arroz esté casi cocido, es decir, hasta que los granos parezcan a punto de estallar y el agua
haya desaparecido totalmente, absorbida o evaporada, momento en que la paella se retira del fuego y se deja reposar.
Para el reposo debe colocarse la paella sobre tierra, nunca
sobre pavimento o piedra. ¿Por qué razón? La desconozco.
Es un matiz sobre el cual no podría dar ninguna explicación
razonable, un matiz tan fino y quebradizo que no lo com-
prenden más que los aficionados genuinos de la paella, casi
diría sus fanáticos. Hay que tenerlo en cuenta prescindiendo de su inteligibilidad: las tradiciones aquilatadas y generales siempre tienen una realidad.

La verdadera gracia de una paella a punto es que los
granos de arroz que la integran queden secos, individuados
y separados. La paella no es como el arroz *a banda,* que es
más caldoso; su arroz no ha de ser pastoso, sino consistente. Este simple detalle les dará una idea bastante exacta de
la distancia que media entre una paella auténtica y la que
sirven por esos mundos. La calidad del grano de arroz es lo
que asegura el aliciente del plato, tanto o más que su acom-

pañamiento. Los verdaderos aficionados prefieren los granos del fondo del recipiente, los más *torraets*, los que por haber estado más cerca del fuego quedan más requemados, bien tostados. Estos señores tienen razón y lo que pretenden es absolutamente efectivo.

Existe otro pequeño detalle que no debemos olvidar en una concepción ortodoxa de la paella: los verdaderos aficionados la comen con cuchara, concretamente con cuchara de madera. Sin duda es un detalle importante, pero sospecho que será difícil practicarlo, por razones obvias.

Al acabar mi descripción de la paella valenciana aparecerá el lector reticente que diga:

–Usted acaba de escribir un capítulo del libro situado fuera de la realidad, completamente abstracto. Mi pregunta es ésta: ¿dónde podremos comer la paella que nos ha descrito en este capítulo? ¿No cree usted que convendría concretar un poco, llegar a cierto resultado? ¿O acaso cada vez que queramos comer este plato tendremos que subirnos a un tren y bajar en Benicarló, en Sueca o en Alicante, donde hacen, en algún restaurante, esas paellas tan acertadas?

Sí señor. Yo también me he formulado a menudo la misma cuestión que el remiso lector me acaba de plantear, y por más que he pensado en ello, nunca he llegado a ningún resultado. Todo lo que veo a mi alrededor es una absoluta falsificación, un panorama sombrío, totalmente desprovisto de amenidad. No es nada, nada en absoluto. La más desagradable inanidad.

De todas maneras, la idea de ir hasta Valencia para comer una paella en algún indeterminado lugar de aquel país, al menos no me parece absurda. En el curso de una vida pueden hacerse cosas mucho peores. A veces la gente se desplaza muy lejos para ver un partido de fútbol grotesco y embrutecedor con el único objeto de contribuir a acelerar el proceso de idiotización general. Yo nunca iría a Valencia sólo para ver una *cremà* de las célebres fallas, por más millones que el espectáculo hubiese costado y por más popular que sea esta impresionante petardada. Pero en Valencia hay cosas sobresalientes, aparte de las obras de arte, tan notables por constatación ancestral. En las bandas de música de muchas poblaciones del antiguo reino tocan los instrumentos de viento más amorosos de este continente; y digo esto sin pretender molestar a los más explosivamente cómicos y altisonantes. Y tantas otras cosas agradables, como la flor del naranjo y su perfume un poco empalagoso, las ranas de la Albufera cuando croan orfeónicamente, el Tribunal de las Aguas, los campesinos y las campesinas valencianas, la Vicenteta, los tranvías de la ciudad, la Virgen de los Desamparados, tan enjoyada... Y también la paella, aunque en ocasiones, por ejemplo en los restaurantes del Grau, sea más bien adocenada. Los restaurantes de Valencia son en general tan discutibles que han contribuido de manera visible al mantenimiento de la vida hogareña. En fin, hay que comer este plato *in situ* tantas veces en la vida como sea posible: no sólo para tener una idea justa de lo que es, sino también para saber lo que no es, cosa siempre útil para orientarse por otros lugares del planeta.

UN ARROZ DE CATEGORÍA

Mucha gente de este país es aficionada a comer arroz hasta extremos de auténtico fanatismo. Cerca de la desembocadura del Ter, por ejemplo, el cultivo de esta gramínea está documentado al menos desde el siglo XV; en el Delta del Ebro –¡maravilloso país!–, es seguramente anterior. De todas maneras, este cultivo ha tenido sus altibajos e incluso llegó a desaparecer por completo cuando se extendió la falsa creencia de que las aguas donde se produce propiciaban el brote de fiebres, y eran por tanto perjudiciales y a la postre mortíferas. En los momentos presentes la observable reducción continuada del área de su cultivo tiene otras causas: la primera que la economía del arroz sigue formando parte de la economía dirigida que se implantó en este país tras la Guerra Civil y se mantuvo en la época del estraperlo; después, porque los precios fijados para el arroz son insuficientes en relación con los altos jornales que se pagan por plantarlo, escardarlo y cosecharlo. Si esto sigue así no se plantará ni una besana, para detrimento de las tierras bajas afectadas por el salobre.

Me parece que ha quedado claro en estos últimos capítulos que en este país han existido muchas maneras de condimentar el arroz. También es evidente que estas formas se han ido reduciendo, últimamente y por influencia turística, a una sola fórmula. Los turistas extranjeros creen que en estos parajes sólo hay una receta para comer arroz, que es la paella valenciana, receta que se ha impuesto totalmente a pesar de que lo que se sirve con ese nombre sea por lo general de ínfima categoría y no tenga nada que ver con la autenticidad del plato. No es paella ni es valenciana, pero así lo creen estos clientes, y lo sorprendente es que los nativos del país han seguido la misma senda con una falta total de personalidad. Los propietarios de los establecimientos de alimentación aceptaron en seguida esta tendencia, primero por comodidad, pues muchos elementos de este plato –por no decir todos– son envasados, y en definitiva porque existe una ley según la cual la cocina mala tiende a desplazar a la buena, como hoy podemos comprobar por doquier.

Al paso que vamos de aquí a muy pocos años la cocina auténtica y tradicional del país se habrá convertido en pura y simple arqueología, y si se conserva algo no será en los lugares públicos de restauración, sino en casas particulares cada día menos numerosas, donde quizá la cultiven unos cuantos viejos en virtud de un atavismo que los jóvenes, generalmente muertos de hambre, considerarán irrisorio y extravagante.

Y ya puestos en los terrenos de la arqueología haré una pequeña referencia a un plato de arroz que siendo de los más excelentes que pueden presentarse está en la actualidad prácticamente extinguido. Me refiero al arroz con centollo y un puñado de guisantes frescos, o sea no de lata, para entendernos. Es un plato primaveral, de la temporada de estos crustáceos y de los guisantes de esta clase. La combinación de estos ingredientes con el arroz sobre el fondo del sofrito tradicional –con cebolla, poco tomate, unos dientes de ajo y bien hecho, es decir, como una confitura– es literalmente perfecta, una de esas mixturas que no sé quién ha inventado ni cuándo se produjeron pero que es insuperable y parece nacida en un instante de gracia.

Al centollo lo llamamos *cabra* en el litoral de nuestra área. Es de la familia de los oxirincos, denominado científicamente *Maia squinado*. Se distingue perfectamente por tener el caparazón oval, que mide alrededor de veinte centímetros de diámetro y se estrecha mucho por su parte anterior. Es del mismo color que el bogavante y la langosta. Su monstruoso caparazón está cubierto de protuberancias a veces espinosas. La parte posterior es lisa y de un color más claro que la cúpula, de ambos lados le salen cuatro patas formadas por falanges con movimiento y por delante surgen dos elementos de este tipo terminados en sendas pinzas con puntas muy bien pertrechadas, aunque en verdad no presentan el aspecto feroz de las tenazas, realmente malignas, del bogavante, que suelen atarse con un cordón para evitar los estragos que ocasionarían en caso contrario. Tanto la langosta como el bogavante, crustáceo inofensivo uno y animal de presa el otro, son bichos monstruosos, pero por el hecho de tener el cuerpo formado y encorsetado y la forma precisa y fija no lo parecen tanto. En cambio, el centollo parece un animal en período de formación y de ahí que sea el más monstruoso de los tres: no se sabe dónde irá a parar su caparazón ni la forma que le dará al final la naturaleza; parece un ensayo, una tentativa, tal vez sin éxito, de la naturaleza actuante, de la *natura naturandis*.

No sé si podría afirmarse que este crustáceo es uno de los más ingenuos y distraídos de cuantos seres viven en el mar, pero todo parece indicarlo. Cuando le llega el momento de la puesta tiene la costumbre de acercarse a la orilla de las playas para expeler los huevos sobre las aguas más superficiales y por tanto las más penetradas de la luz y del calor del sol. Así cumple este acto trascendental. Cuando lo ha terminado y antes de volverse a las profundidades donde suele habitar, pone los tentáculos sobre la arena y toma un rato el sol sobre la playa. En ocasiones ocurre que un paseante ocasional se lo encuentra en la playa, y la aparición insólita del crustáceo le provoca un respingo de extrañeza antes de irse de ahí con ligereza. Pero a veces quien circula por esas orillas es algún pescador, el cual se acerca al centollo, lo coge con la mano sin que se produzca la más leve reacción y se lo lleva a su vivero, o al mercado, o a su casa, con completa naturalidad. El centollo demuestra no tener la menor defensa. Se deja atrapar como si nada. En el mar su abrupto caparazón debe constituir su máxima salvaguardia;

en tierra, es por ahí por donde se le agarra. El centollo se puede pescar con trasmallo, raras veces con redes de mimbre. Parece un animal que se limita a cumplir sus funciones vitales. No es que sea un crustáceo demasiado estudiado, pero ahora que hay tanta cultura, deberán estudiarlo exhaustivamente. La manera más curiosa de cogerlo es con la mano. En este sentido es más estúpido que el calamar y la sepia, que son esencialmente eróticos por lo que es necesario el incentivo ficticio del macho para atraparlos sin problemas.

Hay personas que saben comer crustáceos. Son quienes conocen mejor la calidad de los pescados. En primer lugar porque tienen el paladar especialmente capacitado para percibir sus matices; después porque poseen unos dedos expresamente formados para sacar de las extremidades y de la cabeza del crustáceo toda la carne que puedan contener; por último porque son dueños de una gran paciencia. Otras personas no tienen ninguna de estas capacidades, ni paciencia ni tiempo. Este hecho constituye el panorama de las posibilidades humanas ante el pescado. Hay personas que no disponen de este acceso. Otras en cambio les hacen todos los honores y se dirigen directamente a la cabeza de los bichos, que es la parte de su cuerpo más complicada y también la más gustosa, según los *amateurs*.

Es casi seguro que para un *gourmet* de los crustáceos el centollo representa literalmente, cuando menos, el ideal. No tiene mucha carne y hay que ir a buscarla, después de haber roto la armadura y la contextura interna del crustáceo, en los intersticios más profundos y en los recovecos más complicados. La carne, repito, es escasa, pero cuando se obtiene es de la más acreditada categoría. Para acercarse a ella hay que dejar de lado la noción de tiempo y dedicarse a la búsqueda de la sustancia, eliminando toda idea de puntualidad. Es menester ser paciente, tenaz y metódico. Siempre es posible encontrar alguna grieta fascinante. Los degustadores de centollo son la confirmación de aquella verídica sentencia según la cual con paciencia, todo se logra.

No se podría afirmar que el arroz con cuatro guisantes

reforzado por la presencia de este impresionante bicho contenga demasiados trozos de acceso conocido, cómodo y fácil. Ahora bien, ésta es una cuestión de esencias. No cabe duda, si bien se mira, de que su perfume es superior al del resto de crustáceos, sinceramente exquisito, y que estas exhalaciones son, sublimadas, la esencia de nuestro mar. El arroz que surge de esta combinación es más bien ligero, pero nunca tan flojo como el que se suele hacer con los demás caparazones marinos, aunque es bastante dulce y de una extrema accesibilidad. El alcohol ha destruido muchos paladares, de modo que hoy los platos fuertes y picantes son los que gustan a la gente. Nunca he sido partidario de esta clase de mejunjes, que antes uno conseguía con especias y ahora obtiene añadiendo todo tipo de alcoholes a la condimentación que acaban por situar la cocina en un *impasse*, o sea en un callejón sin salida, irreparable y sin posibilidades de que se produzca la más leve variación, por agotamiento de las posibilidades del paladar. En esta cuestión, como en todas, sin un poco de candor es imposible llegar a buen puerto. El alcohol lo agosta todo porque deshace el paladar, en términos culinarios, se entiende.

En pocas palabras: el arroz que se llega a hacer con el centollo despide un aroma incomparable, es extremadamente aéreo, no tiene la pesadez de la densidad excesiva y lo más abundante que ofrece su composición es el arroz auténtico y real. Sospecho que esta última característica ya lo dice todo, y no creo que los aficionados a la condimentación de esta gramínea me dejen mentir. Los mejores arroces nunca son los que se comen por los trozos de carne, sino aquellos en que los granos son lo importante, lo que constituye el auténtico meollo. El acompañamiento sólo da gusto a los granos. A modo de ejemplo, para hacerme entender, no se trata de comer pollo con arroz o langosta con arroz, sino arroz de pollo o de langosta, que no es precisamente lo mismo.

El arroz con centollo, como decíamos, es un plato primaveral, porque el monstruo se caza en primavera, cuando pone, y los guisantes han de ser también primaverales. Los guisantes, en su tiempo, son uno de los mejores dones de este país. Cuando llega el calor los guisantes adquieren un espesor excesivo, necesitan las lloviznas y las delicadezas primaverales. Dejando esto claro, queda delimitada la temporada de este arroz, que ha de coincidir con los dos hechos que acabamos de citar. Pero la cuestión no tiene una precisión matemática, y a fin de cuentas no implica en absoluto que bien durante la primavera más avanzada o bien a principios de verano, no se pueda sorprender a uno de estos crustáceos en la orilla de nuestras playas. De todos modos, el hecho sería raro; y en caso de atrapar alguno sería con el trasmallo. Sea como fuere, el arroz es de primavera, entre otras razones porque en esa estación el caparazón calcáreo del crustáceo aún no se ha mineralizado totalmente y conserva ese perfume tan sabroso y peculiar que en otras épocas del año es imposible hallar. La calidad de los guisantes, por otro lado, está perfectamente localizada en la misma estación del año.

EL ARROZ *A BANDA*

Un amigo valenciano que no suele poner en sus palabras la menor hinchazón retórica me asegura que la mejor fórmula que se conoce para servir el arroz en cualquier mesa es el arroz *a banda*.

Cuando se trata de recetas culinarias del arroz, las opiniones de los valencianos suelen ser muy discretas y opino que merecen la más destacada consideración. En una ocasión, el inolvidable Montaigne, el señor Michel de Montaigne, escribió que el hombre es el animal que guisa. Es una definición, a mi juicio, más razonada que la de Aristóteles cuando dijo que el hombre es un animal racional. Si lo es, la razón le ha servido para bien poca cosa, hablando ahora en términos absolutos. El hombre es un animal sensual, un animal que guisa. Los valencianos, que cultivan el arroz desde hace tantos siglos, lo han cocinado, lo han guisado, han inventado numerosos platos relacionados con la condimentación de esta gramínea o de platos donde el arroz es importante. Sin duda, es muy difícil hablar de estos temas en un tono contundente, pero se me antoja que en el antiguo Reino de Valencia se han inventado tantas y tantas maneras de comer arroz y con tan variados ingredientes, que sus habitantes están bien colocados para asentar, en este punto, juicios de valor.

La cocina siempre ha sido una cosa muy local, con evidentes limitaciones históricas y geográficas. El arroz *a banda*

63

es en verdad muy atractivo, pero no me atrevería a decir que sea la más elevada fórmula culinaria de arroz: se trata a la postre de un arroz de pescado, y esto es ya una limitación, porque a las personas que no crean que el pescado sea en estas materias lo primero, ¿cómo se les iba a convencer de que este arroz es de primera categoría? ¡No! Discutir acerca de estos temas no tiene sentido; polemizar sobre gustos es absurdo.

El arroz *a banda* es antiquísimo y muy popular. Es un arroz de una admirable simplicidad, sólo susceptible de estar hecho, como todas las cosas muy sencillas, con una gracia personal situada fuera de cualquier actuación puramente mecánica: es tan sólo ese don angélico o toque individual lo que permite comprender que un plato que en principio todo hace temer que sea un bodrio, pueda alcanzar una entrada tan agradable y magnífica.

Ahora se trata de condimentar, sobre la base natural del sofrito, estos dos únicos elementos: un caldo abundante de pescado y el arroz correspondiente a las bocas que se lo han de comer. En algunos casos se suele añadir algún trozo de calamar –no de *ersatz* de calamar– porque corre la creencia, probablemente cierta, de que los calamares mejoran este arroz. Yo nunca he tenido mucha fe en la fuerza trascendente del calamar, pero la mía es una opinión sin importancia. En este arroz no se pone nada más. El caldo ha de ser generoso, pues el arroz debe presentar un aspecto caldoso. Arroz, caldo y nada más. ¿Se puede pedir mayor simplicidad, una esquematización más sencilla?

Este arroz es un plato de pescadores y en especial de los marineros que se enrolaban en los bergantines y paquebotes para realizar la navegación de cabotaje. Se comía en la cubierta de aquellos barcos; en invierno al aire libre, en verano a la sombra, tan buena, del umbráculo. La gente se solía sentar en el suelo alrededor de la cazuela, cuchara en mano, y tiraban del rincón del recipiente que les quedaba más cerca. Es evidente que las tareas que habían desarrollado y el aire libre intervenían en la calidad del plato. En el Mediterráneo el aire libre tiene una importancia humana fundamental.

Ahora bien, en los últimos decenios, estas formas de cabotaje han desaparecido en su mayoría y desconozco si la costumbre se mantiene en los pequeños buques de vapor que aún se dedican a ello. Probablemente fue en los viejos paquebotes donde se elaboró el mejor arroz *a banda*. No se trata por tanto de un plato limitado a los marineros del antiguo Reino de Valencia. En las Islas Baleares, que produjeron y producen tantos marineros de cabotaje, también se hizo, y de gran categoría. Es en definitiva un plato del Mediterráneo sostenido por una tradición de siglos. Los aires de este mar son parte decisiva de su sabor y subrayan sus matices. Es un arroz que puede ser muy suculento: todo depende de la densidad del caldo que se utilice para su cocción.

Hay determinados pescados que hervidos durante el tiempo necesario pueden producir los mejores caldos posibles. Así como hay pescados, como veremos, que sirven especialmente para hacer sopa de pescado, los hay que son indispensables para producir el caldo del arroz *a banda*. Se podrá decir perentoriamente que tanto en un caso como en el otro los pescados reconocidos como de mejor calidad son los que ofrecen los mejores caldos. Nadie duda, por ejemplo, que el mero, la escórpora roja o polla o rascasa y en general toda la extensa familia de color rojizo de las escorpinas producen unos caldos excelentes. Es incuestionable. De todas maneras, muchas veces, pescados de escasa categoría, prácticamente inabordables por la cantidad de espinas que contienen, producen caldos tan buenos como los otros, capaces de resistir cualquier comparación. Están en esta situación, en nuestro país, las burras, las cabrillas, las arañas, las lucernas y otros muchos pescaditos de colores. Entre los valencianos, por ejemplo, el rape y el gallo, que en mi opinión están lejos de figurar en lugares de cabeza de la escala piscícola, producen segregaciones admirablemente bien acertadas para el arroz *a banda*.

Una cosa está clara, por lo menos, y es que de un caldo que no sea excelente no puede salir un buen arroz *a banda*. Esta calidad es su elemento básico. Un caldo flojo, sin posibilidades de expansión, sin sustancia ni personalidad, puede producir un arroz despistado y mediocre, desprovisto de todo interés. El arroz *a banda* no se defiende por los tropezones de carne o las rodajas de pescado que contiene; bien al contrario, es la simplificación llevada a sus últimos extremos. Si el elemento más importante de su matización –la grasa, la viscosidad del caldo– no tiene un grado determinado de presencia, el arroz *a banda*, no es nada. Nunca hagáis este arroz sin un buen caldo. ¡Jamás en la vida!

En el litoral valenciano y en las Islas Baleares –y en menor escala en mi país– una vez obtenido el caldo por ebullición, se guisa el pescado arrasado con cuatro patatas cortadas a lo largo, es decir, de arriba abajo y en cuatro partes. Así se matan dos pájaros de un tiro. Primero comen el arroz y luego el pescado. Está claro que la ebullición ha extraído del pescado una gran parte de su sustancia y lo ha dejado devastado y encogido. Para mejorarlo majan entonces un ajo con pimienta, perejil, cebolla y vinagre y lo echan en el pescado hervido con patatas, con lo que obtienen un resultado que en ningún aspecto es desdeñable. En Cataluña el equivalente de este aliño de ajo y pimienta es nuestra imprescindible cucharada de *allioli*. Es una buena caldereta de pescado, apetitosa, popular y de gran interés.

Quedan ahora cara a cara el arroz y el caldo para echar, naturalmente, sobre el sofrito previo de que se dispone y al cual se agregan los calamares a que aludíamos hace un momento. La simplicidad culinaria es total. Es una simplicidad de pobre, por decirlo de algún modo. Se trata, en definitiva, de dosificar, y por tanto la gracia del cocinero será el factor decisivo. Teniendo siempre en cuenta la cantidad de personas que han de tener acceso al plato, el cocinero alargará o reducirá las posibilidades según la fuerza del caldo. El caldo débil y de cuerpo precario, si está invadido por una masa excesiva de arroz, producirá una bazofia sin sabor, desprovista de existencia. Si por el contrario, el caldo está proporcionado, se obtendrá un plato de indudable fuerza alimenticia y formato respetable. En el primer caso es preferible comer el arroz hervido, pues no hay nada más triste que el arroz que sólo tiene gusto de arroz. Se trata por tanto de una dosificación que ha de estar hecha con gracia, pensando que los granos se han de impregnar, revestir del caldo de pescado. La cantidad de arroz que debe utilizarse se mide por *xicras* o por tazas, como es sabido, pero la dosificación no puede ser estricta y matemática. No. La verdadera dosificación se efectúa teniendo una idea clara de las posibilidades del caldo. En este caso, si se acierta, se produce una fórmula que según el criterio de mi amigo valenciano aludido al principio debe considerarse una de las más afortunadas que en esta materia se pueden dar.

Tengo observado que los valencianos otorgan una importancia capital al fuego en su cocina y sobre todo en la del arroz. No les falta razón: el fuego –y esta afirmación servirá en adelante para todos los capítulos– es importantísimo.

Generalmente condimentan su arroz con un violento golpe de fuego inicial que después van mitigando y apaciguando de muchas maneras, entre otras echando ceniza sobre las brasas para moderarlo a voluntad. Es un modo excelente de graduarlo. Esta graduación es lo que evita que los granos revienten y el conjunto se convierta en una masa pastosa. Los granos han de mantenerse individuados y enteros. Con esta gradual manipulación se pueden obtener todos los matices del arroz, tanto del caldoso como del semiseco como del seco de la paella, con el *socarraet* del fondo del recipiente. Estos matices son de un valor esencial en la cocina de la gramínea, y para los *gourmets* son decisivos.

El arroz es un plato que generalmente se aborda con una disposición favorable, como es natural, mas no con un entusiasmo inconsciente. Uno se pone a la expectativa, y a medida que va comiendo el arroz, si es bueno, no solamente siente crecer el apetito sino que el sabor se va aclarando y consolidando. Si llega esta situación cuando el arroz se acaba, se manifiesta un sentimiento elegíaco muy directo y pueril por el doloroso constatar de su terminación.

Ése es exactamente el juicio que ha de merecer el arroz cuando es bueno y bien hecho. Es su etiqueta de calidad. Bien dosificado, el arroz *a banda* puede motivar un juicio semejante. Es un arroz elemental, simple, popular y gracioso.

FORMAS DE LA PASTA

En este país existe un plato que mantiene cierta relación con la pasta italiana, en el sentido de que su elemento principal está hecho con harina de trigo: me refiero a los fideos a la cazuela, plato mesocrático, familiar y popular que cuenta con muchos adictos y auténticos entusiastas. En invierno, sobre todo, se puede encontrar en muchos restaurantes de tipo medio y es muy solicitado.

Los fideos se emplean normalmente para echarlos en el caldo del cocido, como dijimos, a partir de la conocida fórmula de los cuatro granos de arroz y los fideos correspondientes. Pero es un hecho que en un momento determinado empezaron a cocinarse aparte, y nacieron así los fideos a la cazuela, que se confeccionan de manera muy sumaria: con un sofrito ligero hecho con cebolla, perejil, dos dientes de ajo y muy poco tomate. En el sofrito de este plato el acento se ha de poner principalmente sobre el perejil y los ajos. Se añade también algún elemento de los productos del cerdo, en especial las puntas de chuleta, y se obtiene un resultado modesto, pero notoriamente apreciable.

El ingrediente fundamental de este plato, como el lector observará, son los fideos. (No quiero hacerme pesado insistiendo sobre el sofrito, pero en realidad es decisivo, como he señalado tantas veces. Se ha de hacer bien. Se ha de hacer con calma. Se ha de hacer el sofrito que le corresponde a cada plato, y como no hay dos platos iguales, no podrá haber dos sofritos iguales. El sofrito es una integración real de elementos heteróclitos. El sofrito entra en la condimentación de casi todas nuestras recetas de cocina. En este sentido, su conocimiento es básico, imprescindible.) Los fideos, volviendo al hilo de la relación, pueden ser de muchas clases, incluso de varios tamaños. Después de la Guerra Civil fueron horripilantes. Ahora parece que han mejorado. Han de estar hechos con buena harina, con la flor de la harina. Yo prefiero los fideos finos, delgados y delicados, a los gruesos y espesos. Me gustan los llamados cabellos de ángel, con la blancura absoluta de la pasta italiana. Los fideos demasiado amarillos no tienen tanta gracia. Los fideos de cabello de ángel puestos en una cazuela son, a mi modesto entender, los más acertados. Deben servirse no excesivamente empapados y caldosos, sino más bien entre secos y ligeramente torrados o poco menos. Es quizás una predilección demasiado personal, pero si de mi gusto dependiese, yo los haría *croustillants*. Aunque no sea ésta la manera general de ofrecerlos, creo que lo que propongo no es demasiado desviado.

Ya dije, según creo, que en este país la manera de comer familiar durante muchos años de mi vida fue excesivamente monótona y muy poco variada. No hubo mucha imaginación. A la hora de comer y durante seis días de la semana se comía la inevitable *escudella i carn d'olla,* que en las casas digamos acomodadas se hacía seguir del correspondiente *platillo*, nombre por el que era conocido el guiso posterior. El domingo se comía arroz. Pero en algún momento esta rigidez se rompió y apareció un nuevo plato: los canelones, plato moderno que en muchos hogares sustituyó al arroz dominical y dio más movimiento a otro plato de pasta. Me estoy refiriendo a los macarrones, un plato cuya manipulación culinaria con el sofrito y un acompañamiento de carne picada no tuvo nada que ver, pese a su nombre tan italiano y aunque tenga una cierta retirada con la receta italiana, con la fórmula a la *bolognese* de los *spaghetti,* de que ya hablaremos. Sea como fuere, los fideos a la cazuela, los macarrones y los canelones tienen un común denominador con la pasta italiana, pues el principal elemento que contienen se obtiene a partir de la harina de trigo.

Los canelones, esos paquetes de carne picada recubiertos de una superficie de pasta, tuvieron un gran éxito y se difundieron con pujanza por todo el país. En realidad, debemos a estos platos la ruptura de la monotonía que durante tantos años imperó en nuestra cocina doméstica.

Los canelones –en italiano *caneloni*– son un plato específicamente proveniente de la península italiana. Los que se sirven habitualmente suelen ser mediocres, de hecho su mediocridad se reitera en exceso, cosa que no implica que no puedan ser excelentes si el bulto de carne picada que encierran posee una personalidad acusada. Los rellenos cárnicos que componen la esencia de los canelones acostumbran a ser de carne de cerdo, de carne de ternera o de pechuga de pollo –que no sea de granja, recordemos. Estos bultos comienzan a tener un interés positivo cuando a estas sustancias se agregan hígados de gallina y de pollo y *foie gras*. Estos dos últimos elementos enriquecen el plato con un incentivo excepcional. Una vez resuelto este asunto, los canelones se han de meter en el horno, pues para mi gusto hay que servirlos dorados, nunca levemente horneados. Deben ponerse al horno con una bechamel formada por mantequilla, unas cucharadas de harina, leche abundante y, para acabar de ligar y embellecer estos elementos, una yema de huevo. La pasta que los envuelve debe ser de primera calidad. La bechamel debe impregnar el contenido. Los canelones deben estar dorados y lucir una presencia hermosa, no se ha de limitar uno a calentarlos. Los italianos comen unos *caneloni* menos ricos en grasa.

En Barcelona nunca ha podido arraigar durante años ningún buen restaurante italiano. En cambio, algunos negocios de productos italianos han prosperado y logrado cierta fama. Este hecho ha contribuido poderosamente en los últimos años a la difusión de la cocina italiana –los *spaghetti* de una manera principal– en toda nuestra región y, por supuesto, en Barcelona. Hoy, en muchas casas, se puede tener la sorpresa de comer un buen plato de pasta hecho a la italiana. La comprobación es muy agradable y no sólo para mí: es muy agradable porque el plato es altamente saludable y posee una indudable fuerza vital; no como la gran cocina del centro y del norte de Europa, la cocina de la mantequilla, pero vital y adecuada a la viveza mediterránea.

Me aseguran que la difusión de esta cocina en nuestros hogares tuvo por origen las recetas médicas para personas estomacal y digestivamente averiadas. Es posible. Lo cierto es que tras los enfermos se aficionaron a la pasta las personas de salud normal, y así hemos llegado a la situación actual.

De todas maneras, este proceso de adaptación ha sido y es bastante largo. En estos lugares la gente come los *spaghetti* con manifiesta torpeza. En primer lugar, se constata que los *spaghetti* son demasiado largos. Los encuentran demasiado largos: es visible a cada momento. El juego que llevan a cabo los italianos con el tenedor, un juego de rotación del tenedor con los *spaghetti* que han enroscado sobre la cazoleta de la cuchara, no lo sabemos hacer, y de aquí provienen las dificultades. Los italianos comen estos alimentos con cuchara y tenedor y dando ese giro al tenedor que comentábamos. La habilidad consiste en hacer rodar la mínima cantidad posible de *spaghetti* con tal de lograr una enroscada pequeña pero total. Esto da lugar a un *boccone* que nunca es exagerado, quiero decir que es posible pasarlo por la boca sin el menor engorro. Nosotros lo hacemos de una manera del todo contraria: primero comemos la pasta puramente con el tenedor; en los casos de mucha curiosidad utilizamos el tenedor y la cuchara; generalmente no sabemos dar el movimiento rotatorio del tenedor sobre la cazoleta de la cuchara. Encima solemos coger demasiados, lo que complica el proceso de rosca y la creación del *boccone* discreto que ha de entrar por la boca: ni la rosca es correcta, por excesiva, ni en el mejor de los casos la boca es lo bastante amplia para engullirlo. El desastre es total.

Ante una situación similar, la gente se dedica a cortar los *spaghetti* en trocitos, comportamiento contrario al espíritu del plato y que jamás se debe emprender. Los italianos logran con sus tenedores pequeñas roscas que se tragan sin dificultad. Nosotros las queremos hacer tan grandes que no llegamos a ningún resultado. Comer es como cocinar. Se ha de saber comer como se ha de saber cocinar. Se ha de saber comer sin prisa ni glotonería, pero tampoco con reticencia o melindrosidad. Se ha de comer con discreción, con serenidad, de una manera pausada. Las personas que comen sin levantar la vista, silenciosamente, obsesivamente, son unos salvajes. Hay que saber comer y hablar. La mesa es un lugar maravilloso para charlar con quienes os han invitado o habéis invitado. La mesa es un lugar de diálogo. Las conversaciones de mesa son la civilización misma, la pura esencia de la manifestación personal. Los libros que tratan de conversaciones de mesa –el *Banquete* de Platón, las conversaciones de Lutero, el libro del doctor Samuel Johnson, etc.– son inmortales. En la mesa, con una buena comida o cena en acción y un ambiente agradable, los hombres y las mujeres pierden un poco su complejidad, su rigidez, su ordinario agarrotamiento, su desconfianza, su máscara se vuelve más tenue y menos borrosa. El hombre y la mujer no se exteriorizan nunca tal como son, casi siempre porque creen que no les conviene y a veces porque su expresividad es escasa. En la mesa todo puede quedar ligeramente suavizado y vagamente inteligible dentro de la enorme plasticidad de la especie humana. La única cosa real, en esta vida, es la soledad total.

Así pues, en este país, los *spaghetti* generalmente se cortan. La gente los encuentra demasiado largos. El error es considerable.

Aunque este proceso de adaptación ha sido complejo y largo, el hecho de la expansión de la pasta italiana en este país ha avanzado tanto que por poco no se ha impuesto completamente. Para esta pasta nos falta todavía algo decisivo: el queso rallado. De este queso ya se tiene una idea muy concreta, de modo que nos abstendremos de calificarlo. Por otro lado están las salsas –el tomate a la manera de Nápoles– y la carne y la salsa de la fórmula a la boloñesa. Según dicen, todo esto ha mejorado. La ventaja de nuestros estómagos es que son sensibles a la adjetivación hiperbólica y exagerada. Son estómagos poéticos y literario-musicales.

El caso es que yo, en el curso de mi vida, habré sido testigo de la implantación de la cocina de la pasta italiana en este país, que tenía, sesenta o cincuenta años atrás, una cocina tan monótona, poco variada y carente de imaginación. Es un acontecimiento trascendental y favorable, del que merece la pena tomar nota y seguir adelante sin perder nunca de vista, sin embargo, que la cocina requiere tiempo, paciencia y calma.

LA CARNE: UNA COCINA SIN BUEY

Nuestra cocina no conoce el buey, y esta característica la hace notoriamente incompleta, teniendo en cuenta que la carne de este animal es uno de los elementos básicos de la alimentación humana en los países dotados de ricos y húmedos pastos, que según dicen son los que van en cabeza.

En la parte llamada seca de esta península es casi imposible imaginar la existencia del buey destinado a la alimentación humana. En nuestro país el buey es muy escaso; existiría en mayor abundancia si lloviese según los deseos de la gente del campo y los prados y pastos fuesen más verdes. Pero el caso es que llueve poco. En definitiva, el clima es más turístico que agrario. Esto quiere decir que el clima es bueno para el Estado y más bien mediocre para los que vivimos en él, para los que vivimos sin trampas –ha habido muchas últimamente– en este país tan incierto e inasible.

El buey es un animal que ha arado secularmente las tierras del mundo romano, que desde hace tantos siglos contribuyen a la nutrición general. Ha labrado bien: de una manera profunda, lenta y admirable. En mi juventud, en todas las masías había un par de bueyes de laboreo para arar los campos. Estas parejas las hemos visto desaparecer conjuntamente con el paso de la gente de mis tiempos. En la parte del litoral los bueyes han desaparecido totalmente. Ahora todo lo hacen con máquinas. En las faldas de montaña su número ha descendido mucho, sustituidos primero por otros animales de tracción y finalmente por arados mecánicos. Sólo en la montaña se mantienen los bueyes, pero las casas se están despoblando. Creen que vivirán mejor emigrando a las tierras bajas y convirtiéndose en obreros industriales. Las decisiones humanas son fatídicas e incuestionables y lo único que se desprende de la Providencia es un escepticismo insondable. Por lo menos el buey es un animal tranquilo, pausado, lento y bondadoso que vive sin hacer daño a nadie.

Conque en nuestro país, el buey es más trabajador que comestible. Su carne siempre escasea. Es una carne excepcional que se suministra en algunas –poquísimas– carnicerías de la capital de provincia, de Barcelona o de algunas poblaciones muy voluminosas. En casos de fuerza mayor puede obtenerse de estos establecimientos, tan destacados y lejanos, pero siempre es complicado. No se puede ofrecer con facilidad porque hay muy poco, cuando hay. Se genera el inevitable círculo vicioso: no se dan facilidades porque no hay y no hay porque no se dan facilidades.

En los países de la cocina sin buey, las personas que no lo han comido nunca creen que viven en un régimen de cocina completa. Hay muchos ciudadanos, sin embargo, que han salido al extranjero, donde han comido buey cocinado de una manera u otra –en Perpiñán, sin ir más lejos, el buey es corriente y apreciable–, de modo que cuando regresan al hogar se sienten defraudados. El buey que comieron pasa a ser un recuerdo, y todo el mundo sabe el peso que tienen en la memoria los recuerdos culinarios. En fin, lo echan de menos y no entienden por qué el buey no forma parte de su cocina tradicional ni por qué no puede proyectarse sobre esta carne la cantidad de inteligencia que su manipulación culinaria ha provocado. El buey los transforma en seres nostálgicos y melancólicos, tanto o más que nosotros, que nos encontramos escribiendo este capítulo de simples recuerdos personales.

La carne de buey es fina, ligeramente dulce –y por ello siempre susceptible de ser aderezada–, de una coloración roja muy acusada, discretamente estriada de venas blancas de calidad marmórea. Si su grasa es de un blanco amarillento, es síntoma de que el animal es joven y ha sido bien alimentado. No rechacen, sistemáticamente, la carne de vaca: la carne de una buena vaca joven vale más, mucho más, que la de un buey viejo, engordado imperfectamente, de una manera artificial y forzada. La carne de un toro joven y bien cebado, sin haber pasado por una plaza de lidia, ofrece muchas posibilidades. Todo lo contrario de lo que sucede si el animal ha formado parte del programa de la fiesta nacional. Esta fiesta es fatal para la carne de estos fuertes y vigorosos animales. Al día siguiente de la corrida os ofrecen en los restaurantes el estofado de toro, una carne que ha sido tan atormentada y maltratada que objetivamente hablando no tiene ningún sabor. La carne del toro de vida y muerte pacífica podría ser excelente. Lo digo en condicional, pues como estos toros bravos dan más dinero en las plazas de toros que en las de mercado, seguramente nos moriremos sin conocer el gusto de la carne de un animal pacífico y de vida plácida.

La cocina de la carne de buey está basada en un principio culinario decisivo, un principio que excluye todos los demás, un principio natural: el buey no ha de ser ni viejo ni flaco. Es lo peor que les puede pasar a los animales, y al buey especialmente, porque de una existencia cierta se convierte en otra cosa, de una diferencia absoluta. El buey tiene que ser joven y haber sido bien alimentado. Es mejor no salir de esta afirmación. El resto es incierto y no hay por dónde cogerlo.

Con el buey se hace, primero, una sopa, considerada por los entendidos como una de las mejores que pueden presentarse: es la sopa denominada de rabo de buey –en inglés *oxtail soup*–, que en verdad tiene una formidable personalidad, ampliamente reconocida. Tanto en Gran Bretaña como en Alemania se especializaron en la elaboración de esta sopa de gran fuerza y que parece hecha ex profeso para ensanchar el pecho y dar cierta satisfacción a la estancia en este valle de lágrimas. La última vez que estuve en Alemania visité la catedral gótica de la población donde me encontraba y a continuación un restaurante del Rathaus –también gótico o al menos muy oscuro–, donde pedí una sopa de rabo de buey. Me la sirvieron, pero envasada, enlatada y con un sabor muy diferente del que solía tener. Mi desilusión fue total. ¡Cómo ha cambiado la cocina alemana gracias –quizás– a la gran prosperidad del país! Todo está prefabricado y luego metido en recipientes, eso sí, esmeradamente presentados. Al paso que van, ¡los alemanes llegarán a enlatar el *Kartoffelsalat*! Tal vez ya lo hacen. En Francia, el camino es el mismo. La corriente es universal. En el mundo de hoy cada día hay más gente para comer y menos para cocinar. Parece que con las muchedumbres que se engendran tendría que haber gente para cubrir todos los oficios y actividades, pero no ha resultado así. Para unas cosas hay mucha demanda; para otras, escasa. Para actividades mediocres, que no piden ningún conocimiento ni memoria alguna sino sólo una voluntad puramente mecánica, hay mucha gente; para las otras, cada día menos. La situación rebosa amenidad.

Nueva York es probablemente la ciudad del mundo donde se puede comer mejor. Es un fenómeno que siempre ha pasado: cuando se produce una gran concentración económico-social del volumen de aquella ciudad, la cocina del lugar marca el paso. Los entendidos afirman que el mejor restaurante francés, como el mejor establecimiento italiano, como el mejor alemán, el mejor escandinavo, el mejor ruso, el mejor húngaro, el mejor chino, etc., se encuentran en Nueva York. Estos restaurantes poseen bodegas con los mejores vinos de su cocina. Son restaurantes extremadamente caros, sobre todo si se entra en ellos con una moneda flaca y consumida. Esto no quiere decir que no se pueda comer también muy bien y con poco dinero en la barra de los bares. Nueva York tiene un invierno endemoniado y por tanto posee una cocina popular densa y sustanciosa, como es natural. Ahora bien, en casi todos los restaurantes, los más importantes de aquella fabulosa población, uno de los alimentos más presentados es el plato anglosajón por excelencia: el *steak*, el filete de buey a la parrilla, no demasiado tocado por el fuego, fácil de hincar el diente y más o menos sangrante, según los gustos. Estamos ante una tajada de carne fenomenal, absolutamente adecuada para mantener a los hombres, y a las mujeres, en pie, para trabajar y continuar viviendo, que al cabo es lo que importa. He leído en algún lugar, ahora no recuerdo dónde, pero probablemente en algún escritor humorístico, que cuando los tripulantes del *Mayflower* llegaron a aquellas costas, en condiciones trágicas, descubrieron este animal y su *steak* y se convencieron de que habían llegado a un país agradable, aunque aún no era más que un paisaje. «*Ubi bene, ubi patria!*»... dijeron en un estado de americanismo insospechado pero arrebatado. En aquel entonces lo más urgente era combatir la añoranza. La añoranza proviene, en gran parte, del recuerdo –inalcanzable– de las sensaciones palatales pasadas y sólo se puede luchar contra ella generando nuevas sensaciones palatales plausibles y reales. ¿Podemos imaginar motivo más eficaz para quedarse allí? El *steak* del mundo anglosajón obró el milagro. La Declaración de Derechos del señor Jefferson, otra de las claves del país, vino más tarde.

Pero en definitiva, ha sido en Europa donde se ha cocinado el buey. Francia lo ha hervido, lo ha guisado, lo ha hecho a la parrilla, lo ha asado. Otros países también han avanzado en este camino. Para mí no cabe duda: este continente ha sabido hallar los innumerables matices del buey. Con sólo hervirlo, ha elaborado cuatro o cinco recetas magistrales –siempre dentro de la cocina antigua, digamos burguesa, porque de la anterior todavía no tenemos una idea muy clara– sin posible rival.

Guisando el buey, Francia ha confeccionado un plato, el *boeuf à la mode*, que en mi modesta opinión es el mejor guiso elaborado por la cocina burguesa en cualquier tiempo y lugar. Es un plato inteligente, suntuoso, sustancioso y de un aliciente excepcional; un plato que sólo puede haber sido creado por una sociedad rica, madura, acabada y extremadamente cultivada. Sobre el buey a la parrilla existe una dilatada polémica: muchos entendidos opinan que los bueyes de los prados americanos han dado origen a un *steak* mejor que los de los prados europeos. Hay que dar la razón a quien la tiene, y en este punto, la posición americana es poderosa. En cambio, si comparamos el asado de buey americano con el europeo, la balanza se equilibra. Cada parte tiene su punto fuerte. El *rosbif* europeo es realmente considerable. El buey americano tal vez sea más flojo, más ligero, más desfibrado. Pero en fin, no hay duda de que Europa ha aplicado al buey su sistema arcaico y lo ha hecho con calma, con tiempo y con una inteligencia digna de consideración. Ahora bien: quizá todo esto sea ya cosa del pasado. Aunque no por eso deja de ser, probablemente, la mejor cocina de todos los tiempos. Lo que no es en absoluto desdeñable.

Nuestra cocina no tiene buey, o al menos tiene muy poco. Este capítulo ha sido compuesto con elementos elegíacos. Si lloviese más quizá mejoraría todo: el buey, la cocina del buey y la raza.

GANADERÍA Y ALIMENTACIÓN. LOS INFANTICIDIOS

Así pues, en la cocina de este país el buey es casi desconocido o hay muy poco, razón por la que las posibilidades de alimentarse con esta carne son escasas o exiguas. El buey es uno de los pilares en la alimentación de gran parte de Europa y de América.

Siempre he tenido por respetables a las personas que opinan que el ser humano debería comer exclusivamente vegetales. Creo que los vegetales son excelentes. Pero en un país como el nuestro, donde viven tantos apasionados y de tanta temperatura, incluso los vegetarianos son unos fanáticos de la coliflor y de las acelgas. Considero, por tanto, que los vegetarianos tienen su razón; pero yo siempre he sido más partidario de ensanchar las posibilidades humanas que de reducirlas. Así, aunque me gustan los vegetales, tengo para mí que un buen *steak* o un guiso de buey son platos respetables y de excelente categoría.

A mi modesto entender, el buey es uno de los alimentos más populares de este continente, susceptible al mismo tiempo de originar los platos cocinados de elevación más indiscutible. El *boeuf à la mode* y el *boeuf à la bourguignonne* que hacen en Francia son, como hemos dicho, los resultados más importantes de la cocina burguesa. Se trata además de una alimentación adecuada en grado sumo a los países fríos, y una gran parte de nuestro país es frío y en la montaña, gélido. Al menos en esta zona, este bondadoso rumiante –que en la Biblia se presenta como una cualidad positiva– se está extinguiendo de manera visible, pues ha desaparecido incluso como animal de carga o para tareas agrícolas. Para arar la tierra en los llanos, el par de bueyes ha sido sustituido por tractores que arrastran los aperos que surcan la tierra.

Las personas consideradas entendidas en estos quehaceres afirman que el buey que no dispone de pastos jugosos, verdes y frescos produce una carne de posibilidades escasas, por no decir nulas. Esto significa que la lluvia, tanto como el sol, es el elemento determinante en estas materias. Ésta parece ser la situación en nuestro país.

De todas maneras, yo creo que por aquí nadie ha hecho ningún esfuerzo por criar un buey para usos alimentarios digno de ser considerado con cierto interés. Por lo que a esto se refiere, la ganadería ha sido dominada por una rutina espesa, por los tópicos más acendrados y por eso que se denomina la experiencia, que en general es ciertamente algo respetable, pero en determinadas ocasiones no pasa de ser una forma de pereza mental y material excesiva. Y de ignorancia, naturalmente. La situación de los payeses catalanes es literalmente indignante, algo que clama al cielo. No soy partidario de entrar en competencia con nadie en asuntos en que llevamos todas las de perder; ahora bien, la teoría portuguesa de los castellanos según la cual todo lo que hacen es *o melhor do mundo* es ciertamente grotesca y corresponde a un estado de patrioterismo, siquiera fraseológico, que todos conocemos. En realidad, para la obtención de un buey más o menos alimenticio no se ha hecho el menor esfuerzo, ni en las tierras bajas ni en las montañas del país. Se habría podido crear un ambiente más propicio. El buey ha sido eliminado de la alimentación del país por desidia, sin ninguna razón aceptable.

De esta manera nuestra alimentación carnívoro-ganadera ha quedado reducida en la práctica a tres elementos: la ternera, el cerdo y el cordero. Por lo general, estas tres adorables especies producen una carne gustosa y excelente –en especial la carne que en Barcelona denominan *de Girona,* o sea de las comarcas gerundenses–, pero es la misma evidencia que al tener estos animales una producción muy limitada para la población existente, la carne que se suele consumir en la ciudad es de precaria categoría. La carne buena escasea y es muy cara; la otra, hablando con objetividad, es de un aliciente paupérrimo. Barcelona es una ciudad mayúscula que recibe carne buena en cantidades minúsculas, y por tanto la que allí así se ofrece apenas tiene interés. Antes llegaban a Barcelona los trenes ganaderos de Galicia; seguramente todavía llegan hoy día, y de otros muchos lugares también, todos lejanísimos.

La consecuencia es notoria: en este país se producen dos clases de estómagos muy diferenciados y en extremo desiguales: los de la buena carne y los de la carne mediocre y de una calidad a la cual no es posible aplicar alguna forma de dialéctica. Dada la inmensa densidad demográfica, un hecho es perceptible incluso en países que producen carne de mayor valor y de categoría indiscutible: cada día son más voluminosas las cantidades de carne congelada que se consumen en todas partes, y no digamos en Cataluña. La flota que navega por todos los mares transportando carnes envasadas y tiesas –la flota frigorífica– cada día es más vasta. La congelación mejora día a día hasta el punto que la carne congelada es a veces mejor que la carne que comemos habitualmente la gente modesta.

La existencia de dos clases de estómagos ha desembocado en un fenómeno muy singular. Es fácil observar que los estómagos refinados cada día lo son más y de una manera más explícita. El hecho hace años que se viene produciendo y ha acabado por crear una tendencia: la del infanticidio de los animales. Los terneros y las terneras se matan, en este país, siete u ocho meses después de haber nacido, es decir, inmediatamente después de haber sido separados de las mamas maternas. Es un auténtico disparate infanticida, pero permite la difusión de una carne sumamente tierna, sin demasiado sabor pero fácil de comer y muy agradable, aunque no posee las condiciones de normalidad y de positivo equilibrio que los verdaderos aficionados a la carne aprecian. Pero como no hay otra carne buena, los estómagos distinguidos la exigen.

Es un axioma que la carne nunca debe ser vieja ni siquiera excesivamente madura; pero la carne tampoco debe ser pueril y de animal lechal, entre otras razones porque no da de sí ni el sabor ni la textura que la naturaleza mantiene en potencia. La carne no ha de ser ni una hipótesis ni una conclusión: hay que comerla en el momento de su formación completa. En todas partes matan a estos animales después del año, a lo sumo, de su nacimiento. (En las nuevas granjas de terneros, los animales rígidamente estabulados y engordados artificialmente se matan a los cuatro o cinco meses de nacer. ¡Imaginaos!) Cierto: el disparate a que hacíamos referencia proporciona una carne de acceso fácil pero sin sabor. Desde el punto de vista de la economía general, el hecho es negativo, pero su importancia es escasa, pues la cuestión es que la gente prolifere y coma porque el Estado va pagando el déficit. Nos vamos acercando al *panem et circenses* de la economía romana. Una de las cualidades más apreciadas del contribuyente es que paga sin rechistar todas las porquerías que se van haciendo. Lo hace, naturalmente, sin saberlo, porque cree que sólo paga por él. ¡Que Dios le dé salud y lo mantenga!

En la cuestión de la carne tendríamos que llegar a un cierto equilibrio, ya imposible. Está claro que, contra lo que ahora escribo, los expertos argumentarán que dada la realidad de las hierbas del país, todo lo que sea salir de estas perentoriedades implicaría la producción de una carne coriácea y vieja. Pero este aserto, ¿no está también dominado por la rutina y por prejuicios arcaicos de endeble fundamentación?

Tal vez el pequeño asunto de las costillas de cordero hará ver claro lo que digo. A la gente le gusta esta clase de costillas y las consume en gran cantidad. Son excelentes, magníficas, a la parrilla o cocinadas, en primavera, con los primeros guisantes, o incluso fritas, aunque menos. Pero con las costillas –¡las *costelletes*!– pasa lo que todo el mundo sabe: algunas tienen una ternura angélica; son las de cordero lechal y su origen obedece a un infanticidio precipitado indiscutible. Luego están las otras, de un color generalmente oscuro y de mayor tamaño, sobrecargadas de elementos de difícil trituración; son las del cordero de no muy venerable ancianidad. Pues bien, ahí están las costillas a las que suele tener acceso la masa del país, porque no producimos suficientes costillas buenas y de primer orden y hemos de importar, habitualmente de las regiones limítrofes, esos corderos que llamamos *castellanitos*. Las costillas de estos animales, en general, valen poco, pero como no hay otras... A mi juicio, las costillas de calidad podrían tener una formación más equilibrada; su sabor quizá ganaría, sobre todo si hubiese un poco de interés por el asunto; y el hecho contribuiría a reducir el número de costillas ordinarias, de una catadura tan poco apetitosa.

Éstos son mis puntos de vista, expresados con la máxima sinceridad. Nuestra carne, cuando lo es, es muy sabrosa, pero cuando no lo es, ofrece escasas posibilidades. En la medida de lo posible convendría llegar a cierto orden positivo, pensando sobre todo en un mercado que será cada día más denso y por tanto más vasto y fecundo. Pero las ideas de los productores son harto rutinarias y obedecen a prejuicios que han llegado a constituir la experiencia, y son por tanto inamovibles.

El cerdo es un animal diferente del que hemos tratado. Su alimentación es otra y su carne más estable, en el supuesto de que la alimentación haya sido la correcta. En nuestra región, a diferencia de otras de la península, el lechón ha tenido una difusión muy relativa. Y es que el cerdito lechal es la forma menos económica del infanticidio. No deseo discutir ahora si el asado de estos cerditos proporciona la mejor y más agradable forma de asado que imaginarse pueda. En su libro de cocina, don Julio Camba sostiene este punto de vista. El hecho es cierto aquí, en esta península de carnes generalmente tan inciertas. Fuera de aquí hay otros asados posiblemente mejores, de categoría excepcional.

Tengo la impresión de que lo que escribo ahora será

cada día más evidente, dada la cosa directa y rápida que caracteriza la cocina de hoy. Hace años, cuando la carne era objeto de guisos y de platos cocinados, la calidad de la carne importaba, pero si no era muy buena quedaba disimulada en las combinaciones y mezclas que se hacían. Ahora la prisa, la rapidez y el nerviosismo han pasado a ser un factor esencial del arte culinario, y la carne rápidamente pasada por el fuego debe tener una calidad positiva para ser plausible.

EL *PLATILLO*

En los tiempos de la monotonía culinaria, cuando se comía *escudella i carn d'olla* seis días a la semana y los domingos arroz, en muchos hogares del país se cocinaba un plato suplementario que llamábamos *platillo* y era extremadamente variado. Era un plato de almuerzo y solía recoger los productos que iba dando el paso del año.

Eran platos monográficos de carne o de pescado; quiero decir que en su formación entraba únicamente un tipo de carne o de pescado. El *suquet* de pescado era uno de estos platos; como lo era la ternera con setas o las costillas de cordero con patatas y cebollas.

El *platillo* era muy variado porque se podía hacer con cualquiera de las carnes habituales del país –la ternera, el cerdo, el cordero y el pollo–, así como con toda clase de pescado blanco. En el litoral eran muy corrientes los *platillos* de pescado, en el interior, los de carne eran los más habituales, como es natural que ocurriese. Hoy en día hay cierto movimiento de pescado hacia el interior gracias al transporte y a los frigoríficos, facilidades que medio siglo atrás apenas existían. Las cantidades de pescado del interior eran irrisorias, y muy a menudo de calidad discutible. De ahí que se utilizase el zumo de limón para dar otro gusto al pescado, para disimular el estado en que se encontraba. Echar unas gotas de limón al pescado averiado equivale a hacer más tolerable el sacrificio; echárselas al pescado fresco es una aberración imposible de comprender si quien la lleva a cabo tiene una idea elemental del pescado.

Al hacer memoria de los *platillos* que he comido en familia en mis tiempos, he recordado algunos, pero no todos. Había muchos. En los últimos decenios, muchos de estos platos han ido francamente de baja, algunos hasta desaparecer totalmente; pero otros se mantienen incluso en los establecimientos de restauración pública. Por otra parte, mi memoria se va volviendo cada vez menos concreta y precisa. La enumeración que daré, por tanto, no tendrá mucho orden. Los años no perdonan a nadie, ciertamente.

En primavera, durante la temporada de los guisantes, se presentaba la ternera con guisantes. Plato excelente, sustancioso y delicadísimo. La carne y los guisantes frescos ligan admirablemente. En los restaurantes de hoy todavía es posible encontrarlo; pero en la actualidad la gran difusión de los guisantes envasados ha convertido el plato en un recurso que dura todo el año y carece de toda semejanza con el que se cocinaba antaño, antes de la conservación química de los alimentos. En realidad, los guisantes frescos son positivos en todas sus combinaciones: por ejemplo, hay personas que sienten una titilación ante la lengua de ternera con guisantes. Ahora bien, el mejor *platillo* según mi opinión, entrando esta legumbre en la combinación, es el formado con las costillas de cordero tierno; un plato sin rival, delicioso, excelente.

El *platillo* de costillas de cordero tierno con patatas y cebollitas es uno de los más familiares y pueriles que se pueden hacer. Es naturalmente un recurso para todo el año, aunque si las patatas y cebollas son tempranas no creo que se pierda nada.

Cuando llegaba la temporada de las setas, a principios de otoño, aparecía la ternera con setas. En nuestro país hay muchas clases de setas y las diferencias entre ellas son considerables. A mi juicio la mejor seta es la oronja o seta real, pero quizá tenga una personalidad demasiado acusada para hacerla entrar en combinaciones y guisados. La oronja no debe guisarse. Se ha de hacer a la brasa y servirse sola y abandonada. Comida en su tiempo nunca es seca, sino untosa, ligeramente viscosa y vital. Para guisar junto con la ternera de que hablábamos no hay mejor seta que un níscalo en su punto, hongo que ocupa un lugar muy elevado en su escala. Dan origen a un *platillo* distinguido y de mucha densidad. Existen otras muchas setas específicamente aprovechables, sobre todo los pequeños parásitos de algunos árboles; nos abstendremos de dar los nombres porque el lector que no viva en nuestro rodal no entendería nada, lo mismo que nosotros no sabemos a qué setas se refieren cuando nuestros vecinos hablan de ellas. En nuestro país el léxico de la micología se mantiene en términos de un localismo literalmente escandaloso, inasible. El localismo es un hecho normal en todas las lenguas, pero nosotros quizás abusamos. Probablemente será imposible unificar este léxico. La gente del país tiene un gran interés por las setas; les gustan; es un pueblo *boletaire*.

En su tiempo aparecen los nabos, que si son buenos, van bien con todas las carnes. En el Ampurdán tenemos unos nabos realmente inolvidables, son los nabos pequeños y oscuros de Campmany. Es realmente difícil de explicar por qué otros nabos que forman parte de la misma familia son generalmente insignificantes, terrosos y contrarios. El mejor plato de nabos que existe es la oca con nabos. La gente tiende a creer que la oca con nabos es un *platillo* de fiesta mayor, lo que en parte es cierto, pues los campesinos comían tan mal que cuando veían aparecer este plato no sabían lo que les pasaba. Aunque este plato también puede tener una gran habitualidad, como el que me fue presentado años atrás en Aiguaxellida por una familia muy cordial y amigable.

También aparecen las alcachofas. En mi país nunca ha habido alcachofas grandes, de volumen tan considerable como las que en París se sirven para comer hoja a hoja con una vinagreta. La gente quiere alcachofas pequeñas, atadas y compactas, con el corazón bien blanco. Del pollo con alcachofas salía un buen *platillo*. Se podían añadir algunas aceitunas, que quedaban integradas, nada marginadas.

Las berenjenas. Me permitiría recomendar que no se

mezclase nunca cerdo con berenjenas, pues resulta un plato demasiado graso, y la grasa excesiva empacha. La carne que mejor liga con las berenjenas es la de pato, tanto si es mudo como si no para de hablar. En las masías, el pato es, más que la oca, un animal gracioso, divertido, que produce sorpresas extraordinarias, en pequeño, claro.

Todas las formas de la *samfaina* son platos cocinados, y en realidad forman parte del panorama del *platillo*. La *samfaina* puede acompañar al pescado y a la carne. La de pescado es excelente, especialmente la de bacalao. En el curso del año la *samfaina* es una escala: las primeras son un poco descarnadas, responden a las apariciones inaugurales de los tomates y de los pimientos verdes, que nunca son muy carnosos. La *samfaina* va mejorando a medida que entran los inicios del otoño, cuando los tomates de pera son abundantes y los pimientos bien colorados, de un rojo denso, fascinante. En esta etapa del año es cuando las *samfainas* alcanzan su punto más alto. En mi opinión en este plato siempre debe haber una preponderancia del pimiento sobre el tomate. Un exceso de tomate hace la cocina demasiado ácida.

Un pequeño consejo: la alubias blancas, tanto si son tempraneras, de las que llamamos para desenvainar –en francés *flageolets*–, como si están ya formadas, sólo son buenas con cerdo. Nunca las cocinéis con cualquier otra forma de carne. El cerdo con judías forma el *salpiqué* que se ha de hacer con un sofrito muy ligero y una picada de ajo y perejil. El conjunto resulta un plato agradable.

Otro *platillo* de cerdo: el cerdo con coles de Bruselas. Esta clase de coles no son muy tradicionales en el país; es casi seguro que en estas comarcas se comiesen ya al comienzo de su difusión a causa de la proximidad de la frontera con Francia; luego se extendieron mucho y ahora son de aceptación generalizada.

Los estofados pueden considerarse asimismo formas de *platillo*, tanto los estofados de ternera como los de conejo, los de liebre y otras piezas de caza. Los estofados son también un recurso para todo el año y en nuestro país se cocinan con acierto, en especial los de caza. Siempre había sido habitual poner en la condimentación de estos platos una ramita de laurel, pero todo hace pensar que el laurel se va dejando de lado, sustituido por un chorrito de anís. Esto último es equivocado, pues para mi gusto destruye el plato. Creo que esta tendencia a poner formas de alcohol en la cocina es algo horripilante y sin sentido.

Desde luego, esta lista de *platillos* de carne se podría continuar. No lo haremos para no hacernos pesados alargando excesivamente el escrito.

Los de pescado también son muy numerosos. Con todos los pescados se puede hacer un *suquet*; pero naturalmente los hay que sirven, otros no tanto y otros nada. La calidad del pescado es de gran importancia en estos platos. Cuando en este libro llegue el momento de hablar de los pescados, el lector encontrará muchas referencias, de carácter ciertamente personal, a estas cualidades, que a lo mejor no coincidirán con sus gustos, pero que no discutiremos porque estos temas son muy particulares. En mi país los *suquets* de pescado se suelen acompañar de cuatro patatas, que no deben abundar para evitar que su presencia desequilibre el sabor del pescado. Las patatas, eso sí, han de ser buenas –hemos pasado unos años en que las patatas eran horribles–, y este hecho no se puede negligir, bajo ningún concepto. La rascasa, el mero, el dentón, la sepia, el calamar y, no hace falta decirlo, el bacalao, acompañados de patatas, tienen un positivo interés. La lubina no liga mucho con estos tubérculos. En fin: los *platillos*, tanto los de carne como los de pescado, son extremadamente variados y llenan el paso del año de un modo muy discreto.

Todos estos platos se cocinan sobre una base de sofrito. El sofrito es una de las claves de nuestra cocina, tal vez la principal. De sofritos hay de muchas clases y cada plato exige el suyo. Destacan los sofritos integrados como si fuesen confitura, que producen los platillos de color oscuro; otros son más flojitos, más amortiguados como solemos decir en el país. Según los platos, así han de ser los sofritos. Por esta razón son tan variados. La primera condición de un buen cocinero es la memoria, la memoria real, positiva. La memoria es el fundamento de la cultura. La cocina es una manipulación integradora de elementos diferentes, a veces muy diferentes. El cocinero debe conocer los componentes que ligan entre sí y los que no ligan ni ligarán en la vida. La cocina elaborada con elementos que se repelen, manipulados a ojo de buen cubero y a lo que salga concluye en una repugnancia al paladar y al estómago de la gente. Después de tan larga tradición culinaria, modesta pero antiquísima, convendría conservar lo que tenemos.

Una cosa es el sofrito y otra la picada. El sofrito es el auténtico comienzo de los platos cocinados. La picada se añade para refinar, para poner una pequeña cúpula a su finalización. La picada se fabrica en el mortero, machacando con la mano del mortero los elementos que la integran. Se distingue entre la picada de los platos de pescado y la de los platos de carne: en la primera entra el ajo, el perejil, las almendras y los piñones –no hace ningún daño una avellana– y un polvo de azafrán; la de los platos de carne se elabora con ajo, perejil, almendras, piñones y un hígado de pollo. Esto último es muy agradable. Puesto todo en el mortero, la mano de la persona que la hace no se puede distraer hasta convertirlo todo en una pasta, en una especie de bechamel. Cuando el plato está cocinado se le echa por encima la picada, se tapa la cazuela, un momento de chup-chup y se puede servir. La picardía es un refinamiento, modesto, como todas nuestras cosas, pero positivo. Para los *gourmets* de mis tiempos era esencial. Hoy es una pura ilusión del espíritu.

El hecho de que en la época de la monotonía culinaria se comiese, después del cocido, un *platillo* tan sustancioso, podría significar que el cocido era más bien delgadito. Y lo era. Cuando las mujeres de este país se volvieron románticas y melindrosas, las buenas *carns d'olla* se estimaron vulgares y algo groseras; el cocido pasó a ser entonces un plato precario y maciento.

Los platos de este capítulo se habrían podido ilustrar con recetas de cocina. Pero éste no es un libro de recetas; es una divagación, una digresión tomando la cocina como pretexto.

EL CERDO. LAS BUTIFARRAS

Cuando yo era joven, hace años, durante los meses de verano se comía muy poco cerdo en este país, por no decir nada. El calor creaba cierta reticencia hacia este alimento. Sólo se comía salchichón, para merendar. El cerdo era una comida de invierno, una de las mejores producciones de la cocina de invierno. A mí en particular me gusta más el cerdo en invierno que en verano. Ahora lo sirven todo el año. La matización se acaba y todo se vuelve indiferente.

La carne de cerdo es óptima. Un pernil de cerdo asado es excelente. Aunque el pernil quizá sea demasiado magro. El lomo asado es preferible, porque es graso y magro. Para los *gourmets* del cerdo, la condición de graso y magro es una especie de ideal concreto. El cerdo también se puede guisar. Y se puede freír. La costilla de cerdo, frita y ligeramente tostada no tiene rival. Con el acompañamiento de judías secas, también fritas y ligeramente tostadas, la combinación es excelsa. Lo mismo hay que decir de una chuleta de cerdo frita y dorada asimismo y acompañada de judías en las mismas condiciones. La cosa llegaba a su punto culminante, popularmente hablando, cuando hacía acto de presencia la butifarra con judías. Yo acepto, como es natural, la butifarra con judías, pero afirmo que la costilla y la chuleta de cerdo también son excelentes.

Ahora la gente se levanta tarde. A primera hora del día no circula casi nadie, ni en los pueblos ni en las ciudades.

Pero yo soy un hombre de antes de las ocho horas, cuando se empezaba a trabajar a las seis de la mañana y los medios de transporte eran de tracción animal, lentos. La gente se empezaba a mover muy temprano. El gran consumo actual de café, de leche y de café con leche a la hora de desayunar contrasta con el desayuno de entonces, que era de tenedor y se practicaba sobre todo por la gente que iba de camino. En los hostales de las carreteras de aquel tiempo las costillas, las chuletas y la butifarra con judías constituían el gran plato con el que se desayunaba el pueblo. Este recuerdo lo tengo grabado en la memoria y soy incapaz de desligarlo del clima invernal, no me es posible. Es un plato de la época de las tartanas, inseparable de la aparición progresiva de la luz del día, con las brumas matinales, los campos salpicados de rocío o de escarcha, las lluvias, los árboles desnudos, los cielos bajos y el frío del invierno, con aquel chorro de vapor invernal que salía de las narices de los caballos y de la boca de las personas que se encontraban en aquellas horas. La llegada a un hostal transmutaba a la gente. Acercarse a la chimenea para calentarse era una verdadera delicia. Sentarse a la mesa ante algún producto del cerdo acompañado de judías era un prodigio. El frío adelgaza, encoge, depaupera a la gente. El plato que os servían en aquellos rincones tan acogedores, ante los fuegos de leña, parecía contener una fuerza de distensión que obraba el milagro de devolver a las personas a sus dimensiones normales. No creo que exista en nuestro país otra comida que con tal sencillez proporcione resultados tan espectaculares.

Éste es un país en que la gente lleva el sentido práctico y económico en la sangre, sobre todo en asuntos de carácter habitual. Así no es extraño que se haya llevado a esos extremos la explotación de los productos del cerdo: del animal se aprovecha todo, de las orejas a los pies, del morro al rabo. Tal aprovechamiento debe explicar la gran cantidad y variedad de butifarras que se elaboran en nuestra área lingüística, de butifarras y también de embutidos. Si tuviésemos que enumerarlas todas, no acabaríamos nunca.

En nuestra vida social agraria la matanza del cerdo ha

sido puesta de manifiesto y exaltada por exhalaciones más o menos líricas y más o menos prosaicas. Las familias que poseyendo tierras practicaron, por alguna razón, el absentismo y se fueron a vivir a las ciudades, sobre todo a Barcelona, si desean mantener alguna forma de administración de lo que tienen, han de celebrar dos fechas importantes: la matanza del cerdo y la partición de los frutos de la tierra. Si estas dos efemérides no se celebran y uno abandona las tierras en manos de administradores, es mejor ir despidiéndose del propio paisaje y dedicarse a frecuentar el cinematógrafo, donde ahora que se prodiga el cine en colores pueden verse magníficos y esplendorosos paisajes, de un ilusionismo incomparable, cercano a la realidad. Sólo quería decir que teniendo el cerdo una tradición tan arraigada en estas tierras, es perfectamente lógico que el nuestro sea un país de butifarras. De la matanza del cerdo, lo que distrae más es confeccionar las butifarras.

Personalmente nunca he conseguido practicar el patrioterismo local; pero como siempre me ha gustado poner las cosas en su sitio, he de reconocer que en cuanto a la utilización del cerdo, el Ampurdán ha manifestado una imaginación cierta y obtenido resultados apreciables. En el Ampurdán se producen, como en todas partes, butifarras de muchas clases y se han creado matices a buen seguro originales. Aquí se hace, como en otros muchos lugares, la butifarra de sal y pimienta, pero también se produce aquí una butifarra *de perol*, una butifarra dulce y una butifarra negra muy entrada en razón. Quienes afirman que el ampurdanés es un puro contemplativo se olvidan de recordar que es un sobresaliente especialista en butifarras. No creo que todo esto sea una contradicción imposible de superar. ¿Existen esta clase de contradicciones? A menudo las contradicciones engañan.

Sea como fuere, este país ha elaborado un plato con todo el aspecto de haber tenido validez en todas las épocas y en todas las comarcas: con la butifarra con judías. Es realmente importante, un plato que se puede presentar en todas partes y a todas horas –para desayunar, almorzar o para cenar– en la seguridad de obtener movimientos de comprensión unánimes. Para los naturales del país, el plato es una combinación tan ligada a la manera de ser de la gente que no puede ser más representativa y virtual. El catalán siente predilección por las judías y experimenta titilación ante las butifarras. Con estos dos elementos se obtiene una combinación tan compacta, tan sólida, tan real y tan diáfana que el resultado es inseparable de aquellas dos características que el señor Maragall observó en el espíritu de la gente del país: un espíritu de clara adustez.

Las judías han de servirse tras haber sido fritas y bien doradas, rehogadas hasta amarillear en la grasa y el jugo de las butifarras. La combinación es tan fascinante, equilibrada y perfecta y al mismo tiempo de tal simplicidad que hasta ahora nadie ha sabido explicar la causa de tantas bondades.

Sobre la butifarra hecha con azúcar o butifarra dulce, típica de esta comarca, mi espíritu se mantiene en un estado de dubitación y de suspensión acusada. En estas materias, nunca he sido partidario de las mezcolanzas *a priori* difíciles de comprender y eso a pesar de haber sido precisamente Cataluña, que es mi país, el lugar que se ha especializado en la materia con tanta notoriedad. En principio, estos productos no son santos de mi devoción; pero algo deben de tener las butifarras dulces cuando su éxito es creciente y sus efectos tan fulminantes. No cabe duda: este producto del cerdo azucarado, con los filamentos que deja en el plato de un aspecto tan meloso, licoroso y acharolado, es verdaderamente muy apreciado. Gusta incluso a personas que no tenían la menor noticia de su existencia. Se trata lo más seguro del caso de algún producto arcaico, quizá de la cocina de los monasterios o de los conventos, que en un momento determinado resucitó o se ha mantenido en un espacio limitado bien definido. En las cocinas de ahora se elaboran las mezclas más extravagantes y todo tiende a un cierto escandinavismo culinario: el pescado con compota de peras o de manzanas; la carne con confitura de ciruelas o de fresas. Está claro que existe algún precedente en la antiquísima cocina monacal; esos platos de fiesta mayor como la oca con peras, el pollo con castañas y la pata y tripa con manzanas deben de tener esos antecedentes. La butifarra dulce es un caso, no demasiado moderado, de lo que estamos diciendo. Eso sí: no se puede negar su aceptación, incluso en ambientes donde jamás se habría sospechado.

Personalmente soy partidario de los sabores de las butifarras clásicas de mi país: las de sal y pimienta, sobre todo ahora que la pimienta negra en grano ha reaparecido, aunque sea tan cara; de las butifarras *de perol*, importante realización de este producto hecho a base de los elementos más grasos, delicados y anímicos del cerdo, y que no tiene rival cuando viene acompañada de productos invernales, como las coles y patatas fritas; de la butifarra blanca, elaborada con productos opuestos a los de la anterior, como es la carne magra, y que tiene un acceso muy agradable sobre todo comida en crudo; de la butifarra negra o de sangre –en Francia la llaman *boudil*–, que adopta las formas de la tripa que le sirve de continente, y de aquí proviene la butifarra de obispo, el *bisbot*, cuya presencia es imprescindible en el cocido del país, si se pretende construir algo de cierta importancia...

En fin, no es mi objeto enumerar ahora todas y cada una de nuestras butifarras, pues llenaría un espacio desorbitado; ni de enumerar las variadas cantidades de los embutidos que se hacen en la Garrotxa, sobre todo en Olot y en Castellfollit de la Roca, y que constituyen, en gran parte gracias al clima, negocios fenomenales. En realidad, los embutidos ya no forman parte de la cocina en un sentido literal. Sobre la totalidad, aunque no fuese más que aproximada, de los productos del cerdo que se elaboran en este país, se podría escribir un libro grueso y extenso.

En la ficha *botifarres* del diccionario Alcover-Moll (vol. II) hay una lista considerable de butifarras que se hacen en Cataluña y en Valencia. «En las Baleares –escribe Moll– es casi uniforme la composición del relleno de las butifarras, y por ello éstas no tienen denominaciones especiales para distinguir una clase de la otra; en cambio, en la Cataluña continental y en Valencia varía mucho la naturaleza de los ingredientes que se ponen en la butifarra, y de aquí proviene una gran variedad de clases y de nombres.» En este mismo volumen se detalla una relación de dieciocho clases de butifarras. En nuestro país el nombre se utiliza indistintamente tanto si la tripa es gruesa como fina. No es éste el caso de Valencia y de las Baleares, donde se denominan butifarras las hechas con tripas gruesas y *botifarrons* los productos que han sido confeccionados con las finas.

El cerdo es sin duda el animal más aprovechado para la alimentación humana en nuestro país. Lo es de una manera total. La gente de este país es sensible a este animal.

Según el diccionario castellano de Joan Coromines, el término catalán *botifarra*, documentado desde muy antiguo, pasó a la lengua castellana en época reciente, ya que el primer uso de la palabra en un autor de esta lengua se halla en un papel del Duque de Rivas escrito en el segundo cuarto del siglo XIX. La palabra portuguesa *botifarra* es también decimonónica.

EL CORDERO

Decíamos hace un momento que en el sistema de la alimentación carnívora de este país hay tres animales, no habiendo aquí buey, de primera importancia: son la ternera, el cerdo y el cordero. Los animales de la *basse-cour*, o sea los específicamente domésticos de las masías y pueblos rurales –pollos, conejos, etcétera– llevan también un buen ritmo, pero vienen después.

En el Ampurdán, al cordero lo llamamos *xai*; en Barcelona lo llaman *be*, y los literatos lo denominan *anyell*, que es una palabra que se instauró en el barroco procedente, lo más probable, del cordero pascual de la Biblia. Se trata de los retoños de las ovejas, los carneros y los machos cabríos de los rebaños: los animales pequeños, que son los que gustan más a la gente en virtud del sistema alimentario del infanticidio. Hay personas que utilizan la palabra *corder* para llamar a estos animales; es un castellanismo muy corriente en las poblaciones asfaltadas, que seguramente es inadmisible.

Con estos animales pasa como con las cabras y los cabritos. Nadie dice que ha comido oveja, dice que ha comido cordero, o sea el hijo de la oveja; nadie dice que ha comido cabra, dice que ha comido cabrito. La gente aprecia los corderos y los cabritos, una carne lechal, tierna y joven en virtud del infanticidio. Es probable que no haya ninguna solución, gastronómicamente hablando, y así la conversación social, si pasa de estos límites, es una irrisoriedad no admitida.

Existen muchas clases de corderos. El cordero puede ser desde muy bueno hasta literalmente horripilante. Los rebaños habituales en nuestro país son de ovejas blancas, que engendran corderos de lana blanca. Pero esta producción es insuficiente para el consumo del país, y ello obliga a importar corderos. Se traen, quizá de Aragón o quizá de más a poniente, unos corderos pequeños de lana negra que son llamados *castellanets*. Hay una gran diferencia entre esta clase y la otra. En estas materias no se ha de tener ningún prejuicio –como en ninguna–, pero es de toda evidencia que los corderos blancos son mucho más gustosos y asequibles que los negros. A simple vista siempre se pagan más. Cuando están muertos, todo se vende, entre otras razones porque hay muy poca gente que sepa lo que compra. Y ésta es la situación del cordero en nuestro país. Ya lo dijimos hace un momento: el cordero puede ser muy bueno, pero en ocasiones es incomestible. Uno de los mayores defectos del cordero mal alimentado es que corderea excesivamente: «corderear» es tener ese sabor excesivo de cordero con un deje de lana y de vejez. No hay por dónde cogerlo. Yo siempre he sido un comedor muy frugal. A menudo he tenido que hacer esfuerzos para comer y encararme con algunas dificultades. He de confesar que ante el corderear de los corderos nunca he logrado seguir adelante. Siempre me han fallado las fuerzas.

Con el cordero se puede hacer un plato excelente: el asado. Pero así como el cabrito se asa entero, el cordero posee dos partes que parecen hechas expresas para asar: las piernas y la espalda. Este asado se hace con grasa. Se añade en la cazuela una cabeza de ajos y una cebolla, todo en crudo. Cuando se dora la superficie del cordero sin que en el interior la carne esté devastada, sino viva, el resultado es inolvidable, sin rival posible. En Francia a las lonchas de este asado las llaman *gigot d'agneau*, que tengo la impresión de que es uno de los aciertos más extraordinarios de la cocina rural francesa, mejorado por la cocina burguesa. El gigote no debe confundirse con el *rôti d'agneau*, que se practica con otras carnes del animal en cuestión. El gigote, el asado de cordero de nuestro país, constituye un plato ligero, sustancioso y de una extrema delicadeza. Es exactamente una delicia.

Probablemente es cierto que el asado es el mejor plato que se puede obtener con el cordero joven y bueno. El resto en su totalidad tal vez sea secundario; pero no tomemos ahora este adjetivo de una manera absoluta: otras partes del cordero son asimismo excelentes.

El cordero se puede asar, pero también se puede guisar y se puede hacer a la parrilla y se puede freír.

Una de las cosas que la gente de este país aprecia más del cordero son las costillas o *costelletes*, como se las suele llamar. Las costillas gustan a todo el mundo: a los niños y a los viejos, a las nenas y a los nenes, a las solteras, a las casadas y a las viudas. Es un fenómeno popular y al mismo tiempo una cosa fina. Las costillas, en principio, se pueden guisar de múltiples formas y con varios acompañamientos, pero siempre y cuando se haya hecho previamente un buen sofrito. Pueden guisarse con guisantes, con patatas, con cebollitas, con nabos –pero no con los forrajeros que se le echan a los animales, sino con los de distinción más reconocida–, con alcachofas... Se pueden cocinar con pimiento y tomate, cuando es el tiempo, o sea con la *samfaina* habitual del país. Dada la manera puramente memorialística de escribir este libro, sin ningún documento culinario ante mis ojos, es natural que mis recursos sean escasos; me refiero a los recursos de mi memoria. Pero seguramente no importa. El lector podrá resolver fácilmente estas deficiencias con la lectura del manual culinario que tendrá fácilmente a mano, porque en este país, incluso en las casas donde no hay ningún libro, casi siempre se puede encontrar por ahí suelto un recetario de cocina más o menos utilizado. Es casi seguro que por estos lares se ha leído más la *Carmencita* que los Evangelios y los libros indígenas y extranjeros de la formación mínima.

Las costillas de cordero también se pueden hacer a la parrilla. Se juzgan tan supremas que la gente las suele comer con los dedos. Por lo general se sirven con dos patatas al lado, fritas. Gustan, fascinan. Para mi gusto, y ahora mucha gente coincidirá conmigo, son demasiado pequeñas; quiero decir que hay poca carne para tanto hueso como presentan. Desde luego que los huesos del costillar son una garantía, y la gente pide garantías; pero los huesos son un atolladero sin porvenir alguno y la carne que aguantan no es demasiado abundante. Su volumen, más bien reducido, es decepcionante. Siempre he sido dado a observar a la gente y por supuesto a observar a la gente mientras come. Así he visto comer seis y ocho y diez costillas como quien se come un melocotón en verano. Pues bien, a cuantos se aplican a la absorción exagerada de costillas, cuando se levantan de la mesa les ocurre lo mismo que a los que sólo comen dos o tres: se levantan insatisfechos, con la sensación de que podrían haber comido más, sin esfuerzo. Una cosa así, en este país, sólo la he visto con este plato. Todo el mundo se levanta de la mesa más o menos satisfecho, pero cuando hay costillas de por medio, aparece un punto de vacío que no se ha llenado, un agujero de déficit de costillas. ¿Con qué otro plato se produce esta situación? Hablo ahora de establecimientos de restauración de entidad como las Set Portes de Barcelona o el Hotel Europa de Granollers. En restaurantes de otra categoría se come de una manera más convencional y con mayor reticencia.

La costillas de cordero respetando el costillar del animal, manera muy castellana de hacerlas, y que suelen llamarse de Ávila, hechas a la brasa con un fuego de leña, son un alimento que parece tener mucho predicamento en este país, donde todas las formas del infanticidio son tan del gusto de la gente. No pretendo insinuar que estas costillas no tengan interés; pero al fin y al cabo, la carne de lechal nunca es excesivamente gustosa, sino más bien átona, comparada con la carne más hecha que comen en los países donde los pastos son frescos y apetecibles. Yo me mantengo en este último criterio, convencido de que un *gigot d'agneau* francés es infinitamente más fascinante que una costilla de cordero lechal.

Las costillas de cordero también se pueden freír. Antes de la existencia de los frigoríficos, la carne frita era más corriente que la carne a la parrilla, pues la fritura parecía el estado más adecuado a las condiciones de la carne. Estas costillas fritas ocupan ya una posición secundaria con respecto a las formas a que hemos hecho referencia en este capítulo; pero con todo, tienen su interés. Un plato agradable, dentro de lo que decimos, son las costillas empanadas, que pueden asumirse como una variación en una culinaria donde la imaginación es más bien escasa.

Para resumir: el lector habrá podido comprobar, tras lo dicho, que en la gastronomía del cordero este país ha hecho lo que ha podido. Con este clima y esta geografía, probablemente no se podría haber hecho nada más. Una cosa, al menos, parece clara, y es que en la cocina del cordero, la calidad del animal aparece como el factor decisivo. En este punto hay que ir al grano y comprar los animales de primera categoría. Saber comprar es la consecuencia natural de una larga y continuada experiencia. El cordero bueno y el cordero mediocre se conocen siempre por el color y por la composición de sus tejidos, huesos y cartílagos. En la cocina del cordero no se pueden obrar milagros. Si el cordero corderea excesivamente, ninguna suerte de astucia culinaria le podrá quitar de encima el defecto. Nada que hacer. Es en el momento de comprar, por tanto, cuando se ha de resolver la cuestión; nunca después. Éste es el principio básico de esta gastronomía. La producción de carne buena en nuestro país cada día es más insuficiente en relación a la demografía: las importaciones son a gran escala desde mi recuerdo. En el momento de adquirir la carne es cuando hay que decidir.

LOS POLLOS

Con el estado general de las cosas en los momentos presentes y en este país, cada día es más clara la existencia de dos clases de pollos, que en el lenguaje corriente de la agricultura y del comercio son conocidos por los nombres de pollos de masía o *de pagès* y pollos de granja. Los volátiles de granja se alimentan con productos y pienso preparados industrialmente y llevan una existencia encerrada, encarcelada. Los otros viven y crecen de la manera habitual: los gallineros de los habitáculos rurales nunca son cerrados: los animales comen y rondan por los alrededores y a menudo por la campiña con gran libertad.

Hay un número determinado de personas incapaz de establecer una diferencia entre estas dos clases de pollos, porque en cuestiones de paladar la confusión va en aumento. No obstante, es absolutamente seguro que los pollos de granja son fácilmente dilucidables, en el sentido de que valen bien poco, por no decir nada. Están sometidos a unos piensos que los engordan rápidamente, dándoles cierta suavidad en la piel, y crecen de una manera comercialmente agradable. Pero estos piensos, al margen de no aumentar la calidad del animal, lo destruyen en cuanto pollo. Los dejados vivir a la manera tradicional son infinitamente superiores: los gordos son incomparables y los que tiran a flacos, como el típico *gratapaller*, son de gran calidad. Esta última clase se está haciendo cada vez más excepcional e insólita.

Si las granjas de pollos se hubiesen limitado a lo que el comercio puede dar de sí, habrían ganado mucho dinero. Pero el catalán es simplemente un imitador, un remedador delirante. Cuando se demostró que las primeras granjas funcionaban, mucha gente puso la suya. Sometido el conjunto a una competencia ruinosa, una gran parte del edificio se vino abajo. Demasiadas granjas. Psicológicamente fue la continuación pura y simple del pasado. El catalán no tiene imaginación, es raras veces un creador, y en el sistema de los negocios rurales, es un negado.

«¿A usted le gusta el pollo?», se suele oír a cada momento en los restaurantes. La respuesta acostumbra a ser vaga y convencional. Primero, porque en estos establecimientos se habla de esta manera; después, por la creciente confusión de los paladares.

Son dos clases distintas de pollo que en teoría se presentan como si fuesen de la misma variedad, pero la práctica no engaña a nadie. Los pollos son causa, hoy día, de continuas decepciones. Cosa que no comporta que los de granja dejen de venderse cada día en mayor proporción. Basta con telefonear, pedir una docena de ellos y verlos llegar en seguida, perfectamente afeitados y envueltos en papel de celofán. Si no se desea la molestia de los menudillos, se sirven de la manera más sintética y sumaria: dos pechugas y dos extremidades. Nada más. La comodidad es extraordinaria y el funcionalismo, total. Ahora bien, todas estas facilidades no han representado, para el cliente, la mínima mejora. Como se trataba de imitar, los comerciantes del ramo han copiado el servicio admirablemente. Los pollos que se suelen comer valen bien poco. Son limpios, pelados, funcionales, sintéticos y de absoluta sumariedad. Su calidad es ínfima, y esto explica el descenso del volátil en el aliciente general.

Los payeses son individualistas, su sentido cooperativista es vago. Individualista hay que serlo siempre, pero quizá no tanto. Ellos lo son demasiado. En realidad los payeses representan las cualidades más perentorias y reales. En el resto de mercados continentales los pollos de auténtica sustancia llevan una señal, y de esta manera el comprador tiene acceso a la realidad: confundir las marcas –y las calidades– está penado por la ley. Aquí todo se deja en manos de los puros especuladores del estómago humano, cada día más numerosos e importantes.

Ante la creciente displicencia de los pollos, me permitiría recordar que cuando están bien alimentados y viven en libertad son excelentes y muy agradables. Está claro: la cantidad de personas que hoy queremos comer es enorme, y por tanto, las cosas buenas serán cada día más inalcanzables. Todo se va mediocrizando. En los años de malas cosechas los *gratapallers* se encanijan mucho; pero con todo, siempre es más respetable un pollo flaco y bueno que uno gordo y malo. Yo lo veo así, al menos, y aunque navegue contra corriente puedo afirmar que esta volatería, cuando vive en libertad y su alimentación es la tradicional, es muy notable.

Los pollos forman parte ya de la cocina de la prisa, la cocina actual. Hay mucha gente para comer. La demanda es superior a la oferta. Para servirla se han construido las granjas, para servirla rápido, para ir deprisa. Y se ha llegado a la situación actual.

La producción rápida parece inseparable de la cocina rápida. En nuestras costumbres se ha popularizado el pollo asado en broqueta, el pollo *a l'ast*. Pronto se podrán comer en cada esquina. La broqueta o asador es un instrumento de la cocina más arcaica que llegó a extinguirse después de haber creado alimentos muy bien cocinados y ha sido resucitado. Pero ha sido resucitado no para aumentar el aliciente del plato, sino por razones de prisa, de velocidad. En los autores medievales se encuentran descripciones de lo que fueron los resultados de esta manipulación. Hay que hacer girar lentamente el pollo ensartado y rociarlo con el propio jugo para evitar lo que suele pasar tantas veces: que la superficie se chamusque y el interior quede totalmente crudo. En los siglos llamados oscuros y a principios del Renacimiento la broqueta fue muy popular. Luego desapareció y yo la he visto en algunas masías remotas, siempre en el rincón de los trastos. El pollo *a l'ast* se hacía con leña, con gran calma y paciencia y por gente que conocía la especialidad. Había que ir rociando el animal... Y ahora reaparece de pronto la broqueta como elemento de la cocina de la velocidad. ¿No es extraño? Quienes la han popularizado después de tantos siglos de olvido, ¿creerían que se había perdido del todo la memoria de *l'ast*? ¿Es temeraria esta suposición? No era tan complicado...

La manipulación del asador en las condiciones referidas puede proporcionar pollos muy aceptables. Pero en la práctica, por lo general, estos animales se sirven casi siempre crudos y sin haber llegado a ningún punto de comestibilidad. Al respecto existe un axioma incuestionable: presentar crudas las materias alimenticias de elevada distinción equivale a presentarlas arruinadas. Todo requiere su punto de cocción; y en una carne con hueso, como la de este volátil, este punto viene determinado por la separación de estos dos elementos con el menor esfuerzo posible: no debe costar ningún trabajo contundente ni se ha de ver uno forzado a aplicar ninguna dialéctica apreciable. La carne ha de poder separarse del hueso con una pequeña presión de la punta del cuchillo. Nada más. En otras palabras, la carne no ha de servirse sorprendida, quiero decir hecha por fuera y cruda por dentro. Así resulta horripilante.

Toda cocina hecha con prisas tiende a presentar los alimentos crudos, y no solamente el pollo *a l'ast*. Se puede observar el mismo fenómeno con el asado de pollo a la cazuela. Esta forma culinaria del volátil, aun siendo una de las mejores que se pueden presentar, logra raramente el punto de cocción deseable, y así es posible, en los restaurantes –que en el mejor de los casos, salvando contadas excepciones, no son más que almacenes para administrar comida a la ciudadanía que los frecuenta–, ver a la gente comer el pollo con los dedos, a base de dentelladas mandibulares prehistóricas y violentas ante la imposibilidad con que se topan a la hora de separar la carne de los huesos con cuchillo y tenedor, es decir, con los medios habitualmente normales. Comen con los dedos y a bocados. Por las razones que sea, en la restauración del país se ha formado una tendencia a servir el pollo crudo, fibroso, coriáceo y sin ningún sabor, y este hecho –no es preciso desperdiciar un momento para demostrarlo– es de escasísima amenidad.

El pollo de campo o de payés –el *gratapaller* para decirlo con la palabra más popular en mi tierra– era un elemento de necesidad indispensable en la composición de muchos platos. No tienen más que ver la diferencia existente entre un arroz de pollo de esta clase y un arroz del otro pollo, del alimentado con piensos industriales. Es inimaginable. Y unas de esas *samfainas* de pollo con pimiento rojo y tomate, que en este país, a principios de otoño, no tenían rival, ¿qué valor tendrá si el pollo ha sido obtenido a partir de una desgraciada concepción industrial? Lo mismo podríamos decir del *platillo* de pollo, tanto si ha sido cocinado con una picada de almendras como si aparece de una manera menos solitaria, acompañado de unas patatas y unas cebollitas discrecionales.

A través de los años, en este país, el pollo ha gozado siempre de una gran distinción, adecuado en extremo para formalizar comilonas de las consideradas no habituales. En familia, se tenía por la cosa más fina y distinguida de una mesa. Ahora es la pura vulgaridad. Al paso que vamos, la industrialización y la prisa que la gente dice que tiene –sin que nada ni nadie pueda justificarla– lo convertirán en uno de los alimentos más tristes, melancólicos y átonos de la alimentación general. Ya hemos llegado a esta situación y cada día la cuestión será más clara y la trampa, más general. Lo más urgente e indispensable sería que los payeses impusieran su criterio y la calidad de sus productos, como ha ocurrido en todas partes con la facilidad normal. El pollo real, genuino, legítimo se hace cada día más caro de ver: la confusión es total, la política es contraria, pero el futuro sigue abierto.

Una de las acciones más positivas que se podría emprender sería inspirar en los payeses un sentido integrador y cooperativo, para ir reduciendo en la medida de lo posible el individualismo imperante, que se manifiesta en un estado de silencio y de indiferencia total; proyectar sobre ese estamento social los conocimientos indispensables, inexistentes en la actualidad; crear en ellos, en una palabra, una ilusión vital, un tono más elevado de vida, acabar con el abandono y la desidia ancestral. El problema demográfico lo domina todo, y por tanto debemos plantear las propuestas partiendo de ideas generales. Todo lo que se plantee en este país debe ser forzosamente sobre ideas generales; y la decadencia de los pollos, como todo lo que presenciamos, actúa en el mismo sentido.

EL POLLO, EL PALOMINO, ETC.

Su Ilustrísima el penúltimo señor obispo de Gerona, el reverendo Cartanyà –el obispado de Gerona tiene fama de rico–, se desplazó en una ocasión a la Pera, un pueblecito del Bajo Ampurdán, para celebrar uno de los últimos actos de su vida pastoral: impartió allí el sacramento de la Confirmación a la infancia. A continuación el señor obispo y su séquito fueron a la rectoría a comer. La señora Dolores se encargó de la cocina. Le sirvió un caldo de gallina sustancioso; un palomino asado a la cazuela y un flan verídico, no de los químicos. Luego una taza de café y un dedito de *chartreuse* tarraconense muy a tono con el resto del festín. El modernísimo almuerzo pareció complacer al obispo. El palomino le encantó.

En nuestro país el palomino tiene un notorio renombre.

Según mis noticias, se han hecho muchos esfuerzos para engranjar el palomino, por ahora sin ningún resultado. De todos los animales de la *basse-cour* de las masías, éste es el más volátil. Es un volátil, sin embargo, de pocos vuelos; un animal pretencioso y ligeramente fanfarrón que si vuela debe de ser para demostrar a quien lo mira que sus maneras son elegantes.

Hay dos clases de palomas y palominos. Los de campo y los de ciudad. La plaza de San Marcos de Venecia está atestada de estos volátiles. En la plaza de Cataluña de Barcelona hay a montones. Los hay por todas partes: en París, en Londres, en Buenos Aires, en Nueva York. Hay quien cree que la convivencia de seres humanos con estas aves es un punto positivo de nuestra civilización. ¡Válgame Dios! Hay personas que se retratan con lo que dicen. Hombres y mujeres insatisfechos admiran el erotismo estilizado de estos animales. El erotismo no se acaba nunca. Otras personas, más prácticas, se han comido una o dos: el resultado ha sido fatal, las han encontrado horripilantes. En primer lugar, son aves duras de roer, como buenos parásitos; en segundo lugar, su gusto es aberrante, un sabor próximo al de un envoltorio de plástico, si no peor. Los encontraron incomestibles.

Las parejas de palomas y pichones de masía son otra cosa. En las masías siempre hay agujeros en las paredes donde las parejas construyen sus nidos e incuban los huevos, tan pequeños y bien formados –la forma oval suele gustar más que la circunferencia matemática. El paternalismo de estas parejas debe de ser la causa del respeto que infunden a la gente; aunque la razón podría ser otra: que no las coman porque su carne es un poco coriácea. Los pichones tiernos y jóvenes de masía es lo más apreciado que produce esta familia. Los payeses los llevan al mercado y los venden. Son buenos. Cuando la carne del pichón ofrece una ligera resistencia al mordisco, es apreciable. De todas maneras, el pichón siempre tiene, si se cocina del modo que más le conviene –asado a la cazuela–, un resabio de cosa casera y de familiaridad ligeramente pasada que a mucha gente no le acaba de convencer. A mí tampoco me convence mucho. En cualquier caso, en un país de tan larga tradición culinaria como éste, un pichón será siempre un pichón, y todo lo demás son monsergas.

Por lo menos, hasta ahora, ni a las palomas ni a los palominos los han podido domesticar, encarcelar. En cambio se ha avanzado mucho en la destrucción de los pollos.

Mi viejo amigo Paco Parellada dirige el Hotel Europa de Granollers, que presenta un excelente restaurante para cada día que se transforma en el mayor establecimiento de restauración pública de todo el Principado los días de mercado, que en Granollers son los jueves. En uno de los últimos mercados –hablo en el otoño de 1970– se sirvieron 1.700 cubiertos. Es una cifra considerable. Este amigo me habla de los pollos y comenta:

–En este país hay tres clases de pollos: los anarquistas, o sea los que hacen su vida libres, comen y vagabundean a veces hasta muy lejos de su masía, son los llamados *gratapallers*; los socialistas, que son los de granja, viven estabulados e inmovilizados; y por último el pollo señorial, el mejor que hay: la *polarda*. Pero estos últimos van pasando los años y sólo los comen personas insignes en días señalados, como Navidad o Nochevieja. La gran mayoría de los pollos que hoy comemos son socialistas, los pollos de granja.

Es exacto. La gente los come, sobre todo la gente joven, con habitualidad, porque no disponen de un punto de comparación apreciable. Pero la gente que tiene algún recuerdo, que cuenta con un paladar ilustrado con un toque de referencia, no los puede resistir. Estas personas están cansadas de comer pollo, están empachadas y tienen la triste sensación de que si se los dan es porque no hay nada más que ofrecer.

La cocina de este pollo –tanto si es asado, como guisado, como a la parrilla– es tal vez, de cuantas se hacen en la actualidad, la que tiene una característica más típica de la cocina de nuestros días: la cocina de la prisa, hecha sin atención ni el menor gusto, que lo presenta todo crudo según la costumbre generalizada. Carece de cualquier sabor fuera de ese regusto de pastosidad propio de la papilla que se da a las criaturas. Es un desastre.

El pollo que han creado en las granjas ha batido todas las marcas conocidas hasta la fecha: son los peores que se han podido comer en nuestra época, malos más allá de todo límite, peores que los que daban en los vagones-restaurante o en los horribles barcos de transporte humano, peores incluso que los servidos en los antiguos aviones, donde se comía tan mal, en los banquetes oficiales y en los de homenajes públicos, en los banquetes políticos, en las ferias de muestra y en las exposiciones universales. También eran infinitamente mejores los pollos de los banquetes de bautizo, de puesta de largo o de boda, tanto de las adineradas como de las otras. En estos actos, la alegría familiar o la adulación de los ocasionalmente prepotentes impide fijarse en lo que se ofrece en las mesas. En los entierros rústicos los pollos eran magníficos, habían sido criados con calma, porque a fin de cuentas, los muertos no menudean mucho por las casas.

En la división presentada por el señor Paco Parellada, el pollo criado en la libertad del campo, que se defiende como puede, que come piedras –por eso posee la molleja o *pedrer*– y a veces grano, suele estar flaco, es esbelto y deportista, sobre todo el que vive cerca de las carreteras muy transitadas, y su carne es buena aunque algo dura y coriácea... Y después está el otro, el socialista, cuya carne es blanda y ajada, que ya ha sido masticado, que presenta unas articulaciones cubiertas de ronchas y que a la postre no es más que *papilla* para viejos. Estos animales están hoy por todas partes, incluso en los restaurantes de lujo, y no saben a nada, ni siquiera tienen gusto a pollo.

No vayan a pensar que soy un partidario obcecado del *gratapaller*. Este animal deportista y autodidacto es en ocasiones más duro en la mesa que en el paisaje; en esos casos se masca con dificultad, sus tendones son correosos y su carne enjuta. Si no se mantiene al fuego el tiempo necesario, nunca llega al punto que permite su abordaje. Este pollo podía ofrecer notorias resistencias; pero sin embargo, daba la angélica casualidad que en la época del *gratapaller* existía una cocina de paciencia, de dignidad y de amor al prójimo, y esto hacía que el *gratapaller* fuese incuestionable y llegase a obtener muchas cualidades. Ahora estas cosas ya no se estilan, han pasado de moda. Todo se hace a gran velocidad y a lo que salga, sin paciencia. Además se extiende, entre los ignorantes, la tendencia a preferir las cosas prefabricadas y envasadas a las cosas naturales. El resultado es el de cada día, no puede ser otro.

La otra clase de pollos, los socialistas y bien educados, son muy presentables, con su carne blanca y consistente y su delicado maquillaje de mejillas. Pero es inútil: son pollos que han sido criados para ganar dinero; en ningún caso para ser cocinados. Tienen siempre el gusto artificial y sofisticado que les ha imbuido la alimentación artificial. A pesar de su decorativa presencia, exhalan un aburrimiento total. Son pollos que no os incitarán ninguna forma de memoria, porque todos son iguales e intercambiables.

Ante una situación parecida, ¿qué se podría hacer? El pollo es el elemento de nuestra cocina que ha padecido mayor desvalorización, se ha adocenado terriblemente. ¿No podríamos hacer algo para remediarlo? Dejemos aparte, por el momento, los pollos a la parrilla o los asados, que no parecen tener enmienda. Ahora bien, ¿se pueden mejorar los pollos guisados? Existen innumerables formas de guisarlos. Los pollos pueden cocinarse de varias maneras: con tomate, con *samfaina*, con berenjenas, con calabacines, con nabos, etcétera, sin olvidar el pollo guisado en solitario con una simple picada de almendras, con galleta, piñones y todo lo que habitualmente se pone en nuestra *picada*.

Mi pregunta tiene cierto sentido, porque el pollo guisado es tal vez el que se cocina de manera más escandalosa y vulgar. Primero, el pollo se fríe por un lado y el acompañamiento por otro. Después se juntan ambas cosas y se vierte encima un líquido que se puede comprar envasado o que a veces es de la casa y se tiene ya fabricado. La totalidad de la combinación se presenta con unas patatas al margen hechas de la forma que sea y que, aun con ésas, acaban siendo mejores que el plato principal. Y esto debe de ser porque las patatas, sean de la clase que sean –y las hay que son horribles–, no pueden falsificarse. Ante semejante metodología me pregunté si sería posible conceder un poco de calidad a los pollos cocinándolos con corrección y buena fe, a la manera tradicional. Ésta es la pregunta que formulé a mi amigo Paco Parellada de Granollers. No recibí contestación. Dada la discreción de mi amigo, lo juzgué natural. Extraje de su mutismo las consecuencias inevitables: no hay nada que hacer; imposible llegar a ninguna solución favorable.

Con las gallinas ha pasado lo mismo: las han socializado. Las granjas las mantienen estabuladas y quietas. Han quedado como los pollos, gordas pero incomibles. De todas maneras, una gallina entera hervida con verduras era excelente. Primero hacía un caldo consistente. Después, si había llegado al punto de cocción necesario, presentaba una carne harto aceptable. Yo la había comido en el norte de Europa, en los días fríos del invierno. Era un plato pulcro y eficaz.

Los pollos que hemos comido las personas de mi edad eran muy buenos. En aquella época había menos que hoy, no se habían popularizado ni adocenado. Se comían sólo los días de fiesta –¡y aún gracias!– y sobre todo, en las grandes solemnidades. Ahora se puede comer pollo cada día... ¡Mala señal! Conservo el recuerdo del pollo familiar, que se guisaba con el único acompañamiento de una picada blanca, como era entonces habitual. Es una maravilla inolvidable. Pero todo esto ha desaparecido, extraviado en la trampa de la trivialidad. Ante este proceso, no hay razones que valgan. Ni siquiera la de la salud. Ya ni se trata de adaptar la cocina a la salud, a la vitalidad y al humor del cuerpo humano, sino de adaptar el cuerpo al comercio más siniestro que puede haber: el negocio de la alimentación.

LA CAZA

Hubo un momento en que parecía que el conejo de bosque iba a desaparecer, en éste y en otros países, por las razones que todo el mundo conoce y no merece la pena repetir. Luego el conejo pareció revivir un poco, y ahora es algo más abundante, aunque siempre en un tris de dejarlo de ser. El conejo de bosque es la pieza primordial de la caza popular.

Todo esto ha producido la consecuencia natural: el cazador modesto y humilde del país, que salía los domingos escopeta al hombro, con el morral y las cananas, a veces con algún compañero y siempre acompañado de algún perro o perros aficionados, ha perdido casi totalmente su presencia y se hace difícil de encontrar. En casi todos los pueblos y aldeas de estos lugares existía una sociedad de cazadores, sociedad pintoresca y notoriamente tartarinesca. Allí donde se halle, el cazador es un individuo exagerado, y en este país solía cultivar la hipérbole con absoluta naturalidad. La decadencia del conejo de bosque, que era la finalidad del cazador modesto para soltar sus impresionantes escopetazos dominicales, ha hecho que estas sociedades se disolvieran o entrasen en una existencia absolutamente crepuscular, con la consiguiente disminución del pintoresco aldeano y la desaparición de las pacíficas y espontáneas comidas campestres. En general puede afirmarse que la decadencia del conejo de bosque ha entristecido al género humano. Los perros, que en estas limitadas pero divertidas cacerías eran los seres que más disfrutaban, han quedado preocupados y pensativos, o sea en Babia.

En su libro *La casa de Lúculo o el arte de comer*, libro de cocina para espíritus cultivados, el escritor don Julio Camba se pregunta en qué consiste la diferencia entre el conejo casero y el conejo de bosque y escribe: «Parcialmente consiste en el distinto régimen alimentario de los dos conejos; pero principalmente consiste en que al conejo doméstico se le agarra por el pescuezo cuando se le quiere cocinar y al otro se le caza con una escopeta. Es decir, que si soltáramos en el monte nuestros conejos domésticos y luego los cazáramos, habríamos mejorado, sensiblemente, su sabor». Afirmación que es absolutamente cierta y real.

Ahora bien, este libro es una digresión sobre los alimentos en relación con la cocina, y por tanto, nos hemos de mantener en este programa. En relación a la caza, lo primero que se ha de decir es lo que viene a continuación: cuando ustedes, por la noche, circulan por una carretera y con su vehículo matan una pieza de caza, ya sea liebre o conejo, observarán que el animal atropellado entra en seguida en un agarrotamiento y una rigidez perfectamente constatables. Si ustedes van de caza y matan, con la escopeta, un animal en pleno esfuerzo muscular, comprobarán el mismo fenómeno de contracción y de rígida paralización. Los técnicos dicen que los animales llevan en los músculos un ácido llamado sarcoláctico que se segrega en abundancia cuando la pieza muere en pleno ajetreo muscular, secreción que es mucho menor cuando se acogota un conejo casero. Son estas dos desiguales secreciones lo que establece la diferencia entre la caza en libertad, llena de movimiento, y la sosegada y pacífica de corral.

Desde el punto de vista de la cocina, estas constataciones son importantes. Enfrentarse a la cocina con la caza libre y fresca, con un conejo de bosque rígido, tiene grandes inconvenientes. En éste como en todos los aspectos de la cocina hay un axioma que hay que respetar: los alimentos nunca deben presentarse crudos; han de estar exactamente en su punto, pues la cocina no es otra cosa que el arte de cocer los alimentos. Cocinar una pieza de caza fresca, es decir, agarrotada, equivale a presentarla cruda, algo literalmente desagradable. La característica de un buen plato de caza, cocinado de la forma que sea –estofado, asado, a la parrilla o en salsa, por ejemplo en *civet*–, consiste en el hecho de que la carne se ha de separar de los huesos con la mayor facilidad. Un golpe con la punta del cuchillo ha de ser suficiente. Ahora bien, cuando la secreción del ácido sarcoláctico es abundante, el peligro de crudeza es inminente y por tanto, no queda otro remedio que esperar la nulidad completa de los efectos del ácido, y para llegar a este resultado existe un único camino: colgar la pieza de caza tras la puerta y dejarla reposar hasta que una cierta descomposición microbiana corrija la rigidez. En francés esta operación tiene un nombre: *faisander* la caza.

Como en castellano no hay ninguna palabra que traduzca esta operación, Camba utilizó en su libro un flamante galicismo inventado por él mismo: «faisanarla». En catalán tampoco tenemos ninguna palabra para decir lo mismo y tenemos que esperar que algún día nos den una. ¿Cómo lo diremos? Mientras no dispongamos de otra utilizaré tal cual la francesa *faisander*. (No creo, por otro lado, que la traducción de Camba haya tenido el menor éxito.)

Sí. La caza se ha de *faisander* y esto se ha de hacer poniéndola a la temperatura del interior de la casa donde se encuentre, nunca en el frigorífico. Se ha de provocar, en una palabra, lo que los manuales de cocina francesa llaman una corrupción exquisita, y esto se tiene que hacer con toda clase de piezas, tanto volátiles como terrestres, tanto si se trata de becadas, tordos, perdices o mirlos, como de conejos, liebres o jabalíes. Es la única manera de no exponerse a comerla cruda. Yo sé muy bien que en general estas cosas no resultan agradables a la gente del país: prefieren comer las piezas crudas que un punto corrompidas. Espero, sin embargo, que me perdonarán si les digo que la caza cruda es algo tan insípido y de una inanidad prehistórica tan evidente, que ante una posibilidad parecida es preferible no acceder a ella.

Lo que cuento es el abecé de la caza; pero la gente del país es reacia a admitirlo. Es una operación por completo natural en toda la cocina europea, y si la gente de aquí la mira con mala cara –a menudo con una contrariedad contundente– es debido a un convencionalismo apriorístico. Les molesta, en primer lugar, saber que lo que les ponen delante se encuentra en un punto de putrefacción, y que esta alteración produce en el cuerpo un tóxico evidente. Que este tóxico existe es algo fuera de dudas, pero en la alimentación y en general en el ejercicio de la vida, ¿acaso hay algo que no sea más o menos tóxico? ¡Válgame Dios! De lo que se trata ahora es de escoger entre comer la caza cruda o comerla imbuida de un tóxico cierto pero insignificante y que ha producido una carne magnífica. ¿Puede caber la menor duda? En términos generales, la ciudadanía ha escogido el primer camino. Es una lástima. Fuera de casos esporádicos, en esta península la caza se presenta, en efecto, cruda; y por lo general el resultado es de una falta de amenidad reiterada y permanente. Pues bien: yo nunca he sido de la opinión de que los platos de caza sean puramente un pretexto para realizar ejercicios de mandíbula.

No es necesario apuntar que soy partidario de la caza bien cocida, perfectamente separable de sus huesos, agradable y de buen comer, aunque de manera subyacente contenga el tóxico de marras. Si no se cultiva sistemáticamente, sino de una manera esporádica –y en este país hay tan poca caza que no puede ser de otro modo–, este tóxico no hace ni más ni menos daño que tantas cosas como se ingieren a diario. Hiperbolizar en este punto no tendría ningún sentido. Camba sostiene que el *gourmet* que no es un egoísta tiende, ante la intoxicación, a sacrificarse: la acepta para conseguir una sensación cultivada e importante. ¿Y por qué no? Es un punto de vista respetable. En realidad no creo que haga falta sacarle al tema demasiada punta: la caza se acepta cocida y decente porque es infinitamente mejor que la cruda, neolítica y cromañonesca.

El principio culinario que conviene respetar –en este tema como en todos los demás, si no se quiere cerrar las puertas a uno de los más sustanciosos y relevantes aspectos de la cocina– es que la materia prima nunca puede estar cruda, lo que significa dura, irrompible y coriácea. Y esto es cierto en toda clase de piezas, tanto de las que vuelan como de las que corren por el suelo. El hecho de que la gente de aquí no esté conforme –¡la gente de este país, generalmente tan poco higiénica!– no significa nada. O sí significa algo: que en este punto están equivocados. Estar en disconformidad con la mayoría no creo que esté fuera de lugar. Me he encontrado en esta situación casi toda la vida y ante cuestiones un rato más importantes. Los demagogos de la caza fresca y rígida como un pasmarote están en un error, y proclamarlo creo que no es excesivo.

Siempre conviene poner las cosas en su lugar. Hay que tratar a la caza como tal y hacer lo mismo con los animales domésticos. Es sin duda muy cierto que el conejo de bosque es infinitamente mejor que el conejo casero, a pesar de la estima de que goza esta última clase de conejo en nuestro país, donde constituye –en las zonas industrializadas, sobre todo en las del textil– lo que se ha llamado el pollo de las familias modestas. (En los últimos años la cuestión se ha invertido, y el conejo casero se ha pagado en 1970 a precios nunca vistos, desorbitados, mientras que el pollo, por las razones que hemos señalado, se ha mediocrizado enormemente.) También es absolutamente cierto que la becada, el tordo y la perdiz tienen condiciones superiores, sin ningún género de dudas, al pichón de las masías –el palomino de ciudad, y sobre todo el de ciudad arqueológica es infecto aun habiendo sido tan cantado por los poetas. ¿Pero ahora qué sentido tendría generalizar? No conozco suficientemente el jabalí –animal que se encuentra en curso de reaparición en las montañas de nuestro país– para indicar si es mejor o peor que el cerdo doméstico habitual y célebre. Apenas tengo noticias de la cocina de este animal e ignoro cómo lo comen las personas que se dedican a abatirlo. Los cazadores siempre hablan más de la caza que hacen que de la cocina de las piezas que matan. En general, tengo una idea muy vaga de la caza mayor y de los platos que posibilita, a pesar de haber vivido en países donde la hay y se puede comer. En nuestro país piezas de éstas apenas existen, y si a veces se encuentra alguna es inseparable de las grandes solemnidades y de ambientes muy aislados. No creo que en este libro se eche mucho en falta. De modo que suspendo mi juicio sobre estos asuntos porque generalizar es siempre peligroso y delicado. Y de la misma manera que sobre los cerdos mantengo mi reserva, no me cuesta nada decir que el toro de lidia que matan los domingos y ofrecen los lunes en los restaurantes en forma de estofado no tiene comparación posible con el buey, con el buen buey, sin rival, que da origen al *boeuf à la bourguignonne*. Las generalizaciones no se pueden hacer sin una experiencia que obliga, en todos los terrenos, a la corrección: hay que dar a cada cual lo que le pertenezca y abandonar las fantasías y las decepciones que inevitablemente las acompañan.

LA LIEBRE

Sobre la situación de la liebre en nuestra península recuerdo haber leído no sé dónde una frase de monsieur Alexandre Dumas que decía algo así: «Las liebres, en esta tierra, se vuelven viejas y blancas, porque la gente, que prefiere el conejo, no las caza».

Que la gente de este país, hablando en general, tiene una idea de la liebre bastante vaga me parece exacto. Hay personas que desconocen qué gusto tiene, y sé de muchas que no la han comido nunca. Sin ir más lejos, el autor de este libro no ha comido liebre en estos lugares más que una treintena de veces en el curso de su vida. (Fuera de aquí la cosa cambia.) Ahora bien, creer, como sugiere Dumas, que aquí no se cazan liebres porque no se comen me parece absurdo. En realidad, estos animales tan bonitos y ligeros no se comen más porque hay muy pocos. Aunque alguna liebre hay, no las suficientes para evitar que escaseen tanto en nuestras mesas.

Por los alrededores de la casa o masía donde generalmente resido, en estos días corretea una liebre. Cada año, hasta donde soy capaz de recordar, ocurre lo mismo. Muchas personas la conocen y la han visto en repetidas ocasiones, entre ellas quien esto escribe. Los perros le fueron pertinazmente detrás, y aunque se divirtieron mucho nunca la han podido conseguir, por ahora. Algunos cazadores, perfectamente conocedores de su presencia, han tratado de matarla y lo mismo intentaron hacer los conductores que circularon de noche por la carretera, después de haberla localizado con los faros de sus automóviles. Personas de la casa la vieron alguna vez en el huerto royendo tranquilamente alguna que otra verdura, la que mejor le venía. ¡Cuántas veces me han hablado de la liebre con una intención destructiva! Es un hecho que, como mínimo, en todo lo que llevamos de verano el animal ha resistido a todas las acometidas humanas y se mantiene vivo. Ha sido perseguida y atacada desde todos los ángulos. Corre a una velocidad prodigiosa. Por lo que a mí respecta, no tengo el menor interés en que la maten. Todo lo contrario. Soy un hombre de talante pacífico, los instintos de los cazadores suscitan en mí poca admiración y las armas de fuego me dan asco. Pero por ahora, la liebre vive, cosa que me parece magnífica. De todas maneras, el pobre animal tendrá probablemente una experiencia de la vida tan amarga que debe de haberse vuelto de una pillería y de una astucia incomparables en todos los aspectos. Esto es horrible... Un día cualquiera quedará fatalmente vencida y alguien tendrá que comérsela. Pasaremos algunos meses sin ver la liebre, pero al año siguiente aparecerá otra, con la ineluctabilidad de las cosas de la vida.

Deben de haber otros rincones del país donde las liebres sean más abundantes. Afirmar que no se cazan no tiene sentido. Las liebres son objeto de una persecución terrible, implacable. No creo que sobrevivan muchas, más bien pocas. Yo nunca he visto ninguna liebre canosa o entrada en años.

El modesto y humilde cazador del país tenía en el conejo de bosque el objetivo principal de sus dominicales y tartarinescas evoluciones. Afectado de peste, este animal llegó a desaparecer casi totalmente durante unos años; ahora parece que va tirando. Cuando el conejo se extinguió, o casi, el cazador miró de dedicarse a la perdiz. En este país, perdices, hay pocas, y para cazarlas en terrenos tan ondulantes como éstos se necesitan unas piernas que estos cazadores sedentarios y regordetes no tienen. La perdiz, por otra parte, sabe defenderse. El cazador se habría tenido que tomar con calma una situación parecida y esperar tranquilamente la reaparición del conejo. Algunos lo hicieron y se dedicaron a presenciar los partidos de fútbol locales, que son de tercera división. Pero algunos perseveraron en la santa continuación porque no entendían el domingo sin la exhalación de la perdigonada. Y así se llegó a una persecución de liebres como nunca antes había existido, y de volátiles no hablemos. El cazador que podía llegar a casa llevando colgado del hombro un morral con mirlos, tórtolas o palomas torcaces adoptaba un aspecto exultante y feliz. De no haber sido tan caros los cartuchos, allí no habría quedado ni un gorrión. Y ésta ha sido la situación vista desde una perspectiva objetiva.

La liebre es una pieza de caza de primer orden, una pieza de calidad; pero si se exceptúan unos pocos –muy pocos– restaurantes del país, la liebre es decepcionante, por el hecho de que, en general, la sirven cruda, con lo que esto supone. Todos los platos han de estar cocidos, pero los de caza de una manera específica. La caza fresca, cruda, es de ínfima categoría: no sabe a nada, es difícil de masticar, indiferente. Su absorción es un puro ejercicio maxilar, absolutamente gratuito. La piedra de toque de la caza –ya lo dijimos, pero lo repetiremos porque es esencial– es que la carne se desprenda de los huesos que cubre con una facilidad absoluta. Un toque... y punto y seguido. La carne de la caza, cuando está bien hecha, no se ha de cortar, se ha de desprender. Si una persona ante un pedazo de liebre debe aplicar una forma u otra de dialéctica contundente, es recomendable que lo deje correr y se dedique a conversar con los compañeros de mesa.

Derribada en pleno ejercicio muscular, la liebre segrega una gran cantidad de ácido sarcoláctico que le produce una gran rigidez. Esta rigidez es un síntoma de frescor. Ahora bien, desde el punto de vista de la cocina, este frescor no sirve para nada, más bien es un síntoma negativo. Si alguna vez les ofrecen una pieza de casa pedestre o volátil recién abatida, créanme: inventen alguna excusa y rechácenla. Vayan a dar un paseo, que les hará más provecho. La única manera de eliminar los efectos del ácido nombrado es *fai-*

sander la liebre, es decir: transformarlos en una ligera infección microbiana que sustituye el agarrotamiento del animal por una morbidez de la carne, una leve contaminación que la distiende y la desestira, por decirlo en breve. Para llegar a estos resultados no hay otro camino que colgar la pieza de caza en el clavo de la puerta de la despensa –jamás en la nevera– durante algún tiempo, como hacen los franceses, que de esto entienden. La temperatura es secundaria: la liebre se ha de mantener a la temperatura en que se desenvuelve la familia que la posee. De manera que bien *faisandée*, la caza se ha de colocar en la cazuela, por tanto, ligeramente podrida, empleando la palabra que más molesta a la gente. Es necesario aplicarle después la atención consiguiente, que en cualquier caso siempre será menor que si la liebre estuviera cruda y no tuviese remedio. Presentar la caza cruda no es precisamente demostrar unos sentimientos humanitarios. Es exactamente lo contrario. Yo ya sé –y así lo dije en el capítulo anterior– que con la excusa de la frescor de la caza se trata de evitar el tóxico producido por la *faisandización*. Este prejuicio es el que, a mi juicio, debemos derribar. Si una determinada cantidad de gente no aprecia la cocina de la caza, vale más que se dediquen a degustar golosinas.

Todas estas razones hacen que el acceso a la cocina de caza genere sistemáticamente decepciones y a menudo francas molestias, pues encima se trata de una alimentación cara, y no hay nada que nos preocupe más que comer mal y pagar desorbitadamente. Se ha de hacer todo lo posible por no volver a la cocina de la época de la mandíbula, esto es, del paleolítico, exactamente. Por lo menos éste es mi modesto criterio. No les quepa la menor duda de que la Providencia –o lo que sea– ha poblado la superficie terrestre de elementos provistos de un sabor magnífico. Si no los sabemos aprovechar, si los destruimos o los desdeñamos, damos una prueba escandalosa de nuestra ingratitud.

Fueron probablemente los franceses del norte quienes llevaron la cocina de la caza, y más concretamente de las liebres, a su máxima perfección. Inventaron y construyeron el *civet* de liebre. Este plato se hace con la parte anterior del animal y se utilizan los cuartos inferiores –quiero decir de la cabeza al rabo– para el asado, para *broche*, por decirlo exactamente, aunque sea en francés.

La fórmula del *civet* de liebre suele ser como sigue: se hace colorear, en la cazuela, la grasa correspondiente (125 gramos) con la misma cantidad de mantequilla. (El plato, como verá el lector, es puramente de grasas animales, o sea de la cocina de la mantequilla, para entendernos.) Se le añaden los pedazos de liebre correspondientes a fin de conseguir el color de la grasa; se añade asimismo una cucharada colmada de harina, un vaso de buen vino tinto –pueden ser dos, a gusto de la casa–, una determinada cantidad de agua, una determinada cantidad de vinagre, la sal suficiente, una pizca de pimienta y dos pequeñas cebollas cortadas en pequeños trozos. A medida que la cocción aumenta se le agregan una docena de cebollitas –*échalote* en francés– pasadas por mantequilla y un ramito de hierbas. Cinco minutos antes de servir el *civet* se le añade el hígado del animal bien escurrido –o sea después de haber eliminado la bilis y la sangre de la liebre– para ligar la salsa resultante del conjunto. El panorama del guisado es de color severo, de una densa seriedad y de gusto magnífico. Yo soy de los que opinan que al *civet* de liebre es menester echarle un chorro de vinagre, como también creo que es necesario añadir vino tinto, el mejor que se tenga. Hay mucha diferencia entre poner un buen vino de Borgoña o un vino de nuestro país. Todos estos elementos, no obstante, nunca han de ser excesivos.

En fin, estamos ante un plato respetable, ante una creación insuperable de la mejor cocina antigua –probablemente anterior a la gran cocina burguesa–, ante un logro de aquella época en que a la cocina no se le regateaba tiempo. En este sentido, es necesario hacerlo bien. Nada de hacer las cosas a medias y con prisas, nada de escamoteo. Si se cocina así, el *civet* es literalmente ininteligible.

La liebre se puede hacer de alguna otra manera, pero no de muchas más. El estofado de liebre implica haber tomado una dirección de buen sentido. Los trozos de liebre asados son buenos, si se elimina de ellos la crudeza, cosa siempre difícil. En definitiva, el *civet* de liebre –condimentación concebida sobre la base de que la pieza principal no se utiliza para mejorar su acondicionamiento, sino al revés– es el mejor plato, insisto, que se ha confeccionado en la cocina de la liebre. Liebres, hay muy pocas. De tanto en tanto se presenta alguna. Creo que hay que darle el trato que merece.

LA BECADA, EL TORDO, LA PERDIZ

Para mí no hay duda: la becada es indiscutiblemente el mejor volátil comestible del país. Su carne es excelsa, incomparable, de la más alta categoría. Esta opinión no se limita a nuestro país: en todas partes la catalogan así. La mejor manera de comerla la hallaron en Francia, y titularon el plato *bécasse sur canapé*. Se asa el pájaro entero, en una cazuela, después de haberle extraído todo lo que forma la tripa interna. Sobre una tostada se extiende el contenido de la tripa y encima se coloca el volátil rociado con el jugo segregado por su asado; y así se sirve.

Es un ave migratoria. Cuando llega el buen tiempo pasa los Pirineos camino del norte; en otoño, en el tiempo de las aceitunas, pasa las montañas camino del sur. Es un animal muy misterioso, sobre el cual mi amigo Puget, gran cazador y *gourmet*, escribió un libro. No vuela demasiado. Camina enormemente, siempre por los rincones más sucios del bosque. Se alimenta de gusanos. No creo que en cuanto alimentación se pueda pedir más. En diversos lugares de mis libros he hecho referencia a estos pájaros, aunque con exactitud, no sé nada. Así que me callaré para evitar repeticiones. Soy un gran admirador de la becada *sur canapé*. Quizá sea mi plato predilecto, y esto lo dice uno que apenas ha comido nada. Encuentro su carne tan gustosa, tan llena de interés, tan prodigiosamente agradable, que estoy seguro de que sus huesos tienen la misma categoría. Nunca los he probado, mas no por falta de ganas, sino por delicadeza. La becada tiene el pico largo, hurga en el bosque sucio y come gusanos.

El tordo es también un ave migratoria. Cuando las olivas maduran y los aceituneros adquieren un leve tono morado, entran los tordos, pájaros negroazulados que si se cocinan correctamente, son de muy buen acceso y paladar. Los tordos son pequeños. Han de estar bien asados en la cazuela, como la caza exige.

El tordo huye de los fríos del norte; el clima africano le conviene más. Después, en primavera, vuelve a cruzar el mar y se presenta en nuestra costa camino del norte. En primavera apenas se detiene; en otoño su estancia es más larga. Es un pájaro muy comilón que lo que pretende es hartarse. En la montaña prefiere comer los frutos del madroño, esas bayas con las que nuestras abuelas hacían una confitura irreprensible. (En Portugal elaboran con ellas un licor popular.) Una vez se han hartado de estos frutos, vuelan sobre el llano y se proyectan sobre los olivos que hayan madurado.

Mi amigo el pintor Llavanera, de Lledó, fue un gran cazador de tordos. En 1918, en Lledó –un pueblecito prodigioso situado entre el Ampurdán y la Garrotxa que es zona de olivos, y por tanto de tordos–, después de haber enterrado a Llavanera fuimos a la taberna y nos ofrecieron tordos. Comimos. Eran muy buenos. Los pagamos a diez céntimos la pieza. En estos momentos, su precio no viene determinado por las oscilaciones de la peseta respecto al dólar. Valen mucho más.

Cuando en primavera llegan del mar, algunos tordos mueren fatigados y enloquecidos en los cristales de los faros, que los deslumbran de modo que acaban por chocar contra ellos tras un aleteo delirante y nervioso. En otoño bajan de los Pirineos, y si encuentran la placidez que aquí presenta a menudo el tiempo otoñal, viven de una manera fácil buscándose la vida con una falta de astucia incuestionable. Se dejan atrapar, caen en las redes sin reclamo. A veces se posan sobre ramas preparadas y quedan prendidos en la trampa. Los payeses, que a menudo son buenos cazadores, suelen decir que los tordos no merecen un cartucho de perdigones. Los cogen con trampas. Los cartuchos de perdigones son caros, siempre lo han sido. Por eso se dice que el tordo, un pájaro realmente pequeño, no vale una perdigonada.

En este país, la captura del tordo se ha efectuado utilizando las formas más pueriles de la astucia humana. Recuerdo que un día, por los alrededores del santuario de Lluc, en Mallorca –en otoño estas islas están llenas de tordos–, vi unos muchachos que iban de caza provistos de unos palos largos para tender unas redes muy espesas. Estos palos se plantan en el suelo para aguantar unas redes contra las que los tordos, que después de haberse hartado de comida realizan un vuelo corto y bajo, se abalanzan y quedan aprisionados. No deben de ser de vista fina y largos alcances. Los cazadores, con su característico fondo de crueldad, ponen trampas igualmente –cualquier producto pegajoso– en las ramas de los olivos: los tordos se lanzan hambrientos sobre las aceitunas, ponen sus patas sobre las ramas y ahí quedan presos. Antes de abandonarse a la inmovilidad realizan un esfuerzo rabioso para desprenderse y emprender el vuelo. Cuando constata que su esfuerzo es inútil, el pájaro abre la boca aterrorizado, como si estuviese pidiendo auxilio, y después de la convulsión deja caer la cabeza a un lado y queda colgado, como un pequeño trapo negro, entre el ramaje verde de los árboles. Con este procedimiento los atrapan a docenas, a veces a centenares. Los aficionados rurales y no rurales a este pájaro se los suelen comer en las tabernas llenas de humo de tabaco de las poblaciones campesinas, asados a la cazuela y sin demasiados cumplimientos. Del tordo se come todo: carne y huesos, de manera que a menudo es posible oír en esos establecimientos el cric-crac que produce el quebranto de los huesecillos del animal por los dientes de la parroquia; un crujido igual al que se produce cuando alguien devora gorriones, un ruido que pone la piel de gallina a las personas de sensibilidad exquisita y sentimientos elevados.

Para mi gusto la carne del tordo es de excelente calidad. No llega, ciertamente, ni con mucho, a la categoría de la becada, que es literalmente insuperable. La becada *sur canapé* tiene un nombre, lo reconozco, algo afectado y en extremo burgués, pero todas las épocas tienen el decorativismo que les corresponde. En realidad, la presentación de la becada no tiene parangón: es admirablemente acertada. Comparado con ella la carne del tordo es secundaria, pero sigue siendo muy notable.

Soy decididamente contrario a comerme los tordos a la parrilla y más o menos a medio hacer. En la cocina de hoy, que es la de la prisa, el procedimiento de la parrilla ha recorrido mucho trecho; y al respecto hay que decir que no se puede generalizar: hay carnes que sólo se pueden hacer a la parrilla; otras, nunca. El tordo a la parrilla queda por lo general crudo por dentro y carbonizado por fuera. Es un pájaro muy pequeño, y si se hace a la parrilla sin prestarle la necesaria atención –rociándolo con grasa, cosa siempre difícil– acaba indefectiblemente en ese estado. El tordo se ha de cocinar asado, a la cazuela, tratando que su carne, que es escasa pero suculenta, vaya aumentando en lugar de reducirse y se esponje. Es la finalidad más importante. El tordo crudo es horripilante. Requemado es inabordable, cuando no inexistente.

A mi juicio la carne del tordo es infinitamente mejor que la de la perdiz. Ahora bien, la perdiz goza fama universal y gran distinción, y se le considera un pájaro de más categoría social. Esta situación se debe en gran medida al hecho de que la caza en general y la del averío en particular es más bien escasa, incluso en los momentos más propicios, como puede comprobarse fácilmente.

Barcelona es el mercado de la perdiz; un mercado nutrido sobre todo por las cantidades ingentes de perdices que se reciben de Aragón. La población de Barcelona agota este mercado, de manera que las perdices que se envían al resto del área catalana son escasas. En los pueblos, si hay alguna para vender, es local. La perdiz aragonesa suele ser pequeña; la causa, según los entendidos, es que no come ni en cantidad ni en calidad lo que podría comer en condiciones normales. La de este país es por lo común más gorda –a veces dobla su tamaño o poco falta– y más gustosa y matizada. De lo que no cabe duda es de que su número no es paralelo al contingente de sus aficionados: hay mucho déficit, como en este país ocurre a menudo, por otro lado, con todos los artículos de calidad. En los viejos manuales de cocina francesa escritos después del Tratado de los Pirineos, es decir, cuando Francia estableció un contacto real –¡y tan real!– con este país, todavía se pueden encontrar recetas culinarias catalanas de la cocina de la perdiz. Estas fórmulas desaparecieron más tarde, probablemente como consecuencia de la presión cultural del norte de Francia.

La carne de la perdiz es casi siempre magra, correosa, compacta y reseca, bastante poco grasa. Estas cualidades pueden observarse sobre todo en la perdiz vieja y de muchos vuelos; con la perdiz joven –el perdigón– las expectativas son más halagüeñas. En cualquier caso es una pieza de caza que cuenta con admirables condiciones para que se acabe sirviendo cruda, que es como jamás se ha de servir la caza. Por eso hay que estar atentos y no caer en el error. Como quiera que prestar atención es siempre difícil, se suele servir a la vinagreta para proporcionarle un sobregusto de vinagre, lo cual hace pasar a segundo término el sabor de la perdiz, que para una persona normal es excesivo y poco aceptable. El vinagre, como el ajo, lo arrasa todo, tiene un sentido de dominio culinario, razón por la que hay que saberlo dosificar. Se sirve también la perdiz a la col, a veces abrigando la carne con la col, otras colocando este vegetal en montoncitos laterales. La col de invierno, sobre todo si ha llovido, es plausible. Todo esto demuestra que la cocina de la perdiz trata de prestigiar este volátil con estos y otros acompañamientos. Esta circunstancia es un argumento a favor, dicho sea con toda modestia, de lo que decíamos más arriba acerca de su calidad, o sea: que no es de primer orden. Si hubiésemos de confeccionar un cuadro sinóptico de calidades, tendríamos que ponerla en un lugar secundario.

Eso sí, la perdiz puede mejorar de manera notoria cocinándola exclusivamente con cebollas y dejándola cocer las horas necesarias. La carne de la perdiz se ha de romper, se ha de suavizar, se ha de empapar hasta hacer desaparecer su aspereza, la complexión tan compacta que presenta incluso habiendo sido *faisandée*. Y el elemento es la cebolla, suministrada con generosidad y dejando la cazuela al fuego el tiempo necesario. Tengo para mí que ésta es la única manera de resolver el problema de la perdiz, un alimento que siempre se sirve demasiado seco y con un gusto átono, pasivo e insignificante, cuando no recoge el gusto de lo que le añaden para acompañarla.

La perdiz que mantienen en el mercado es cara; pese a su indudable prestigio social, goza para mi gusto de un escaso prestigio culinario. Contribuye a su buena reputación su relativa escasez. Sospecho que éste es el factor más importante.

He escrito este capítulo después de haberlo meditado largamente y con la ayuda de cierta experiencia. Aunque es difícil llegar a una ecuanimidad, a acuerdos vastos, eso es precisamente a lo que yo siempre aspiro. De la realidad, hay que excluir los caprichos personales, que en este terreno como en todos son demasiado locales.

Los pájaros que se cazan son buenos para comer, pero hay muchas diferencias entre ellos. La codorniz, la cogujada, la oropéndola, tan amarilla, la tórtola, el mirlo, son excelentes, asados en la cazuela y con la cebolla correspondiente, pues los pájaros nunca están gordos. Otros volátiles no son sabrosos. Los pájaros que llamamos de agua, como por ejemplo la polla de agua, que ofrecen a los cazadores un tiro tan apetecible, deben colocarse más atrás en la clasificación, porque todos o la mayoría de ellos tienen un saborcillo a pescado más o menos acusado que, a mi juicio, no los favorece de una manera declarada.

LOS HUEVOS

En la actualidad se está haciendo mucha propaganda –y en los medios de mayor difusión– a favor de los productos de la avicultura, que en este país como en todas partes han experimentado un considerable incremento. Uno de estos productos es el huevo, al que ahora se trata de conceder el lugar que le corresponde dentro de la alimentación.

Examinada esta cuestión desde el punto de vista de la tradición, al instante se deja ver que los huevos, en nuestra cocina, han tenido una importancia absolutamente secundaria. En mis tiempos adolescentes y juveniles tomaban huevos las personas delicadas o aquellas a quienes, por estar enfermas, les era indispensable una alimentación delicada y ligera. Les ponían una yema de huevo en el caldo o les preparaban unos huevos que ponían a hervir sin sacar de la cáscara y retiraban del recipiente después de cuatro minutos, reloj en mano, de ebullición. Los ofrecían en una jícara característica y los llamaban huevos *à la coque*. Con el cuchillo se picaba la parte alta de la cáscara para hacerla saltar, y este ruidito era inseparable del ambiente, un poco melancólico, que impregnaba, sesenta y cinco años atrás, las convalecencias o los muy corrientes estados de depresión. En aquel entonces los hombres, en especial los señores, llevaban barba y bigote, y los había que siempre acarreaban entre los pelos de alrededor de la boca una reminiscencia del huevo recién comido, de un amarillo intenso. Estas man-

133

chas me ponían la piel de gallina y por eso nunca he llevado barba ni bigote. Otras personas eran muy cuidadosas al respecto, y después de haber comido, con una cucharilla, el contenido de la cáscara, se pasaban la servilleta por el bigote y la barba con un gesto amplio y liberal, espacioso y magnífico, afectado además que se erigía como una obra maestra de la gesticulación humana del momento. Quienes ejecutaban este gesto con la prosopopeya correspondiente eran considerados personas de mundo y que sabían vivir.

Si leéis los viejos tratados de cocina franceses, observaréis en sus índices la aparición de veinte o veinticinco formas de tortilla, si la una sabrosa, la otra aún más. Francia es el país de las tortillas. También hacen muchas en Holanda, y muy voluminosas. En esta península la tortilla más grande se llamaba tortilla a la española y la hacían con patatas. En ocasiones el aceite rancio con que había sido frita creaba, a su alrededor, una cierta reserva. Aparte de eso esta tortilla daba lugar, sobre todo en el extranjero, a un pretexto de irrisoriedad, debido a que se solía presentar con un desproporcionado exceso de patatas que hacía decir a mucha gente que aquello era una tortilla que no era tal, sino un plato de patatas con algún huevo para integrarlas. De todos modos, habría mucho que decir, siempre que se haya hecho a base de aceite de oliva sin exceso de acidez. Cuando en esta tortilla se consigue un equilibrio entre las patatas y los huevos, con cierta tendencia a que los huevos sean realmente constatables, la tortilla, aunque no sea más que un pretexto, se puede aceptar con resignación y algo de paciencia. En Cataluña nunca se generalizó la tortilla con patatas; las tortillas de este país se suelen hacer con huevos solitarios, y por eso siempre han sido pequeñas. A veces se les añade harina, comportamiento que responde al apego de la clase media a la economía.

En definitiva, en la época de que hablo, los huevos se consideraban en nuestro país la clave de la repostería y de la confitería. Las creaciones de la confitería familiar tradicional –la crema tostada, el flan y el bizcocho– se elaboraron con huevos dosificados con entusiasmo y generosidad.

Nuestra repostería y nuestra confitería son excesivamente dulces, aunque quizá sea éste un criterio demasiado personal; son creaciones muy respetables, por lo menos. Todos los países católicos han sido golosos, y en la época del barroco se creó una imaginación del azúcar y de lo dulce que tuvo, según parece, un origen conventual y que, mantenida sobre todo por las monjas, ha resistido el paso de los siglos hasta los tiempos presentes, en que continúa vigente y acaso mejorada, no tan azucarada.

Las tortillas, en sus diversas formas, constituyen un entrante importante, como se puede constatar sobre todo en Francia, donde las combinaciones de este tipo han sido llevadas a su máxima perfección. Todo nos lleva a creer que estos últimos años el país se ha separado un poco del monografismo que había imperado durante siglos. Se han hecho progresos evidentes, que a buen seguro serán ampliados en adelante. Ahora se come aquí una imitación de la *omelette aux fines herbes*, generalmente de perejil, la tortilla de espárragos, de champiñones, de tomate, de jamón, de cebolla y hasta de langostinos. En Francia tienen la tortilla cocida y la tortilla *baveuse*, con queso y mantequilla, que gusta mucho a la gente, la de trufas, la de setas, la de guisantes y muchas otras, además de la quemada al ron o la de confitura, que es la tortilla más corriente en los países escandinavos. La tortilla presupone todas las formas del *soufflé* y es la base de la *fondue*, uno de los platos nacionales de las montañas de Suiza.

La cuestión de las tortillas plantea, a mi modesto entender, la de las dos formas de la cocina que en este continente son básicas y de las cuales ya hablamos en su momento: la de la mantequilla y la del aceite de oliva. Estando como estoy habituado a ambas cocinas, debo reconocer que las hechas con mantequilla me convencen sin objeciones: las encuentro más grandes, más esponjosas y formalmente más redondeadas. En mis primeros viajes a Holanda, después de la Primera Guerra Mundial, las tortillas eran de un tamaño considerable y las servían en platos de dimensiones correspondientes. Después de la segunda gran guerra se empequeñecieron –de hecho toda la cocina se redujo– y luego el empleo de sucedáneos de la mantequilla ha provocado su proceso de decadencia.

Las tortillas elaboradas con aceite de oliva forman un frito un poco rasposo y tal vez de una amenidad más directa, sin intermediarios. De todas maneras, se observa en este país, sobre todo entre algunos estamentos sociales, una difusión creciente de la mantequilla, que muy probablemente conllevará un aumento de la difusión de esta especie de grasa animal en las tortillas. Sea como fuere, el estómago indígena se encuentra todavía muy encajado en el aceite de oliva y es muy refractario a la mantequilla, de modo que el proceso de sustitución será muy lento y muy complejo. He visto casos en extremo curiosos de esta inadaptación, casos curiosos y de mucha contundencia. Aunque la gente de este país sea muy sensible a los mensajes publicitarios de las sociedades prósperas y ricas, en cuestiones de cocina no son tan dados y no se adaptan en seguida o no se adaptan nunca, lo que demuestra la existencia de una tradición real y positiva.

Hemos de hacer una referencia a los huevos fritos o huevos al plato, muy corrientes en todo el país. En Cataluña este plato de huevos nunca ha sido nada del otro mundo; en otros lugares de la península, como por ejemplo en Madrid, saben freír la clara del huevo de una manera más satisfactoria. La clara, en principio, es bien poca cosa, pero bien frita y dorada mejora notoriamente. Un par de huevos –pongamos que sean tres– con una orla de clara ligeramente tostada, inflada y porosa tienen mucho más aliciente. Estos huevos fritos, de clara tostada, saben mejor y son más amenos que los huevos puramente amarillos y blancos que se suelen servir aquí, generalmente con un exceso de grasa. Pero me dicen amigos que han viajado por la península estos últimos meses que se observa cierta decadencia en estos huevos carpetovetónicos y que el recuerdo que conservo no se corresponde ya con la realidad. Estos amigos me aseguran que la creciente proyección turística acabará por reducir a la pura inanidad lo que en estas zonas tenía interés. Curiosa afirmación: que un aumento de clientela dé al traste con la calidad de un negocio es bien extraño. ¿Es el turismo en sí mismo lo que destrozará la cocina, o la cocina entrará en decadencia a causa de la prosperidad que el turismo habrá traído? En ese oficio, en esos lugares, hay un número determinado de personas que cuando llegan a algún resultado económico lo echan todo por la borda entrando en formas de vanidad, dejando escapar lo que el azar les ha regalado. La prosperidad confiere a menudo, a las personas afectadas, una presunción de inteligencia literalmente irrespirable. Es lamentable. La decadencia de los huevos fritos en la península es una mala noticia, porque todas las personas que conocen un poco el país saben que muchas veces un recurso básico de su sustento ha sido, precisamente, el huevo frito y –¡virgen santa!– el bistec con patatas. Los huevos fritos, intrínsecamente considerados, eran positivos, incluso importantes en compañía del jamón. Si estas posibilidades se van cerrando, las perspectivas se volverán tristes y penosas.

Estas desagradables noticias nos llegan cuando se comprueba un aumento de la curiosidad respecto a los productos de la avicultura y de los huevos, como es natural. Es imposible no estar de acuerdo con esta tendencia, pues todo lo que sea complicar nuestra cocina y quitarle las rutinas que la mantienen y la falta de imaginación que la empobrecen es un paso adelante. Cada día se hacen más platos de huevos –huevos con salsa bechamel, huevos con tomate, etcétera– que en sí mismos nunca tienen mucho volumen, pero sirven para ir tirando. Sería positivo acabar con la idea de que los huevos no son más que simples refuerzos para convalecientes, como se solía decir hace cincuenta años, o un elemento para la confitería o para la repostería, o para sustanciar algunos platos de sopa transparente, comestibles pero delgaditos y de poca consistencia, como las sopas de pan, de ajo, de tomillo o de sobras domésticas. Los huevos sirven para mucho más. Tampoco es exactamente positivo que los huevos sufran el arrasamiento a que son sometidos los huevos duros, cuyo gusto es mínimo y parecen productos de farmacia. Los huevos duros deben reservarse para las personas que se dedican a tareas heroicas, como por ejemplo los astronautas. No. Hay que aplicar a estos excelentes frutos de la avicultura la correspondiente imaginación. Un plato de huevos popularizado en los últimos años son los huevos *pochés* con espinacas, que son muy buenos y gozan de predicamento en los restaurantes de los campos de golf. Los huevos son un elemento de la alimentación sustancial, y el aumento de su producción y consumo visible últimamente ha de ser señalado como un acontecimiento de progreso.

LAS TORTILLAS

La diferencia fundamental entre la tortilla a la española y la tortilla a la francesa es que la primera se hace, o se tendría que hacer, sobre la base de un buen aceite de oliva –hablamos siempre en el mejor de los casos– y la segunda a partir de la mantequilla o de sus derivados.

Cuando hemos escrito acerca de la cocina en general, siempre hemos tratado de poner de manifiesto algunas nociones básicas e inseparables de la sencilla y razonable manera de ser de los pobladores de este país, que implica una cocina del mismo tono, y uno de los aspectos que hemos subrayado en este libro son las diferencias existentes entre las dos clases de cocinas continentales, la del aceite de oliva y la de las grasas animales, situación que da origen a dos áreas geográficas bastante bien delimitadas.

Una tortilla a la española puede ser buena si se elabora con aceite de oliva bueno, es decir, con un aceite que tenga un grado de acidez incapaz de estropear el estómago de la persona que accede a él. El aceite malo es demasiado ácido y desprende un olor asfixiante. Condimentar algo tan delicado como los huevos con este fluido cavernario produce una combinación repelente, incomestible.

Las patatas son otro elemento de diferenciación entre estas dos clases de tortillas: la peninsular las incluye y la francesa puede ser natural o admitir otros elementos. Don Julio Camba, autor de un libro de cocina al que hemos hecho algunas alusiones porque las merece, se queja amargamente de la prodigalidad de patatas que se suele hallar en este tipo de tortillas, que contrasta con el laconismo de las mismas en cuanto a huevos. Esta desproporción es realmente notoria, a menudo hasta el extremo de que uno acaba por creerse ante una ficción culinaria exigida por una parvedad ancestral fatalmente destinada a dar gato por liebre. No pretendo sugerir que este tipo de tortilla sea incomible, siempre que el aceite no sea prohibitivo y se establezca un equilibrio indispensable entre los huevos y las patatas. En caso de que se mantenga este equilibrio, la tortilla es plausible; si se rompe, es mejor servir por separado los elementos que la componen. Bien mirado, el mal humor de Camba es perfectamente explicable, y su crítica positiva.

Advertiré de paso que en cuestión de tortillas, Cataluña es el punto de la península donde menos se ha prodigado la tortilla de patatas. Esta combinación no ha gustado demasiado a los nativos del país. Pasé los primeros veinte años de mi vida sin saber lo que era la tortilla de patatas. La empecé a conocer en el curso de mi primera estancia en Madrid. Hay que reconocer que después de la última guerra civil, en los años llamados del hambre, porque la hubo, esta tortilla apareció en nuestro país por incuestionables razones de miseria, y después ha permanecido con más o menos éxito. En realidad, a medida que la libertad económica –o sea la prosperidad– ha avanzado, la frecuencia de la tortilla de patatas se ha ido espaciando.

En los libros antiguos de cocina burguesa, que en este país son generalmente franceses, se hace hincapié en que las tortillas han de estar bien presentadas, o sea bien hechas. En nuestro país hay dos clases de tortillas: las redondas y las largas. A mí me parece que las tortillas de este país han sido redondas desde tiempos inmemoriales. Es un recuerdo que tengo de mis primeros años de vida. Las tortillas redondas fueron el despliegue de los huevos, sobre un fondo de sartén determinado. Si había muchos huevos, las tortillas eran gruesas; si había pocos, delgaditas. Generalmente estaban mal hechas: a menudo demasiado crudas de un lado y demasiado hechas por el otro. Más tarde se hicieron, sospecho que por influencia francesa, las tortillas largas, es decir, las dobladas, que siempre han sido mejor presentadas.

Aprovecho la oportunidad para decir que la buena presentación de los alimentos en la mesa es muy importante. Entre un plato bien presentado y otro mal presentado media una distancia insignificante, el canto de un duro: con un poco de atención, y de cortesía, esta distancia se ha de salvar. Con la presentación de las tortillas ocurre exactamente igual que con la de los vinos. Los vinos deben ser claros. Los vinos tintos nunca han de ser de un negro absoluto, de una oscuridad completa, ni han de ser turbios si son blancos. Los vinos tintos deben guardar un rubí en el fondo y mostrar un color de cereza madura en toda su superficie. Los blancos no deben tener una blancura oleosa, sino ligera: el *blanc de blanc* según la expresión francesa. El vino de buen beber, como dicen en Mallorca, ha de entrar primero por la vista, después su perfume debe impresionar la pituitaria y, finalmente, su afrutado tiene que ser gustoso al paladar. Los grados del vino correcto serán los normales a la naturaleza humana: la alta graduación de un vino no contará como elemento decisivo de su calidad. Los grados son buenos para hacer el *coupage* con vinos más flojos: su valor es comercial; no tienen nada que ver con la calidad del vino de mesa. El vino debe ser ligero, aéreo y asequible, no un mazazo para el cuerpo humano.

La presentación de las tortillas también ha de ser perfecta y ordenada; han de estar bien hechas. Para ello hay que cocinarlas siempre en la misma sartén. Los huevos no han de estar excesivamente batidos, pues quedan demasiado descompuestos. A los huevos batidos no les supone ningún perjuicio el añadido de unas gotas de agua, y aún menos el de unas gotas de leche. La leche es muy importante sumada a los platos donde entran sus derivados, por las mismas razones que a una sopa de pescado, por más elevado que sea el pescado utilizado, siempre le va bien una taza de caldo. En la cocina el dogmatismo monolítico sirve en unas cosas y es aberrante en otras. El elemento básico de la condimentación de una tortilla, el aceite de oliva o la mantequilla, se tiene que llevar a una temperatura elevada; en cambio, la tortilla propiamente dicha se hace eliminando el fuego fuerte; el fuego vivo y rápido no hace más que quemar la parte exterior de la tortilla y dejarla cruda por dentro, defecto que presentan tan a menudo las tortillas que sirven en este país. El exterior y el interior de una tortilla han de ser imperceptibles, no deben distinguirse: la tortilla tiene que presentarse como una totalidad integrada.

La cocina bien hecha tiene forzosamente una presentación perfecta. Lo repetiré: en la cocina, como probablemente en cualquier otro ámbito, la presentación es decisiva, siempre que no se trate de hacer colar, a base de presentación, gato por liebre, actitud que en nuestra época no es insólita. La cocina francesa ha cuidado este aspecto, en algún caso mucho más que cualquier otra cocina. La nuestra lo ha hecho menos, a veces nada. Hablando en general y admitiendo las excepciones que sea menester, a mi juicio nuestra cocina es a menudo demasiado improvisada, casi siempre descompuesta y presentada de cualquier manera. El problema ha echado raíces tan profundas que en muchas carnicerías, por poner un ejemplo, no saben ni cortar la carne. Para comer una tortilla en esta península se requiere, demasiadas veces, una cantidad notable de patriotismo y de fe en el país. Tal vez convendría reservar estos sentimientos para otros asuntos de mayor categoría y enjundia.

El lector encontrará en la literatura dedicada a estas materias la gran diversidad de tortillas existentes en la cocina francesa, que es muy vasta: tortillas de finas hierbas, generalmente perejil, que en nuestro país se añade excesivamente crudo, para mi gusto; tortillas de cabezas de espárragos de huerto, insignificantes, son mucho mejores las de espárragos trigueros; tortillas de riñones; tortillas de setas, generalmente champiñones, setas de cultivo que no son tan buenas como las silvestres; tortillas de queso, el *gruyère* y el queso de Parma, por ejemplo, son excelentes si se trata de hacer lo que en Francia se llama una *omelette baveuse*; tortilla de trufas, acaso la más excelsa; tortilla de cebolla; tortilla con jamón o con elementos de la parte grasa del cerdo, aunque sean ahumados, como el tocino ahumado, y que constituyen, sobre todo en invierno, un entrante de extrema importancia... Si tuviésemos que enumerar todas las tortillas que se pueden hacer no acabaríamos nunca. La tortilla hecha puramente con huevos es ciertamente buena, pero un poco átona, y por eso se han hecho tantas mezclando los elementos más diversos y más impensados con resultados tan agradables. Las tortillas se pueden hacer con una cantidad vastísima de productos, y a veces la combinación resulta muy integrada. Antiguamente y de modo coherente con el sistema de modestia del país, se hacían tortillas con harina. Yo he conocido esta combinación. Era mediocre pero bastante aceptable.

Las tortillas hechas con productos del mar son muy discutibles, al menos eso es lo que pienso. No se trata de una combinación innovadora, como muchas personas creen, impulsadas por la imaginación: la mezcla es antigua. La tortilla con ostras o con mejillones, las que contienen atún o gambas o un crustáceo cualquiera, serán lo que ustedes quieran que sean, incluso se habrán podido poner de moda, pero por mi parte no veo la manera de poder compaginar los huevos con esta clase de productos, que ya de por sí tienen una personalidad tan acentuada. En principio estoy dispuesto a aceptar todo tipo de mezcolanzas, siempre y cuando el resultado que se obtenga supere los elementos separados y distintos que han entrado en juego. Si lo conseguido es peor, opino modestamente que no merece la pena emprender la labor.

En esta península se podría hacer una tortilla de gran calidad aprovechando uno de sus productos considerados más imbatibles: el jamón serrano. Podría ser una combinación perfecta a condición de que el jamón se cortase muy fino y en trozos muy pequeños y no resultase una tortilla más salada de lo que ya es el jamón. Apenas debe echarse sal en este tipo de tortillas. Objetivamente hablando, nunca he sido partidario de la cocina fuerte y salada. Las tortillas dulces, con azúcar o confituras, no dejan de ser cosas de críos, aunque se flambeen.

En este país se come tortilla para llenar vacíos, como plato de muy fácil elaboración, casi como una chuchería. A mi juicio esto es un error. Las tortillas, con una ensalada, pueden ser un entrante digno de respeto.

LAS VERDURAS Y LAS GRASAS

Si el lector tuviese la curiosidad y el tiempo suficiente para hojear los libros más o menos viejos de cocina, que es una actividad recomendable para pasar el rato, se encontraría cuando menos con una sorpresa: el descubrimiento de que la cocina de los vegetales verdes –que aquí llamamos genéricamente verduras– nunca ha formado parte de la culinaria propiamente dicha. Las verduras no han tenido un valor propio y real en la alimentación más que como acompañamiento, y gracias, de los platos de carne o en platos guisados, y se han servido por lo general hervidas. Y bien: la cocina puramente hervida no ocupa un lugar apreciable en los libros de cocina con algún sentido, es decir, en los libros de cocina que se consideran distinguidos.

Esto no significa que no haya existido la cocina de la verdura: siempre existió una cocina de los que hoy somos llamados los económicamente débiles; una cocina de régimen para los convalecientes, para personas delicadas y para aquellas personas de edad avanzada que se ven forzadas a comer cosas ligeras. Esta alimentación siempre se juzgó necesaria, lamentable y triste. Un siglo atrás, en el momento culminante de la cocina burguesa –que ha sido la mejor que ha existido para un número más amplio de personas– a nadie se le habría ocurrido instituir la cocina vegetariana como régimen de vida. Los vegetales se consideraban un acompañamiento de los platos de carne a la parrilla directos y de

145

otros guisados, generalmente suculentos. Las verduras y las legumbres, por más personalidad propia que tuviesen, susceptible de constituir un plato peculiar y auténtico, siempre se conceptuaron inseparables de alguna desgracia física.

Ahora bien, la vida moderna, que a pesar de ser más bien dura aspira a que la gente viva el mayor número de años posible, convierte hoy la cocina que llamaremos débil y notoriamente contraria a la gota —estrago físico que produjo en el occidente de Europa enormes cantidades de gemidos— en una cocina absolutamente normal, autóctona, indispensable y verdadera. Cierto: es seguro que las elucubraciones de mister Bernard Shaw y sus amigos de la Sociedad Fabiana a favor del vegetarianismo y sus relaciones con el idealismo político y social utópico han pasado muy de moda. Pero han pasado de moda porque han triunfado totalmente. Aquellas elucubraciones proliferaron en forma de restaurantes vegetarianos que cubrieron las grandes ciudades del continente europeo y de la América del Norte. Hoy en día el número de vegetarianos no es desdeñable, aunque aquellas teorías formen parte del pasado.

En la actualidad se va mucho más allá, en cualquier ámbito. Hay una ofensiva contra las grasas como elementos perjudiciales para la salud humana que en todos los países se manifiesta muy activa y en los Estados Unidos con la habitual sonoridad. Lo mismo que sucedió años atrás en aquel país con el psicoanálisis y con otros misterios de la manera de ser de las personas. La cuestión, a fin de cuentas, no presenta dudas: las verduras se imponen y toman tal amplitud que los libros de cocina que se escriben hoy día dedican a estos tejidos y fibras vegetales una importancia que jamás se les concedió en el pasado. La gente está cada vez más persuadida de que su duración física depende, en gran medida, de la cantidad de judías verdes, coliflores, espinacas, acelgas y zanahorias que pueda engullir en cada momento. El panorama culinario se vuelve quizás un poco triste y melancólico, tal como reconocen quienes lo practican, pero no importa: todo el mundo está dispuesto a aceptarlo como algo positivo, aunque sea de mala gana.

Los progresos de la ciencia –o por decirlo con mayor exactitud, del arte de conservar la salud– han cambiado uno de los aspectos de la cocina. Ahora se pone el acento en tener salud de una manera precisa, cosa que jamás había ocurrido antes en la historia, pues de estos temas no se sabía ni jota. El hecho es tan visible y de una evidencia tal que siempre les comento a los payeses que tendrían que conseguir una producción agraria que respondiese a la satisfacción y a la ilusión que la gente busca en las verduras, tanto las tempranas como las tardías, porque en la situación actual lo que se busca en los mercados es que estén bien provistos de viandas hortícolas. Los payeses de regadío comprendieron al instante la necesidad de ampliar su producción, y ésta es sin duda la razón por la que en los últimos años las zonas de este cultivo han experimentado un aumento notoriamente visible. Añadiré que si en este país el agua fuese abundante y barata, el incremento habría sido todavía más importante. Los payeses de secano, en cambio, tardaron más en convencerse, remisos a creer en una tendencia que era a todas luces clarísima.

–¿Cómo es posible –me preguntaron– que una persona con uso de razón prefiera una coliflor o un repollo a unas costillas a la parrilla bien tiernas? Usted nos quiere dar gato por liebre...

–No. No es que la gente prefiera la col o la patata o las acelgas hervidas o las zanahorias a las costillas tiernas. Eso está claro. Lo que digo es que estos alimentos se venderán cada día más, que crecerá la demanda, porque ahora todo esto ha entrado a formar parte de lo que solemos denominar la prescripción facultativa, o sea del estado de salud del consumidor.

Ha transcurrido algún tiempo y hoy, con el paso de los años, los payeses de todas las categorías ya se han convencido de que, cuando se puede, hay que adecuar la agricultura a la cocina de la gente, a la cocina que se impone en todas partes, incluso entre quienes defendieron con mayor tesón las formas antiguas. En nuestro tiempo se ha producido un fenómeno considerable: hay mucha gente que casi ha dejado de cenar o cena de una manera en extremo frugal, ridícula. Y no precisamente porque su presupuesto haya menguado en proporción... A la hora del almuerzo todavía se come como antes, o poco más o menos; pero cuando toca cenar todo escasea. En la actualidad, sobre todo a la hora de la cena, ya no se elabora una cocina basada en el capricho o el gusto personal, en alguna forma de gula, en lo que los moralistas llamaban las delicias de la mesa, delicias que a la postre son las menos comprometedoras. Ahora se piensa en la buena marcha de los fenómenos de circulación y en todas las complicadas y misteriosas historias que están relacionadas con ella. La gente de hoy ha empezado a saber que puede más o menos tener salud, y esto es algo que nunca había existido antes de ahora.

La producción de verduras ha aumentado en cantidad y calidad, y este país, aun careciendo de una tradición apreciable en esta clase de mercancías, ha llegado a algunos resultados positivos. Claro que aún queda mucho por hacer. Entre los guisantes que nos sirven todavía es posible toparse con unos cuantos duros y refractarios como balines. En parte, el hecho es debido a la influencia de las lluvias, circunstancia que no está en nuestras manos controlar. Pero también depende en gran parte de la igualdad de las simientes y de su selección, y esto es un defecto achacable a nosotros que posiblemente podría enmendarse con un poco de atención. Yo espero que este problema se acabará por resolver algún día de acuerdo con los gustos del cliente, pues no en vano el cliente siempre tiene razón, digan lo que digan los magnates de la economía dirigida. ¡Dejen su petulante vanidad a un lado, si no es molestia, y no dirijan más la economía! Con las patatas han sucedido asimismo muchas miserias: han permanecido largos años en un estado de total decadencia y ha sido muy difícil devolverlas al anterior nivel de calidad, que era pasable. ¿Hemos llegado? No lo sé. Ya veremos. En estas cuestiones todo depende de la libertad, es decir, de la competencia. Nunca podrá haber simientes buenas si la libertad de comprarlas no es omnímoda. También convendría conocer los progresos de la agricultura, que son inmensos. Y el agua es importantísima, decisiva: la oportunidad del agua en cada momento. La gran calidad de estos productos en los países realmente ricos en patatales, como Alemania y Holanda, depende del agua, que es la clave de la agricultura aquí y en todas partes. Nuestras patatas, partiendo por supuesto de una determinada calidad, son mejores o peores según la lluvia o el agua de que han podido disponer.

Por lo menos este país puede disponer de verduras excelentes, de óptima calidad. No soy un entusiasta y menos un fanático de esta clase de paisajes vegetales ni de unas supuestas amenidades permanentes, que más bien creo que ni tienen ni podrán tener nunca. Pero las cosas nunca son tan esquemáticas; se han de tener en cuenta otras necesidades. Después de haber comido judías verdes durante todo el verano, es natural que la gente espere la alimentación otoñal con candeletas. De igual manera que tras haber comido judías secas todo el invierno se espera la llegada de la primavera con todos sus encantos culinarios. Es perfectamente comprensible. Para luchar contra la monotonía, que nunca es favorable a la salud, no queda otro remedio que abrir el compás de la diversidad y atenerse a sus principios.

Personalmente he sido siempre partidario de las verduras, obviamente de las verduras bien hechas, o sea de las cocidas como Dios manda. Cuando escribí que una de las cosas más sabrosas del término municipal en que vivo es el brécol, llamado también coliflor en otras partes, la gente hizo un gesto de escepticismo, por creer que me entregaba al patrioterismo local de una manera escandalosa y pintoresca. Después, cuando los más recalcitrantes accedieron a nuestra coliflor, la encontraron muy agradable. He sido uno de los primeros introductores de las espinacas en mi tierra natal. Treinta o cuarenta años atrás esta verdura era completamente desconocida. Todavía hay mucha gente que no la ha probado, pero se han hecho progresos notables. Las espinacas de esta tierra, preparadas con huevos *pochés* –que requieren una estancia de cuatro minutos justos en agua hirviendo– son uno de los entrantes más bien pensados que pueden ofrecerse. En términos generales, mi país no es nada más que lo que es, pero desde el punto de vista de las espinacas, es magnífico. En otras cosas, en cambio, flojeamos de manera muy notoria. Otro producto incomparable del país son los tomates de pera. No tienen rival, de veras. ¿Y las alubias en invierno? Su frescura es considerable.

En fin, lo que ahora pretendo no es sino afirmar que si queremos entrar viento en popa en la cocina de las verduras, lo menos que podemos hacer es mejorarla y valorizarla al máximo, pues se trata al fin y al cabo de una cocina de elementos desprovistos de excesivos y sustanciosos encantos. Y esto depende de los agricultores, que ahora llaman productores, cosa que hace mucha gracia. Tan pronto como en Rusia denominaron productores a los campesinos del país, la hecatombe productiva y labriega fue total. Dejemos que las cosas se llamen según la gramática histórica, elemental y tradicional. Los tecnócratas y los intelectuales estipendiados trataron de demostrar que todo se resolvía cambiando las palabras. ¡Insensatos! Insensatos pero astutos, aprovechados de la ignorancia progresiva general. Lo único que me atrevería a decir a nuestros payeses en este asunto de las verduras es que es preciso salir del anquilosamiento mental y tópico que sostiene lo siguiente: según lo hemos encontrado, así lo dejaremos. No. De ninguna manera. Hay que renovarse y hacer todo lo posible para que en estas pequeñas cosas, al menos, la vida sea pasable y agradable.

MONOTONÍA Y VARIEDAD

He leído en diversos papeles que nuestra cocina tiene personalidad. Si lo dicen, tendremos que aceptarlo. Es posible que tenga cierta personalidad. Al menos genera estragos de añoranza, de manera casi indefectible, entre quienes se han desplazado de su raíz inicial después de haber comido la cocina del lugar durante la infancia y la juventud. Habiendo vivido tantos años en el extranjero, he conocido una considerable cantidad de nostálgicos. Todos ellos reconocieron que una de las causas de su añoranza era no poder comer como habían comido ni lo que habían comido antes de emigrar. Por hábiles cocineros que seáis nunca podréis hacer un arroz negro en Londres, ni tan siquiera un plato de bacalao con patatas en Lisboa, aunque en Portugal hay buen bacalao, ni un plato de guisantes y habas en Italia. La añoranza puede tener muchas causas, eso está claro, pero los recuerdos culinarios son una de las principales. Por esta razón he escrito algunas veces que el catalán es un animal que siente añoranza. Creo que la afirmación se puede sostener, sobre todo si el nostálgico es una persona corriente y normal.

De todas maneras, nuestra cocina es un poco monótona y, en definitiva, bastante aburrida. Este país ha comido durante decenios, quizá durante siglos, *escudella i carn d'olla* para almorzar cinco o seis días a la semana y arroz los domingos. Este hábito se ha abandonado, porque el cocido que años atrás era barato, ahora es muy caro. Ahora se come más variado pero menos cocinado. Todo se hace muy deprisa y a la ligera. El servicio inteligente ha concluido y el ambiente de cocina no suscita muchas simpatías entre la población femenina.

Con todo, esta cocina presenta hoy una gran variedad. Y eso a pesar de que ha sido aburrida hasta el extremo de que todos los restaurantes que se abrieron en Barcelona el siglo pasado fueron franceses, y hoy los restaurantes de categoría nunca ofrecen cocina catalana, sino la cocina francesa o internacional. El primer origen de esta variedad es la enorme diversidad que proviene de la cocina comarcal o local. Esta diversidad es tan fabulosa que creo que sería imposible escribir un libro de cocina catalana: esta clase de libros requieren cierta generalización, y aquí eso no existe. El nuestro es un país que tiene el paladar comarcal, y a menudo puramente local. En todas partes ocurre lo mismo, pero creo que en nuestro país es especialmente asombroso. Un recetario que intentase incluir los platos de los incontables rincones del país no se acabaría nunca. Estos platos, para un forastero, serán más o menos buenos y de un acceso más o menos agradable; para los naturales del lugar son extraordinarios, inimitables. Este libro no pretende adentrarse en este laberinto inacabable, ni mucho menos: sólo aspira a hacer una digresión generalizada sobre la cocina.

Otro elemento de variedad es el que viene dado por las estaciones del año, que en este país son muy matizadas. Hay una cocina de primavera, como una de verano, de otoño y de invierno. En cada una de estas temporadas los platos esenciales son diferentes. Dominan unos o dominan otros según las estaciones: los mercados marcan el compás. Se podrá decir que la cocina tiene un punto de producción fatídica, pero esta producción está atravesada por la diversidad de las estaciones del año, que de hecho no tienen nada que ver las unas con las otras. En realidad, todas las cocinas adolecen de una monotonía incuestionable. Se podrá decir también que nuestra cocina tradicional es mediocre, a veces precaria, a menudo muy aprovechada, generalmente carente de imaginación y tantas cosas más: el país nunca ha sido bastante rico para crear una cocina separada de la corriente popular, rica, sustanciosa y pensada como en Francia. Ha hecho la cocina que ha podido: simplemente para ir tirando. Por lo menos su monotonía ha sido modificada por los elementos de diversidad que acabamos de señalar: culinariamente hablando, cada comarca es un mundo; y luego están las estaciones del año.

La primavera es la estación de las habas y los guisantes, de los espárragos trigueros de Cuaresma, del pescado azul –sardinas, anchoas, caballa, etc.–, que ha producido la maravilla de las sardinas a la brasa. En realidad, en primavera, el pescado de litoral, sobre todo el de litoral rocoso, llega a alcanzar calidades extraordinarias. Todos los que conocen un poco el país lo saben. En esta temporada es cuando se quiebra uno de los elementos que contribuyen a la forma de monotonía más extendida por este país: la originada por las judías blancas –las célebres *seques*–, que llenan con su abundancia toda la estación invernal. Cataluña consume una cantidad fabulosa de judías de esta clase. ¿Son monótonas? Parece que tendrían que serlo. De hecho, la gente las devora sin pausa. Todo lo que forma parte del interior del país, más allá de las comarcas costeras, es un país de judías blancas. El litoral también lo es, pero al menos cuando aparece el buen tiempo alterna las judías blancas con las verdes o tiernas. Aunque parezca extraño, estas últimas judías nunca han sido del gusto de las gentes de tierra adentro: en esas interioridades se come todo el año judías blancas. Cuando viene el buen tiempo aparecen las judías verdes o los fréjoles, que se comen, en cantidades enormes, en la franja marina. Estas judías contribuyen al turismo popular y llegan a saturar a los más culinariamente razonables. Las judías blancas son monótonas; si no tienen piel son excelentes; su sustantividad es real. Los fréjoles son más ligeros, de un poder nutritivo mucho menor y su monotonía, presentados siempre hervidos con patatas, es a mi juicio abrumadoramente insignificante. Pero los hay de muy buenos, como los fréjoles sin hebras y de vaina ligera que se sirven bien fríos para acompañar un plato de carne.

La cocina de verano no es más que una prolongación de la cocina de primavera, aunque con algunas novedades. En verano todo ha madurado. La gente se mueve, va de un lado a otro. Y ahora haré una afirmación que no será del gusto de todo el mundo, pero que se puede defender: en verano, a la gente del país, tanto si sale como si no sale de casa, le gustan esencialmente dos alimentos: como producto del mar, la langosta; como carne, el pollo. Hablando en general, es decir refiriéndome ahora tanto a los visitantes ocasionales como a los que residen aquí, opino que la langosta es apreciada porque no tiene espinas; el pollo, porque se considera que es la mejor carne que existe. El resto se considera secundario, ya sea pescado o carne. El lector encontrará en las páginas de este libro mucha información sobre estos elementos, tan importantes en nuestro país. El verano es la época, en general, de las salidas y de las comilonas. Para mí que en verano los alimentos nunca son tan finos como en primavera, especialmente el pescado; pero lo cierto es que en verano todo bicho revive, y no creo que haya nada más que añadir.

En agosto, después de la festividad de la Virgen, si cae un chaparrón se pueden coger las mejores setas que existen: las oronjas. Las setas son uno de los mayores encantos del otoño, y la gente del país es enormemente aficionada a ir en su busca, cogerlas y comerlas. La ciudadanía, que proviene casi toda ella del mundo agrario, encuentra en las setas vestigios arcaicos. Pero ofrecidas con exceso de prodigalidad, las setas acaban por acusar un punto de monotonía. Hay en la cocina de otoño elementos agradables, como la caza del conejo y la liebre y del averío: tordos en especial y el prodigio fabuloso de las becadas. Las perdices, si no se suavizan con cebolla, suelen ser secas y enjutas, horripilantes. En otoño decae la variedad de los pescados, pero los que resisten son inmejorables. Después de las hierbas primaverales y estivales, la carne es tierna y muy agradable. En definitiva, el otoño ofrece un excelente panorama culinario, a lo mejor no tan ligero como el de la primavera, pero más sustancioso y variado.

Cuando llega el invierno todo se retrae y escasea, pero en mis tiempos era entonces, para enero, cuando se mataba el cerdo, que era una fiesta familiar muy viva y útil como ninguna otra. Opino que lo mejor del cerdo era la grasa del perol, con la carne consiguiente, el tocino y todas las maravillas del animal. Es la estación de la prodigiosa cocina vulgar, que en nuestro país, todavía es la que gusta más a la ciudadanía en general. Un plato de patatas y col fritas en la grasa del perol acompañadas de una loncha de tocino, o si quieren de un arenque, es un placer extraordinario para quienes hemos nacido y vivido en esta tierra. Pero para sentirlo así hay que estar enraizado en estas sensaciones vulgares, antifícticias y antisofisticadas. Ahora la matanza del cerdo ha dejado de hacerse o se celebra tan de higos a brevas que no tiene ya un interés general. Las sensaciones se han desvanecido, y naturalmente la calidad.

He escrito casi todo este capítulo en el Hotel Europa de Granollers, que dirige mi amigo Paco Parellada, hijo del inolvidable señor Paco de las Set Portes del Pla de Palau. Era jueves, día de mercado en Granollers. Dentro del establecimiento no se podía dar un paso. Campesinos y marchantes de todo orden, sobre todo marchantes de ganado. Éste es mi ambiente.

–Señor Paco, esto marcha sobre ruedas... –le comento a primera hora de la tarde.

–Sí señor. Llevamos unos mil quinientos cubiertos y a toda vela.

–Y esta gente, ¿qué ha comido?

–Siéntese y se lo diré. Estos payeses han comido un arroz ligero, con chuleta de cerdo y menudillos de pollo o sopa de pescado, en concreto sopa de rape. La sopa de rape –que es un pescado inferior, pienso por mi cuenta– es la sopa de pescado de la gente rústica del país. Y después han comido un plato cocinado. Tome nota de ello, es lo que en esta casa llamamos las menudencias: pie y tripa de cordero; pie y tripa de ternera; pata y morro; vientre y lengua; pie de cordero; pies de cerdo al horno o cocinados; estofado, nuestro estofado habitual... No acabaríamos nunca. La gente es siempre lo mismo; como cien años atrás; como hace doscientos años...

¡Ah, las cosas de la cocina! Son complicadas y difíciles, muy difíciles de entender. Nunca se saca nada en claro.

COCINA DE PRIMAVERA: GUISANTES Y HABAS

Escribo guisantes y habas a pesar de no ser tan corriente ni quizá tan eufónico como habas y guisantes. Lo hago porque en el litoral de nuestro país, que es una zona que produce guisantes sin rival, los guisantes se adelantan a las habas en el curso del año.

Los periódicos europeos no totalmente abandonados al sensacionalismo —¡que aún existe!— dedican un espacio creciente a proponer a sus lectores sugerencias culinarias. Proponen, generalmente, menús horripilantes, una especie de *volapuk* culinario sin gracia ni sustancia, y casi siempre desligado de los alimentos que las estaciones del año van ofreciendo, que en definitiva son los que se pueden comer con mayor provecho. Hay una cocina de primavera; como hay una cocina de invierno, etc., que son indudables. Es un hecho, sin embargo, que las señoras aprecian aquellas facilidades porque en el mundo de hoy, si cada día aumenta el número de personas a quienes gusta alimentarse con tranquila plausibilidad, cada día disminuye el número de señoras a quienes apetece entrar en la cocina. Por esta razón estos menús de *volapuk* son tan seguidos y apreciados. Por lo menos suplen una falta de imaginación y de curiosidad, facultades que en el país, hablando en general, más bien se han cultivado poco, dejando al margen el aspecto erótico, por supuesto. Sea como fuere, hay una gran cantidad de personas y de familias que comen lo que dice el periódico.

En realidad éste es el camino que se ha emprendido, y la gente tiene interés en leer cosas relacionadas con la gastronomía. Yo he escrito cuatro cosas sobre esta materia, ciertamente insignificantes, pero destinadas a avivar el gusto palatal de la gente y sustraerla del marasmo y de la depresión ocasionada por la última guerra civil. Se tenía que salir de una manera u otra, y sobre todo, dar a la gente el gusto por la vida terrenal. Personalmente, nunca me habría dedicado a estas historias de no haber sido por las insistentes presiones del historiador Vicens i Vives, que en este sentido no paraba nunca. Vicens i Vives y yo estábamos unidos por muchas discrepancias, una de ellas era el horror que ambos sentíamos hacia la actitud que sugirieron algunos intelectuales catalanes de indudable categoría: la de incitar al país a llevar una vida de catacumbas. «¡Catacumbas, no! –decía Vicens–. Lo que hay que predicar es la vitalización y el seguir adelante...» Y ésta es la razón por la que escribo estas inacabables e intrascendentes líneas.

De todas maneras, en temas como el que nos ocupa ocurren cosas extraordinarias.

Si redacto un texto sobre las habas a la catalana, aparece en seguida un señor que me manifiesta:

–Pero, y de los guisantes, ¿qué me dice? ¿Acaso no los considera dignos de un comentario apropiado como uno de los más insignes productos de la naturaleza? La duda sería inimaginable.

Claro. Inimaginable. Creo que los guisantes son algo de absoluto primer orden. Estoy tan convencido de ello que deseo formular unas afirmaciones muy serias.

Primera: en igualdad de condiciones, prefiero los guisantes a las habas.

Segunda: estoy absolutamente persuadido de que en nuestro litoral se producen y sobre todo se podrían acabar de refinar unos guisantes excelentes y capaces de competir con los mejores del continente.

Tercero: es triste tener que decirlo, pero a pesar de nuestras admirables condiciones climáticas, cada día se hace más difícil disponer de guisantes de una corrección total. Si se accede a ellos es de pura casualidad, un hecho dominado por la inseguridad más completa. En este punto, más bien hemos retrocedido que progresado. Está claro: hay mucha gente, y todo tiende a industrializarse; tendencia que está desarrollándose a expensas de la calidad.

Los guisantes aparecen en el tiempo un poco antes que las habas, al menos en nuestro país y en lugares muy resguardados, como es natural, de las escandalosas variaciones climáticas. Aparecen en la misma maravillosa puerta de la primavera. Cuando las postrimerías del invierno son suaves, vienen muy tempranos. No me estoy refiriendo a los guisantes viajados o de importación, que para mí carecen de todo valor: igual que habas, podéis comer guisantes todo el año, pero como producto envasado. No. Me refiero ahora a los guisantes del área en que vivimos, que son los buenos. Nunca me cansaré de repetir que comer alimentos fuera de temporada no es sino una manifestación de pedantería y de esnobismo que aparte de inflar la estampa de nuevo rico, no produce ningún otro efecto.

Los guisantes tradicionales... ¿Por qué será que desde el mismo momento de su aparición los guisantes se presentan tan mezclados, de simientes tan diferentes, los unos duros y compactos como perdigones y los otros inefables, dulces y de un sabor incomparable? Estoy dispuesto a admitir que estos últimos años hemos hecho algún progreso al respecto, ¡pero queda tanto para que lleguemos a algún resultado! La mayor y más respetable cualidad de las habas es un pellejo tierno e imperceptible y un punto de amargor; la mayor y más respetable cualidad de los guisantes es un pellejo aéreo y un punto de dulzor, no dulzor de azúcar, sino de vegetal. En cualquier caso, esta unificación sobre el común denominador de la dulzura no se ha producido, no se ha resuelto. Después de tantos años hablando de unidad, este país ha sido incapaz de lograr la unidad de los guisantes. No ha habido manera de unificar las simientes, y por eso la anarquía es total. Conseguir la unificación de las habas es un fenómeno inseparable del infanticidio, y este infanticidio es caro, y por tanto, poco practicado. Conseguir la unificación de los guisantes depende de las simientes utilizadas, lo cual depende del cuidado que ponga en ello el cultivador o el hortelano. Cuando se produce la mezcla, el guisante malo o guisante-perdigón tiende a sofocar con su fuerza maléfica al guisante bueno, incluso cuando su número es escaso. El paladar no puede tolerar la presencia del guisante bueno y del malo al mismo tiempo. Se produce un desequilibrio descarado con el resultado previsible: un plato de guisantes mezclados es un fracaso puro y simple, un desastre.

A veces la mezcla se presenta en términos tan graves que incluso se puede observar en el color de la leguminosa. En estos últimos años ha aparecido un guisante novísimo, voluminoso y de un color verde tan subido y metálico, de un color de persiana recién pintada tan estridente, que parece un producto extraño a la botánica corriente en el país. Esta mercancía, que parecería un dulce de menta si estas golosinas fuesen perfectamente redondas, que según dicen se mantiene indecisa entre la dureza balística y la pastosidad insípida de las viejas habas, es el guisante utilizado para envasar. *Vade retro!* Es el mismo guisante que utilizan, tras hervirlo, en los restaurantes de lujo –establecimientos generalmente horribles– para acompañar todos los días del año un bistec de carne a la plancha o la cuarta parte de un pollo de granja, irrisorio y de una pasividad nefasta. Sirven los guisantes hervidos... ¡Válgame Dios! ¡Señores cocineros, no sirvan los guisantes hervidos! Es un crimen con todos los agravantes, un arrasamiento perverso, un error técnico malévolo. La cocina es el arte de resucitar los cadáveres, no el de rematarlos.

Estos guisantes verdes de color de persiana acabada de pintar, de un tono verde fresco..., para mí son una sorpresa constante. ¡Químicamente verdes! No puedo entenderlos. Mi modestísima opinión es que la culinaria está reñida con los colores chillones y violentos. La culinaria se mueve dentro de una tonalidad grave, suntuosa y densa, de un gris dorado de violoncelo. En este sentido, el gran plato será siempre el *boeuf à la mode*, reputado como el más importante de la cocina burguesa europea. Dejemos los colores chillones y violentos para el sistema visual de las criaturas, y que disfruten. A los críos les encantan los helados rojos o verdes. Hay personas que sostienen que la cocina debe empezar a valorar la decoración ornamental en detrimento de la sustantividad. Que digan lo que quieran, yo prefiero las cosas menos decorativas, con un sentido ornamental de tono más bien menor. Comer anilinas en libertad nunca ha entrado en mis cálculos. Y si tuviese que hacer una excepción la reservaría para la *samfaina*, que luce un color tan vistoso, sobre todo durante la temporada del pimiento rojo, que la impresión es maravillosa.

Por otra parte, estos guisantes tan gordos, redondos y verdes no se encuentran en la tradición del país. Los mejores guisantes que he comido, aquí y fuera de aquí, nunca han sido ni tan gordos, ni tan redondos, ni tan verdes, tan metálicamente verdes. Los más sabrosos de nuestro litoral son verdes, ciertamente, pero su verdor es más aguado, más turbio, más suave, sin aquel estallido metálico. También tienen otro gusto, un sabor mucho más dulce, con la dulzura fresca, ligera y vagamente perfumada del aire de primavera. No merece la pena comparar ambas variedades entre sí: son tan diferentes como pueden serlo una pastosidad intrascendente y una sensación palatal exquisita. Son guisantes de papel *couché*, de anuncio de revista americana, de la cocina envasada, química, indiferente y neutralista; guisantes de quincallería aparentemente lujosa, para colocar en una vitrina.

Con los guisantes se pueden hacer muchas cosas. Lo primero una sopa de puré, que puede ser muy densa y finísima. Éste no es un país de sopas, salvo de algunas que se hacían, y cada día se hacen menos, en familia: sopa de pan, de galleta, de ajo, de tomillo. La sopa del cocido se ha vuelto muy esmirriada. Las grandes sopas de pescado son un simple recuerdo histórico; las que generalmente se presentan se obtienen por simple adición de materiales y casi siempre están crudas: las retiran del fuego antes de hora. El puré de guisantes es una sopa continental muy corriente en Francia; tan corriente que en el país vecino cuando un novelista quiere describir un cielo de invierno, bajo, turbio, neblinoso y de visibilidad escasa, dice que el cielo es de color de puré *de pois,* o sea de puré de guisantes. En la obra de Simenon hay muchos cielos de color de puré de guisantes.

En su temporada primaveral, cuando las fibras de los guisantes tienen la máxima suavidad, se pueden rehogar con gran provecho combinándolos con unas puntas, muy discretas, de jamón, dando lugar a un plato –guisantes rehogados– que en un país con tan buenos guisantes como el nuestro puede llegar a resultados de gran categoría. Como en el curso del año los guisantes y las habas son casi coetáneos, no es ningún error echar cuatro habas pequeñas y tiernas en los guisantes rehogados o un puñado de guisantes en las habas rehogadas. Esta infantil combinación permite contrarrestar ligeramente el dulzor de los guisantes con el puntillo amargo de las habas y viceversa, creando una situación de gran calidad.

Con todo, el punto más alto de rendimiento de los guisantes se alcanza, a mi juicio, guisándolos con pescado o carne. Pronto tendremos ocasión de hablar del congrio con guisantes, que es uno de los platos primaverales menos discutibles. Los guisantes tienen muchas más posibilidades culinarias que las habas: su teclado es más extenso y complejo. Esta circunstancia marca con claridad uno de los aspectos de la superioridad del guisante. Eso sí, los guisantes nunca deben escasear, han de ser muy abundantes. Un plato de guisantes corto, precario y limitado provoca en la gente una tristísima insatisfacción, siempre y cuando sean de primera categoría, se entiende. La satisfacción de algunas cosas se produce cuando escasean; otras cuando abundan. Los guisantes, por su misma ligereza, son de esta última clase.

Guisados con carne, los guisantes ofrecen combinaciones diversas. A mi juicio, el primado de esta combinación está formado por el guisado de costillas de cordero con esta leguminosa. Si se puede combinar la infantil y gustosa chuleta de cordero tierno –cada día más difícil de obtener– con el guisante de calidad, se llega a un resultado excelso. Pero hay otras combinaciones.

En París, el guisante entra en la confección de un plato, denominado *navarin printanier*, que constituye una especie de esencia de la llegada del buen tiempo. El *navarin* consiste en trozos de ternera especialmente destinados a este efecto guisados con patatas tempranas, guisantes frescos, zanahorias muy tiernas, etcétera, y una salsa clara y ligera. Reconozco la calidad del plato y su perfecta oportunidad, pero quizá no lo cambiaría por el guisado indígena de las *costelletes* con guisantes del litoral de nuestro país. El guisante de Normandía, como el *petit pois* de la Île de France, es dulcísimo y muy fino. Nuestro guisante tal vez no posee la ingenuidad de las aguas primaverales que caen sobre aquellas tierras con tanta afluencia, pero posiblemente es más intenso que el guisante francés, su sentido es más claro y su sabor más completo.

En el norte de Europa comen guisantes muy buenos, sobre todo en invierno. Los recogen a finales de nuestro verano, los dejan secar y después revenir para guisarlos y rehogarlos en invierno. En nuestro país es imposible comer guisantes en invierno, si no son envasados. En el norte, los guisantes de invierno son una maravilla. ¿Por qué no los sabemos secar convenientemente y así matizar un poco nuestra monótona cocina de invierno, sostenida con tanta perseverancia sobre las judías secas y los garbanzos como único acompañamiento de peso? Nunca lo he podido comprender, y desde el punto de vista de la alimentación y de su buen sentido, el defecto es excesivo. Sería mucho más gustoso el guisante seco y revenido que el envasado y conservado por medios químicos. Hablo por experiencia, desde el recuerdo de mi vida en Estocolmo, que se prolongó casi un año. Comer guisantes en invierno me pareció entonces una delicia. Siempre me parecieron, sobre todo en las casas particulares, extremadamente gustosos y de una amenidad infalible. Si el origen de estos guisantes de invierno es ruso o escandinavo, no lo sabría decir. Lo que parece evidente, y todos los testimonios parecen corroborarlo, es que en Rusia, antes de la Revolución, se comía muy bien.

Y éstas son mis ideas sobre los guisantes y sus excelsas

virtudes culinarias, explicadas con una indispensable y sumaria modestia, porque si entrásemos en materia con un poco más de calma, no acabaríamos nunca, y es hora de hacerlo. Hemos entrado en la cuestión de los guisantes en unos momentos de gran peligro: estamos abocados a que el guisante de tipo americano, verdísimo, metálico e insípido, desplace a nuestros productos tradicionales, que fueron siempre menos verdes, menos metálicos y de un sabor prodigioso. Por lo que toca al guisante, nos dirigimos hacia una cocina de anuncio de revista americana de papel excelente, ornamental y decorativa, pero de una insipidez absoluta. Que los americanos coman su fruta de gran apariencia pero sin gusto y sus legumbres acabadas de pintar y chillonas. Prefiero nuestro sabor, aunque la cosa no sea tan decorativa. Imitar con pérdida no tiene sentido.

LA COCINA DE LAS HABAS

Con el excelente invierno que hemos pasado y aún pasamos, las cosechas de primavera están insólitamente avanzadas y en los huertos reducidos, quiero decir en los pequeños lugares resguardados, las habas ya han florecido y su fruto se va formando rápidamente. Siempre pueden llegar cuatro días de frío tardío que detengan o incluso echen a perder los efectos de la bonanza hibernal. Pero a causa de la escasa nieve que hay sobre el Canigó y de las benignas temperaturas europeas, pudiera ser también que hasta en lugares tan fríos como la comarca donde habitualmente vivo, las habas se presentasen en la mesa a finales de marzo o primeros de abril. El acontecimiento sería una buena noticia para la generalidad de la población, pues es un hecho obvio y aceptado que el catalán es un devorador de habas cocinadas a la manera del país, es decir, de habas a la catalana.

Hoy día las habas se pueden comer casi todo el año, pues se sirven ya cocinadas, conservadas y envasadas, de modo que sólo haya que calentarlas... ¡Y ya está! En un mundo cada día más habitado, son de agradecer los esfuerzos que lleva a cabo la culinaria industrializada para acercarnos a la alimentación, proporcionándonos toda clase de facilidades. También es notorio el servicio que estas soluciones ofrecen a las amas de casa. En estas cosas de la gastronomía, nadie niega que la cantidad mata la calidad. Las calidades serán cada vez más inasequibles, y por tanto cada

165

día más caras. Esto traerá como inevitable secuela un aumento considerable de las personas dominadas por el ansia de riquezas, que les permitan acceder a los artículos de calidad. La inmensa mayoría de la gente comerá cada día peor, pero habrá unos cuantos, la minoría, a quienes les ocurrirá lo contrario; pagando caro, naturalmente.

Lejos de mí el propósito de molestar a nadie, debo confesar que siempre que he tenido que comer alimentos envasados he sufrido, en el mejor de los casos, una decepción. Una cosa es la química de los libros y otra bien distinta la química culinaria: confundir estas dos nociones, creo modestamente, equivale a volver a la pura primariedad. La decepción a que me refiero nunca la he podido compensar con alguna veleidad de esnobismo privado. Comer cosas fuera de tiempo, lugar y razón nunca me ha interesado. En este punto, mi tradicionalismo es literalmente arcaico. Tal vez tuve mala suerte, pero lo cierto es que me pareció que la relación existente entre las habas envasadas y las cocinadas con toda su naturalidad es la misma que podría establecerse entre un huevo y una castaña. Me las sirvieron saturadas de grasa, nadando en una salsa excesiva, desabridas y sin ningún aroma. No fui afortunado, seguramente.

En los recetarios de cocina franceses de principios del siglo pasado –algunos excelentes y de gran sentido práctico, que en estas cosas es lo más importante– es posible descubrir todavía muchas recetas sobre la condimentación de las habas. Sin embargo, ocurre que en los cincuenta años que llevo entrando y saliendo de Francia nunca he podido comer habas, ni en restaurantes ni en hogares particulares. Acaso aún se coman en algún que otro rincón, pero yo no he sabido dar con él; y cuando he hablado de la cuestión con naturales del país, me han asegurado que la cocina de las habas no pasa de recuerdo histórico, que es un fenómeno generalmente olvidado. Esta eliminación va acorde con la economía política, exactamente con la política. En Francia comieron habas hasta que la burguesía, nacida con la Revolución y estabilizada tras el golpe de 1830, creó una clase media extensa y considerable. Se produjo lo inevitable: los nuevos ricos imitaron a los ricos de verdad; la clase media imitó a los nuevos ricos, y los pobres, a la clase media. Nació de ahí un largo ideal nacional de tipo patriotero y culinario, burgués, universitario, racionalista y agrícola, que eliminó muchas cosas e instauró otras consideradas superiores y, por tanto, intangibles. La cocina popular de los siglos anteriores fue sustituida por lo que se llamó la cocina *bourgeoise*, aun siendo la vieja cocina –por lo menos eso es lo que he leído– infinitamente superior. Las habas, por vulgares, se eliminaron del sistema culinario, convirtiéndolas en puchada para los animales, una puchada insuperable. Sólo en un aspecto se ha mantenido, en el país vecino, la cocina de las habas: las utilizan como sopa, exactamente para hacer puré de habas, que no es más que la puchada que se sirve a los animales algo más desleída y con más guarnición. El puré de habas no iguala al puré de guisantes, ni en ligereza ni en calidad; pero al menos es un puré digno de aprecio. En cambio, en un país donde se comen tantas habas como el nuestro no hay manera de encontrar un puré de habas por ninguna parte, ni siquiera en la cocina familiar.

En Italia y en Grecia comen muchas habas, y más de una vez, sobre todo en el momento en que están tiernas, las he visto comer crudas y con vaina. Viniendo de un país que a mi juicio ha creado la mejor cocina de las habas, la observación directa de su devoración en crudo causa una extraña impresión, pero no seré yo quien saque del hecho cualquier conclusión. En cuestiones de gusto, lo más sensato es suspender el juicio y seguir adelante. En la península italiana las habas se presentan, asimismo, cocinadas. La cocina italiana de las habas tiene como característica más típica la exuberancia de aroma; se trata en general de una cocina considerada muy perfumada. A los italianos les encanta perfumar sus platos con hierbas y fibras vegetales. Para personas habituadas a gustos más neutros y opacos, como nosotros, la proyección sobre la sustancia del plato de un decorativismo ornamental y palatal semejante es un poco difícil de comprender y difícil de degustar, al menos durante los momentos que siguen al primer encuentro. Después todo se arregla, porque como ya se sabe, la costumbre lo resuelve todo, cuando ha madurado suficientemente.

Creo que nadie puede negar que las habas son unas de las leguminosas más importantes del Mediterráneo. Se comen en todas las riberas de este mar, en Italia, en Grecia, en todas las áreas mahometanas, desde Turquía hasta Marruecos, y no digamos en las islas. El tipo insular del mar interior es un devorador de habas y en correspondencia, a esta leguminosa le gusta nuestro mar. En su tiempo, el peso específico del haba en la alimentación balear es muy importante. En el archipiélago de Mallorca se comen montones de habas, no solamente tiernas, sino las de hebra negra, y en todo el folclore de estas islas se alude a las habas profusamente, y a menudo de una manera crítica, por la monotonía que resulta de su insistente repetición en la mesa.

En todo caso, parece un hecho que debemos aceptar que el único pueblo que ha creado una cocina aceptable de esta leguminosa en el área de la devoración de las habas ha sido la tribu de la que formamos parte.

Al primer vistazo, las habas a la catalana parecen un plato muy local, capaz tan sólo de ser comprendido por paladares indígenas muy recalcitrantes y de un tipismo de difícil absorción para extraños. El aspecto del plato, tan directo, tan inmediato, contribuye seguramente a producir esta impresión. En nuestro país, donde el primer movimiento hacia las habas es siempre favorable, hay auténticos profesionales de este plato. Entre los extraños, el primer movimiento es de reserva, cuando no de retirada. No obstante, de vez en cuando sucede que la curiosidad triunfa de estos primeros contactos visuales, de modo que se prueban las habas. En alguno de estos casos, según he tenido ocasión de presenciar, se produce una fulminante inversión del gusto: lo que primero era perplejidad y recelo se convierte en una cálida adhesión que con el tiempo acaba cristalizando en un recuerdo culinario persistente y tenaz. Conozco hiperbóreos de todas las latitudes que son grandes admiradores de las habas a la catalana. Mi idea, modestamente expresada, es ésta: cuando una sensación palatal es susceptible de convertirse en un incentivo de la memoria, en recuerdo y, en definitiva, en añoranza, en nostalgia, es que el alimento que la ha generado, por local que sea, encaja perfectamente con la más vasta y general naturaleza humana. Las mujeres y los hombres no solemos tener mucha memoria. Todo se disuelve y pasa. Las formas de memoria más susceptibles de pervivir son las relacionadas con las sensaciones palatales y con el erotismo.

Si queremos presentar un plato de habas a la catalana, es decir, rehogadas con una determinada cantidad de productos del cerdo y un ramito de hierbas primaverales, las habas deben cumplir, a mi juicio, tres condiciones:

Primera: han de ser pequeñas, muy tiernas, es decir, cogidas y escogidas dentro del sistema de infanticidio sistemático. Una gran parte de la cocina de nuestro país está basada en este procedimiento, sobre todo la cocina de la carne, donde se trata de evitar que unos pastos muy ásperos envejezcan a los animales. Todo ha de ser tierno si se desea calidad, y la infancia es una garantía.

Segunda: las habas han de ser pequeñas, y por tanto más que un sabor de pastosidad opaca, deben ofrecer un puntito amargo.

Tercera: si han de ser ligeramente amargas –por tanto de secano– deben estar poco viajadas, quiero decir que tienen que haberse cogido, a ser posible, en el huerto inmediato y si no, como máximo, en el propio término municipal o en los aledaños.

Sé muy bien que estas condiciones son prácticamente inasequibles y que las habas que propongo forman parte de la esencia más remota, o sea de la nada total. De todos modos, sí es posible poner en práctica la sugerencia en los pequeños pueblos rurales o en las masías colocadas a los cuatro vientos, sobre una pequeña autarquía auténtica y real. Con todo, reconozco que es difícil lograr tales filigranas. Ahora bien, estas consideraciones heteróclitas forman parte de la naturaleza de un libro como éste, que aun siendo ciertamente muy rústico, aspira a proponer calidades.

Nuestros payeses son muy frugales, por lo general. La

dilapidación consciente y deliberada no va con ellos. En nuestro país, la cocina rural es en extremo primitiva, monótona y negligida. Como somos tan pobres, hemos de ser tacaños, por sistema, para no irnos a pique. Aún no conocemos los impresionantes raudales de sopa, las monumentales soperas que consumen los labriegos de los extensos llanos europeos, siempre aderezadas con leche y mantequilla. Nuestros payeses son pacientes con las habas, esperan que crezcan, hasta que son de hebra negra, y entonces, perdida ya toda amenidad, se las comen a base de esfuerzos mandibulares para vencer su pastosidad. Las habas pequeñas, frescas, tiernas, sabrosas y con un punto de amargo, serían una dilapidación, serían un requisito –por decirlo con la palabra exacta–, y los requisitos hunden las casas. Ésta es la sorprendente realidad.

Y si ahora entrásemos en detalle, veríamos que aludir a las habas pequeñas equivale a dar por supuesta una uniformidad. En este plato, la mezcla es fatal: mezclar tamaños de habas equivale a confundir las calidades. De la misma manera que en el ámbito monetario impera la ley formulada por Gresham, según la cual la moneda mala desplaza a la buena, en un plato de habas mezcladas, las grandes, duras y sosas, desplazan la calidad de las pequeñas, y del conjunto surge la desvalorización del plato.

Por otra parte, un plato de habas nunca ha de incurrir en exceso de grasa, un riesgo siempre presente, ya que el acompañamiento de la leguminosa es a base de tropiezos de cerdo. Estos productos se han de añadir sin olvidar la mesura si se quiere evitar la inundación de la grasa. La grasa sobrecarga el plato, y esta abundancia, en virtud del principio de que lo mejor es enemigo de lo bueno, destruye la calidad. La calidad del plato dependerá de lo frescas y tiernas que sean las habas, es decir, del gusto amargo que tenga esta leguminosa en su período infantil. Es este punto de amargor lo que hay que conservar por encima de todo. Es un asunto de equilibrio, de tacto, de evitar la caída en nocivos excesos de celo, vicio al que somos tan dados. Hay que mantener un punto de ajuste entre la grasa y las fibras vegetales primaverales, de manera que estas fibras puedan dar todo lo que llevan dentro, que es un matiz sutil de amargor, sorprendente y singular, evitando así que este sabor naufrague en un espacio grasiento, indigesto y pesado. Soy de la opinión, por tanto, de que en este asunto es preferible pecar de modestos y tender más a la pobreza que a la opulencia de la guarnición. Las habas tienen por sí mismas una personalidad genuina y original, y eso es lo fundamental. El acompañamiento, el sostén cárnico, nunca debe abolir el gusto de las habas, y todo lo que sea contradecir este aserto sólo demostrará la riqueza de la persona que ha hecho el plato, además de su mal gusto y salvajismo. Después de un largo invierno comiendo legumbres, la aparición a principios de primavera del sabor de las habas es una novedad que impresiona. Y ése es el sabor que hay que respetar.

Hay que cocinar las habas con un ramillete de perejil, tomillo, romero y mejorana. Es la sinfonía clásica para perfumar las habas. La mejorana da un aroma exquisito y es coetánea de la aparición de las habas. Ya lo dice el refrán: *pel març, el marduix treu el nas*. Sobre la calidad de las demás plantas creo que lo único que hay que decir es que en primavera es cuando su presencia es más perfumada y terrenal. Pero ojo: ese ramito debe ser muy discreto y obedecer a una ponderación incuestionable, con tal de evitar la caída en los excesos de la cocina demasiado perfumada, que anula en seguida el punto de amargor que han de tener las habas. Las flores de primavera desprenden un olor intenso y las violetas de Cuaresma llegan a marear. El ramillete, por tanto, ha de ser pequeño: de nada demasiado. Mi madre, que tenía el toque de las cosas y cocinaba de manera ejemplar, solía repetir unas palabras que yo creo fundamentales: «En la cocina, se ha de poner de todo... ¡Pero poco!». La afirmación es exacta.

Las habas deben cocinarse en una olla, sin echar ni una sola gota de agua. El agua ya la llevan las habas. Los productos de la guarnición se han de freír aparte y añadirles el sofrito natural: cebolla, un poco de ajo, etcétera. Luego hay que agregar acompañamiento y sofrito a la olla de las habas, tapar el recipiente y remover el contenido de tanto en tanto, por supuesto con el ramito de hierbas ya incluido, para que todo se mezcle como es debido.

LA COCINA DEL PESCADO

El medio marino produce seres vivos espantosos, de formas desorbitadas. Ante un pez vivo, acabado de pescar, o ante cualquier animal acuático recién muerto, se experimenta una sensación molesta, algo muy parecido a la repugnancia. En la costa, a diez kilómetros de la costa y no digamos a cien kilómetros del litoral, la sensación de extrañeza se incrementa, acentuándose en la gente una reserva visible, indudable, ante el pescado. El hecho explica por qué este alimento fue considerado durante siglos una cosa muy remota y equívoca, y desde el punto de vista higiénico, de la mayor inseguridad.

En la actualidad, la aceleración de los transportes y el uso de la sal y de los frigoríficos han descargado el primitivo juicio. Pero persiste en el mejor de los casos lo que podríamos denominar la reserva formal.

El mar engendra formas cósmicas y terribles; seres de aspecto desenfrenado; cabezas espantosas; ojos trágicos o insondablemente melancólicos; vientres y colas de formas extravagantes. Está claro que los hombres y las mujeres que poblamos la naturaleza somos tan monstruosos como el resto de los seres vivos, pero hemos acordado que el hecho no es cierto, porque nos encontramos dentro de una corriente cultural que inventó el canon humano, ya en la antigua Grecia, y todavía vivimos de ello. El líquido gelatinoso y mórbido que segregan los animales marinos, la flaccidez de su carne o la delicuescente manera como se diluyen sus prodigiosos colores oscuros, causan en el espectador una permanente sensación de inseguridad plástica y de plasticidad descarada, o dicho de otro modo: una especie de traición a la dureza de las cosas, a los cánones que llevamos, eróticamente, en el pensamiento, y a los cuales, por serlo, atribuimos una garantizada solidez. Todo el mundo vivo, el universo cósmico en general, es infinitamente grotesco –palabra que viene de *grotta*, *grottesco*–, viscoso, vidrioso, informe y tumultuoso. Contra la espontaneidad de la vida natural e informe, tendemos a creer que la vida humana –plácida, correcta, limitada, tolerante, civilizada–, es decir, la cultura, desarrolla sus adorables y amables resultados. En el curso de mi existencia, sin embargo, han ocurrido tantas monstruosidades en la historia de la humanidad, tantas enormidades, que de todo aquello que esperábamos, después de veinte siglos de redención, nada ha resultado demasiado plácido, correcto, limitado, tolerante y civilizado. Si alguna vez se ha alcanzado tal estado, ha sido esporádicamente y de manera incierta. Será tan ridículo como queráis, pero nos hemos tenido que confinar en la cocina. La naturaleza produce el lenguado, animal espantoso, chafado, aplastado por las presiones del agua marina; la cultura –es decir, la cocina– convierte los filetes de lenguado *meunière* en un artículo que permite pasar el rato agradablemente. En la vida humana, ocurren cosas de este tipo, y bien poca cosa más.

Este milagro es obra de la cocina. Hay que reconocer, eso sí, que el pescado trabajado por una cocción tradicional e inteligente sufre una transformación de aspecto estético-alimentaria verdaderamente admirable. La misma señora que al ver saltar una langosta, en la pescadería o en la cocina de su casa, sufre una leve pero desagradable conmoción, acaricia el crustáceo con una mirada brillante y tierna cuando lo encuentra sobre la mesa de su comedor o del restaurante. El distinguido contribuyente incapaz de evitar un respingo de disgusto ante la viscosidad y la gelatina de un congrio moribundo se dilatará de entusiasmo ante una fuente de congrio con guisantes. Los hombres y las mujeres adoran la metamorfosis, y uno de sus placeres más visibles consiste, probablemente, en metamorfosear las tensiones terribles de la naturaleza en formas de suavidad y de seguridad benigna. Éste es uno de los caminos propuestos al hombre por la cultura antigua, camino al que no se suele aludir demasiado, pero que no por eso deja de ser importantísimo.

Frente a lo inhóspito, lo despoblado en el sentido más amplio del término, frente al gran animal de la naturaleza, mantenerse bajo el techo protector de una cocina sustanciosa, adaptada a las necesidades de la persistencia, será siempre un sistema general de convivencia positivo.

En esta península, la cocina del pescado es muy variada, y si uno pretende hablar de ella, aunque sea de modo somero, hay que evitar las generalizaciones. El pescado que preparan y cocinan en el norte de la península, en el País Vasco y en Galicia es una cosa muy diferente del cucurucho de pescadito frito que se suele comer en Andalucía. Y ninguno de estos pescados tiene nada que ver, por otra parte, con la cocina del Mediterráneo oriental, en realidad muy diferente. Tengo una idea muy vaga de todo esto. He constatado que en el norte peninsular se come mucho y muy bien; en el sur se come poco; en levante se pueden encontrar a veces cosas excelentes. Hay que hablar de estas cosas, pero sin exclusivismos patrioteros. La cocina segrega, en algunas personas, patriotericina. Comer discretamente, actividad que en principio tendría que provocar conductas tolerantes y comprensivas, crea a menudo posiciones contundentes, oscuras e intolerantes. Da risa. El hecho es especialmente visible en aquellos países en que la gente cree que las cosas que la rodean son lo mejor del mundo, únicas, incomparables y magníficas. Discutir sobre ello sería de una superfluidad excesiva: en todas partes cuecen habas, y no se hable más. Quien se decidiese a escribir un libro sobre la cocina en la Península Ibérica daría con gran verosimilitud una idea de la variedad y la enorme complejidad del país.

Este libro no está destinado a este menester: nunca habría sido capaz de abordarlo, por desconocimiento total del panorama. Son unas líneas limitadas a la cocina de la parte del Mediterráneo donde vivo, por tratarse del asunto que conozco, el tema que pueden incluir mis modestas posibilidades.

Creo que nadie duda ya del origen remoto, esencialmente popular, de nuestra cocina. Ante las soluciones ancestrales, las generaciones sucesivas no han hecho más que añadir, completar, refinar y, a veces, falsificar y sofisticar las posiciones fundamentales. Lo que parecía encontrarse definitivamente resuelto, a menudo se ha desviado contrapunteándose con un principio que siempre habría que tener presente, en la cocina como en otros ámbitos de la vida: el principio formulado por Goethe según el cual la felicidad es la limitación. La cocina es la más arcaica de todas las artes. Se han consagrado a su elaboración personas de gran inteligencia y de agudeza incomparable. Si la política hubiese llegado a los momentos estelares a que llegó la cocina, otro gallo le hubiese cantado a la pobre y triste humanidad. De haber alcanzado la filosofía la agudeza que mostraron algunos cocineros de ambos sexos, no creo que el Dante hubiese podido escribir aquel terrible verso de la *Comedia*: «*Povera e nuda vai, filosofia!*». Estas razones demuestran que conviene hablar de la cocina con la parsimonia y la reflexión que su importancia exige.

La cocina es el arte de valorar los contrastes, de integrarlos, de fundirlos. Es un arte orfeónico, por decirlo en griego. Las integraciones sinfónicas culinarias no pueden conseguirse con elementos absolutamente aberrantes, sino con elementos diferentes pero capacitados para generar, con su fusión y composición, un elemento nuevo y de cualidades superiores al originario. En la cocina escandinava existe la tendencia a añadir mermeladas y confituras dulces a los platos de carne y pescado. Costará mucho que esta combinación sea aceptada en nuestro país. En cambio, nosotros tenemos la costumbre de poner ajo en todas partes, manía que molesta a los hiperbóreos. (De todos modos y para ser objetivos, ajo hay que poner poco, como ya veremos.) El arte de la integración se olvida constantemente, en la cocina del pescado, y de aquí provienen las extravagancias a que siempre estamos expuestos cuando rodamos por esos rincones del país.

Por otra parte, todos los pescados tienen su peculiar manera de ser, no sólo intrínsecamente, sino en la cocina. Los pescados forman un microcosmos vastísimo. Todos piden ser elaborados de la manera que puedan dar más rendimiento.

Me apresuro a decir que yo soy cada día más partidario de la cocina del pescado a la brasa. ¡Nunca a la plancha! Los crustáceos se han de cocinar como digo, sobre todo los más importantes, la langosta y el bogavante: hay que comerlos a la brasa, nunca hervidos, porque estos monstruos tan delicados no solamente conservan así todas sus posibilidades, sino que el tostado del caparazón desprende un aroma exquisito y –que me perdonen los románticos– embriagador. Y lo mismo podría decir de los pescados mediterráneos de más elevada calidad: la corvina, la lubina, la rascasa, el salmonete, el mero. Estas piezas presentan de por sí tales relevantes cualidades, que todo lo que se añada de más, salsas o condimentación, destruye lo que el pescado intrínsecamente puede ofrecer. Hechos a la brasa, estos pescados pueden rociarse con una vinagreta. El aceite tiene que ser el mejor que encuentren, sin acidez alguna. Vinagre, hay que echar el mínimo. Y limón, si el pescado es fresco... ¡Jamás! Nunca se ha de corromper la simplicidad del pescado con aditamentos extravagantes. Los pescados de menor calidad hay que guisarlos o freírlos. Yo soy partidario del pescado hervido, a pesar del ambiente de convalecencia que esta elaboración sugiere. Una gran cola de lubina cortezosa hervida con mantequilla y cuatro patatas es literalmente inolvidable. La merluza de arrastre, de grandes rodajas, también es sabrosa de esta manera. La merluza pequeña, que en Barcelona y en el Maresme llaman de palangre, no lo es tanto. Todo depende, en definitiva, de una tradición ancestral que sería positivo continuar, pues habiendo pasado por una dialéctica tan contrastada, su persistencia en el tiempo se ha demostrado de una vigencia inalterable.

El guisado más arcaico de esta cocina es la olla de pescado, plato popular de elaboración uniformada en todo el Mediterráneo. Es un plato muy conciso del que ya hablaremos en otro lugar. De la olla de pescado ha surgido como elemento sublimado la bullabesa provenzal, plato importante. De esta misma olla ha salido también, en nuestro país, la sopa de pescado, un plato sin rival cuando se ha confeccionado con sentido de la responsabilidad. Es un guiso rápido y sumario, pero de resultados considerables. Es el plato clásico de los pescadores del Mediterráneo, en mar y en tierra. Lo que demuestra la importancia de la fórmula es que quien la prueba siempre acaba exaltándola, o casi, incluso en los casos en que se utilizan pescados de calidad menos elevada.

Lo que llamamos el *suquet* de pescado, o pescado en salsa, es ya un guiso más complicado. En mi país, una gran parte de la cocina está basada en el sofrito de ajo, cebolla, tomate y perejil. (Señoras, por favor, no abusen del tomate, que el exceso de tomate lo estropea todo, incluso haciendo la trampa de espolvorear una pizca de azúcar para contrarrestar su exceso, cosa que no debe hacerse porque en la cocina ha de imperar la buena fe y no la alquimia complicada.) Cuando se logra integrar los elementos en una pasta homogénea –para obtener este conjunto sinfónico es menester una gran paciencia, algo que por desgracia se está acabando en las cocinas: saber hacer un sofrito no es fácil–, el sofrito está listo para añadirlo al guisado con el pescado, las cuatro patatas y el agua pertinente para que el plato quede con un caldo corto y concentrado, no líquido. Los grandes cocineros de Palafrugell pusieron piñones en los sofritos, elementos de una grasa muy apropiada para amalgamar los alimentos, propiedad que nunca debe rechazarse. El *suquet* es un plato más intencionado que la olla de pescado; en este sentido representa un progreso plausible con referencia a la fórmula arcaica.

Sobre la llamada zarzuela y sobre la parrillada, que no es sino una zarzuela en seco, yo me atrevería a pedirles cierta circunspección, si estuviese en mis manos. Es el gato por liebre sistematizado. Esta diabólica combinación de pescados de ínfima categoría en abundancia y de algunos, muy pocos, pescados apreciables, es un desorden crematístico, indocumentado. Ligar los elementos heterogéneos que forman parte de tales espectáculos es propio de países que no tienen, del pescado, la menor idea. No es una integración sinfónica, sino un cajón de sastre de elementos irreducibles, incapaz de producir una resultante dibujada y clara. Es un desorden contra natura.

Ahora que cada día hay menos pescadores, en la costa; ahora que gracias a los transportes podremos comer cada día pescado congelado hasta la médula, convendría velar por la cocina del pescado, respetar sus principios y tradiciones, atender la experiencia tan antigua que ronda por estas riberas.

CLASES DE PESCADO

Al hablar de los pájaros y cuando establecemos la clasificación general según los beneficios o las pérdidas que estos animales tan graciosos causan en la agricultura, de una cosa no hay duda: hay pájaros destructores de parásitos y que hacen mucho bien al campo; hay otros que en lugar de destruir los parásitos los aumentan, y finalmente hay pájaros que parecen mantener cierto equilibrio entre la conservación y la eliminación de los parásitos. Estos últimos son unos animalitos llenos de moderación y un poco remilgados en el comer.

Más difícil que clasificar los pájaros es componer una clasificación del pescado según sus cualidades gustativas, lo que en definitiva supone determinar su utilidad. Las cuestiones de gusto son difíciles y más aún en un sentido o en otro. Establecer este tipo de juicios es siempre algo excesivamente subjetivo. Hay muchas personas que, lo más seguro por falta de tiempo, presentan la característica de no haber pensado nunca, o muy poco, en estas cosas, y en cambio los hay que han pensado demasiado en ello y no llegan a ningún acuerdo con el vecino de al lado. Es obvio que los peces saben a pescado, pero éste es un gusto muy complejo y variado que presenta múltiples matices. No es nada fácil ponerse de acuerdo sobre estas constantes novedades. Convencido de ello, al tratar de fijar ahora una clasificación del pescado basándome en el criterio del gusto, tengo la seguridad de que recibiré muchos improperios. No hay más remedio que intentarlo.

El mejor pescado del litoral y del Mediterráneo es, según mi modesto entender, la corvina, un pez bastante desconocido y que no abunda mucho, pero muy apreciado por las personas que lo conocen. Los naturalistas lo llaman *Corvina nigra* y es un pez oblongo, más bien ancho, de un color azul tirando a negro, de carne cortezuda y muy blanca, que se pesca sobre todo hacia mayo o junio, cuando llegan las cerezas. En Menorca dicen: «Tiempo de cerezas, tiempo de corvina». Servida en la mesa, en la forma que sea –hervida, al horno o en su salsa–, la corvina no huele como acostumbra a oler el pescado, en especial el de poca calidad, sino que a duras penas tiene la característica gustativa típica de su género. La corvina es tan buena que ha perdido el sabor a pescado. A nadie se le oculta el gusto y el olor que el pescado imprime en el paladar. Mucha gente lo encuentra plausible, otros no tanto. Yo creo que, en este país, el número de personas a las cuales gusta realmente el pescado es minoritario, más bien escaso. Por eso pongo la corvina en lo alto de este espinoso intento de clasificación, pues me parece el pez de este mar que origina menos sensaciones de pescado.

Después de la corvina, yo daría el número dos a la lubina, o sea al lobo de mar, como es conocido en el sur de Francia, en Italia y en la costa norte de Cataluña. Lo clasificaría así por la misma razón apuntada al hablar de la corvina: porque tampoco tiene el sabor habitual del pescado, aunque comparado con la corvina tenga un poco más. La lubina es un pez, por lo menos, bastante curioso: un pez muy astuto y nada fácil de pescar. Es muy engañoso, pues los hay de muchas clases y hace quedar muy mal a los dueños de restaurantes. Algunas clases de lubina son pésimas, así la lubina hormiguera, que es como una pasta horrible, de carne blanda, fofa y con sabor a barro. En la lubina importa mucho el lugar donde ha sido capturada, así como la alimentación que ha tenido al alcance y las aguas donde ha vivido. La lubina de aguas frescas, ambiente de roca y alimentación abundante produce una carne prieta de gran calidad y admite cualquier comparación con los mejores pescados. Ya he comentado que se puede comer de cualquier manera: a la brasa, al horno, en su salsa o hervida. Hervida con cuatro patatas y una zanahoria es deliciosa. Esto que digo, cuando se empieza a tener años, es cuando se comprende mejor.

A la escorpina roja, que nosotros llamamos *rascassa*, y más al sur llaman *gallina*, quizá por su color, yo le daría el número tres de esta clasificación. Es un pez monstruoso, rojizo, tumultuoso y sin ningún tipo de suavidad. En el litoral de nuestro país existe una gran diversidad de escorpinas o pollas. Cuando son pequeñas están tan repletas de espinas que no se pueden llegar a comer; pero este pescado sí es bueno para hervirlo y hacer caldo con él: una sopa de pescado que será excelente si se le añade algún otro pescado más graso y con más carne para dar consistencia a la mezcla. Resulta curioso cómo esta familia de las escorpinas, peces más bien de poca calidad dotados de una cresta de mala picadura, haya llegado a producir una variedad tan fina, de pocas espinas y de una carne tan buena. Bajo el aspecto monstruoso y horrible de este pez, de un rojo tan intenso y caliente, se esconde uno de los especímenes más notables de nuestras aguas, aunque parezca que sólo sirve para ser pintado. Los pescadores y la gente de mi país guisan la escorpina con patatas y una salsa ligera, pero también se puede comer a la brasa, que es cuando la carne sabe mejor, más fuerte y consistente, de un atractivo más directo. Creo que no hay una presentación mejor y más atractiva de este pescado.

El número cuatro de mi lista por orden de calidad lo doy al mero, pez voluminoso, salvaje y solitario que acostumbra a frecuentar siempre los mismos escondrijos en roquedales abruptos. El mero tiene un color maravilloso: es de un negro dorado con manchas amarillentas. Es un animal fuerte y resistente, muy glotón y bien pertrechado para la defensa. Incluso enganchado a un anzuelo de palangre o de fondo, es difícil de sacar si se encueva. Si aprovecháis una cabeza de mero para hacer sopa de pescado el resultado será de primera magnitud. Aunque el mero no ofrezca la ligereza y la finura de la corvina, ni de la lubina, ni de la escorpina, su carne es recia y compacta, un poco más hecha y de más peso que la de los otros. Yo creo que los alimentos han de ser ligeros. Aquel refrán popular castellano que dice «de la mar el mero y de la tierra el carnero» lo estimo notoriamente desgraciado: no hay comparación posible entre el cordero y el buey o la ternera –que son las mejores carnes que se pueden encontrar–, y en cuanto al mero, aunque sea un gran pescado, no puede, sin embargo, considerarse el primero.

En Barcelona, al salmonete lo llaman *moll*, mientras que nosotros lo llamamos *roger:* nuestro nombre es mucho más bonito. Es un pez rojo y blanco de muy buen ver. Hace unos años escribí unas páginas tituladas *Cinc classes de rogers*, que figuran en mis Obras Completas. Pretendía hacer comprender que de salmonetes hay de muchos tipos, y algunos de ínfima categoría. De todas maneras, hay salmonetes muy buenos y por eso el nombre de este pescado debe figurar en la lista. El salmonete, como la lubina, nunca se ha de pescar en aguas sucias y mansas, ni turbias, ni siquiera en fondos de roquedal o de algas. Es un pescado de gran voracidad, acostumbrado a zamparse los desperdicios. Los mejores salmonetes son los que viven en aguas claras y vivas, con corrientes fuertes y en lugares de rocas y anfractuosidades submarinas. Los salmonetes que la pesca *a la vaca* arrastra del fondo son pequeños, pálidos y por lo general hormigueros, y valen poco, por no decir nada. Los salmonetes de cloaca y de detritos son espeluznantes. En cambio, el salmonete rojo, grande, valiente y lleno de vida, de magnífica textura, es una pura delicia hecho a la brasa, con un toque de una fina vinagreta elaborada con elementos plausibles. Salmonetes los hay buenos y malos. La cuestión es saber escoger, y esto es algo que sólo puede resolverse en las lonjas de pescado. Con lo que llegamos al definitivo problema de la cocina: saber comprar los alimentos.

El mar de los lenguados es, por excelencia, el Atlántico. El lenguado de aquel mar es soberbio, grande, tiene un volumen considerable y el problema de sus espinas es de fácil solución. Los mejores lenguados de las costas del norte de Francia se comen en París. A veces me viene a la memoria el restaurante Prunier. ¡Válgame Dios! Los lenguados del Mediterráneo son mucho más pequeños, mucho más delgados. La platija, pescado plano y de fondo, que no es malo, a veces se hace pasar por lenguado. El lenguado pequeño tiene, a menudo, muy buen gusto y queda bien. El mejor lenguado es el frito. La cocina que desarrollamos nosotros con estos pescados es muy escasa y no se puede comparar, de ninguna manera, con la cocina que con estos elementos hacen en Normandía, en Bretaña o en París.

Teniendo en cuenta lo que acabo de decir, yo pondría el lenguado en esta lista porque, objetivamente hablando, se lo merece. Pero como entre gustos no hay nada escrito, que cada cual opine a su antojo.

Las seis variedades de pescado que he citado forman, en mi humilde opinión, el núcleo principal que desde el punto de vista del gusto produce este mar. Refuerza mi punto de vista el hecho de que todos estos pescados se pueden comer con gran provecho de la manera más simple y sin complicaciones: a la brasa. Son pescados que no pierden la calidad al prepararlos en la pura simplicidad de la parrilla. A lo mejor por eso tienen tanta importancia.

Podríamos citar además una serie de pescados, como la dorada, el pagel, el sardo o el dentón, que se encuentran en la frontera entre las bondades y los defectos. Generalmente domina mucho el sabor a pescado o se les nota demasiado el gusto de lo que han comido. El dentón y la boga son buenos pescados, aunque un poco amojamados. No hay más remedio que amenizarlos con el sofrito que puede llegar a hacerlos más amables: es decir, se suelen guisar utilizando algún que otro elemento de relativa calidad, maniobra cuando menos incierta. De todas maneras, no lo duden: la cocina mejor es siempre la más elemental y sencilla. Tomando por base este principio, veremos que los pescados más apropiados son los de mayor calidad. En la clasificación que hemos hecho todos los pescados de la lista resisten la prueba estricta de la simplicidad.

Hay pescados que se mantienen siempre iguales, o con variantes no excesivas, y otros cuyo acceso está limitado en el tiempo. Las sardinas a la brasa son incomparables en primavera, después no valen nada; el congrio con guisantes es un pescado para la temporada de los guisantes frescos y después desaparece; otras especies de pescado azul son ilimitadas, pero valen poco; el rape, un pescado de invierno que fue muy apreciado en el *suquet* de las barcas del bou, ahora se come todo el año: no tiene demasiado aliciente, por no decir ninguno, y es de una indeterminación muy acusada. Todos estos pescados contribuyen a entretener el paso del año, algunas veces de manera excelsa, otras no tanto.

En ningún caso me atrevería a considerar la lista que he dado como indiscutible y definitiva. Se trata de los resultados de la experiencia de un hombre que ha llegado a los setenta y tres años y que trata de mantener su objetividad; si es que la objetividad es de este mundo, se entiende.

LAS SOPAS DE PESCADO

La cocina del pescado presenta en nuestro país unas características diferenciadas, aunque sería difícil negar que proviene de la antiquísima cocina del Mediterráneo. El crédito de esta antigüedad es ilimitado. Si algún día llegáis a algún pequeño pueblo de pescadores de este mar, ya sea del litoral de la península italiana como de las costas yugoslavas, de las islas griegas o del fondo del saco de esta área geográfica, o seguís el trazado del litoral peninsular, os haréis cargo de que toda la cocina del pescado en estas tierras, y no digamos las sopas de pescado, proceden de la olla de pescadores, que es un guiso rápido de una simplicidad admirable.

Hay que disponer primero de una olla de barro con tapadera. El fondo de la olla se cubre con una capa de aceite de oliva y se echan las correspondientes rodajas de pescado, una cabeza de ajos, uno o dos tomates, un par de patatas y la sal pertinente. Se le puede añadir un ramito de hierbas, pero no es indispensable, ni mucho menos, aunque el perejil nunca hace ningún daño. En Italia el ramillete suele ser perfumado, porque la cocina italiana tiende a aromatizarlo todo. En la olla de pescado se echa todo en frío. Luego la olla se somete a un violento golpe de fuego, y el conjunto se cuece con gran facilidad y rapidez, sobre todo si se ha tenido el buen juicio de tapar la olla. En un cuarto de hora o veinte minutos, después de romper a hervir, el guisado está hecho. Como en los tiempos de Homero, este *suquet* esquemático y primario se puede comer en todo el mar antiguo, tanto si es cristiano como eslavo o mahometano.

La olla de pescado produce un caldo excelente, como es natural. De hecho la combinación del aceite de oliva con la grasa que sueltan el pescado y el agua que se suele añadir ha sido considerada, en todo momento, como un elemento favorable no sólo al paladar sino también a la salud humana. Este caldo corto y sólido tiene tanta importancia como el pescado mismo cuando se trata de perfeccionar el antiquísimo y sumario guiso del mar.

Algunos pueblos, como Grecia –concretamente la Grecia de las tabernas, donde se come mucho mejor que en los hoteles–, han considerado que el plato no se tenía que modificar y lo han dejado tal cual era en sus orígenes. Pero en la Provenza, donde se han hecho grandes aportaciones a la gran cocina francesa, creyeron que convenía aumentar el caldo sin separarlo de los elementos sólidos del plato. Y de esta ocurrencia nació la bullabesa. No hace muchos meses, en un restaurante sito en una pequeña cala llamada de los catalanes, muy próxima a Marsella, probé una bullabesa indescriptiblemente buena, mucho mejor que las que hacían años atrás en los restaurantes del Bell Port. Cosa fina, sustanciosa y perfecta. Acompañada de Chablis, un vino del norte de Borgoña, blanco seco y frío, la bullabesa resultó magnífica. En Francia, y sobre todo en la Provenza, dieron a este plato una dilatada vigencia, lo explotaron y lo industrializaron, matizando a menudo su sabor con unas gotas de absenta, que en mi modesta opinión tiene un sentido de escasa plausibilidad. A veces la absenta domina demasiado. Yo nunca he sido partidario de cargar de alcohol, el que sea, la alimentación que llamamos fina. En la cocina se puede poner de todo..., pero poco, como decía la señora María, que en paz descanse. Cuando menos, la bullabesa es una de las grandes atracciones culturales de Francia. Quien no haya presenciado las colas turísticas que en época estival se forman para entrar en los restaurantes del puerto viejo de Marsella, colas que suelen ser más largas que las de los estrenos cinematográficos, no puede hacerse una idea de lo popular que puede llegar a ser un plato guisado. La bullabesa es un plato sólido y líquido a la vez, de elevada vistosidad decorativa, formado principalmente por pescados roqueros de colores, crustáceos como la langosta, rodajas de otros pescados y unas tostaditas empapadas en el jugo que son excelentes. El subrayado que hacen de Pernod legal sirve, sin duda, para dar vigor a la clientela. Es un añadido que para mi gusto carece de sentido. La olla de pescado clásica, incluso la perfeccionada por los provenzales, es un plato lleno de vida, sencillo y de toda inocuidad, que ni produce taquicardia ni contribuye a la formación de colesterina en el sistema circulatorio humano. (La colesterina es en la actualidad un pretexto de conversación constante, luego debe de ser muy importante.) En cambio, la adición de sustancias extrañas al plato, como alcoholes infectos, tiende a convertirlo en una comida explosiva enemiga de las digestiones plácidas, del sueño dulce y reparador y del ir tirando, que es una de las pocas cosas que se pueden hacer en esta vida.

Lo dicho no significa que estando en el litoral de la Provenza no sea posible encontrar algún establecimiento donde se traten estos asuntos con la necesaria circunspección. En Martiges, sobre el canal de Martiges, patria de monsieur Charles Maurres, había hace años unos restaurantes donde se ofrecía la bullabesa en forma gustosa, razonable y tradicional. Hago referencia a estos restaurantes con pocas esperanzas. Hoy Martiges es un pueblo muy grande y agitado, lleno de italianos debido al establecimiento de una inmensa refinería de petróleo de la Shell en el lago del Berre, la Shell-Berre. En realidad no me atrevería a arriesgar ningún pronóstico, incluso habiendo constatado tantas veces la disminución del tono y de la calidad culinaria, en Francia como en todas partes.

En otros países, como el nuestro, partiendo como siempre de la olla de pescado arcaica se ha tendido a separar el caldo de los elementos sólidos de la combinación, y con él se ha creado un plato aparte: la sopa de pescado, una sopa que ha sido muy apreciada y goza de gran prestigio, en general, y especialmente en los domicilios particulares. En los locales públicos de alimentación los resultados de la sopa de pescado son discutibles. El plato suele ser infecto, y esto por dos razones: primero, porque se ignora el concepto de la sopa de pescado; después, porque las sopas que se sirven están generalmente crudas, es decir, que no han estado al fuego el tiempo indispensable para hacerlas y redondearlas. Son dos aberraciones de capital importancia.

En este litoral del levante peninsular ha aparecido en los últimos años, a imitación de la bullabesa, un plato sólido y líquido conocido por el horrible nombre de zarzuela, denominación que le fue dada probablemente atendiendo al abigarramiento colorístico y decorativo –o sea teatral– de la cosa provenzal. Confieso que nunca he tenido suerte con estas zarzuelas. La esencia del plato consiste en una mezcla de pescados de ínfima calidad con algún que otro pescado bueno, en proporción de seis a uno. Creer que los pescados pueden mezclarse de tal modo sólo puede habérsele ocurrido a una persona dominada por delirios cremáticos en un país donde la gente no tiene ni idea del pescado. El plato que sirvió de inspiración para crear la zarzuela, la bullabesa, está construido con un criterio muy ponderado de las mezclas de pescado, según el cual si hay que hacer alguna mezcla, es forzoso que sea con pescados de la misma categoría. En general, los platos de pescado deben ser monográficos, es decir, han de contener un solo pescado; pero si hay mezcolanza, que sea con pescados de igual categoría. En el plato provenzal, por tanto, la mezcla de los escorpines y de la escórpora más noble, la rascasa, con los crustáceos de más calidad, el bogavante, la langosta y la cigala, está muy bien dosificada y puesta en razón. Sin embargo, en la zarzuela tiene lugar una mezcla desproporcionada de pescados de ínfima categoría con unos pocos pescados buenos que la convierte en un plato desprovisto de amenidad, generalmente amargo, horrible. Es justo el plato ideal para servir a personas que no tienen ni idea de pescado. Últimamente se ha puesto de moda en este país la llamada parrillada, que obedece a idéntica idea que la zarzuela pero sin caldo, a la brasa, en seco. De nuevo una mezcla de pescados hórridos y de pescados buenos. Gato por liebre. Se le puede aplicar lo mismo que decíamos de la zarzuela. No comáis estos platos, por favor. Absteneos de semejantes mezcolanzas. ¡O acabaréis teniendo una opinión injusta y desagradable del pescado!

Así pues, como iba diciendo, en este país se ha tendido a separar, en la olla de pescado, los elementos sólidos del caldo de la olla misma. El caldo se ha puesto a un lado y de las rodajas de pescado, pasadas por un colador, se ha obtenido una masa determinada de carne de pescado. Estos dos elementos, integrados, constituyen la sopa de pescado si se cumple además otra condición: la de que toda buena sopa de pescado ha de contener cierta cantidad de pan deshecho, desmenuzado. El pan es el común denominador indispensable de toda sopa de pescado legítima. Sobre esta base de pan, la masa del pescado colado y el caldo dan el sabor y el aroma de la sopa de pescado. La sopa de pescado no es un líquido donde flotan unos trozos de pescado. No. Esto no es nada, o es algo infecto. El de la sopa de pescado es un caldo corto, sólido y concentrado, en el cual, sobre un fondo de pan hecho migas, podemos hallar el sabor y el aroma intenso del pescado. Hecho así, este plato no tiene rival.

Ahora surge la pregunta básica: ¿con qué pescado se ha de hacer esta sopa? Las mejores sopas de pescado se hacen con cabeza de mero; estas cabezas tienen mucha sustancia y su perfume es exquisito e intenso. Ahora bien, como cabezas de mero hay muy pocas, dejaremos estas sopas en la pura ilusión del espíritu. Al margen de lo que acabamos de decir, la experiencia nos lleva a creer que no son los pescados reputados como los mejores los que hacen las mejores sopas. No. Hay pescados adecuados para las sopas que ni siquiera se pueden comer por la gran cantidad de espinas que contienen: las escorpinas inferiores, raños, cabrillas, arañas..., peces poco apreciados que producen maravillosas sopas de pescado. Y no digamos los rubios o *julioles*, llamados con nombres distintos según la zona del litoral. Los rubios, y en general todos estos pescados, han de contener la mayor cantidad posible de grasa y viscosidad para producir estas sopas. Es esta grasa marina lo que constituye la cima, la auténtica sustancia de la sopa de pescado. Y a ella se debe el aroma inconfundible que han de tener estas sopas. Es cierto: todo lo que decimos implica un suplemento de trabajo para las amas de casa, porque el pescado se debe pasar por el colador y se le han de quitar todas las espinas posibles. En las sopas de pescado no debe encontrarse ni una espina. Por otra parte, las sopas no se han de hacer con prisa: tienen de cocerse al máximo durante el tiempo adecuado a cada plato. Y por supuesto, todo esto da trabajo. Pero una de las actividades más entretenidas para un ama de casa es quitar espinas, no solamente las del pescado, sino también las del resto de las cosas.

La sopa de pescado, tal como la acabamos de explicar, es además muy barata. Nunca hay que poner en la olla pescados caros, sólo los adecuados. Actuando de esta manera se obedece uno de los ideales más generalizados de nuestro país: el del ahorro. La gente se complace en el ahorro. Lo que comen quieren que sea bueno, pero barato. Es axiomático.

Por lo tanto, este país ha separado primero, de la vieja olla de pescado del Mediterráneo, los elementos que la componen: el caldo y el pescado; y los a vuelto a integrar en la sopa de que hablamos con el denominador común del pan. La gente se inclina a efectuar ciertas mixturas –suele gustar, por ejemplo, el arroz de pescado y pollo–, pero partiendo de elementos coherentes y ligados. Ahora bien, las mezclas de manicomio, el pescado bueno y el pescado malo, lo líquido y lo sólido en el mismo plato, no son, generalmente, de su gusto. La bullabesa se acepta porque la combinación basada en pescados de gran categoría es excepcional. Todo esto es inseparable de las costumbres antiguas y tradicionales.

La sopa de pescado responde a la tradición de este país y señala tendencias arcaicas. Es un plato de aprovechamiento y a la vez es un alimento integrado. A mi juicio debe observar una característica permanente: no ser fuerte, que no significa que no sea concentrado. La sopa tiene que ser ligera, sustanciosa y sabrosa, y rechazar cualquier elemento de sofisticación. En otras palabras: ha de ser una sopa exactamente de pescado, inocua, ingenua y saludable. El pescado, si se le roba su auténtico sabor, involucrado en su puerilidad alimentaria, se convierte en un alimento hostil para la salud humana. El pescado no ha de ser un explosivo, sino un elemento de ponderación, de equilibrio y de calma. Ha de producir, además, platos gustosos, que es la única manera de sacar a estos alimentos la cosa floja que tienen, esa vinculación a estados de convalecencia irreparable. Al menos esto es lo que yo creo y lo que cree la gente de un país de una vieja cultura culinaria.

SARDINAS A LA BRASA

En la vida todo tiene su momento, su punto dulce, su oportunidad; su trágica o fascinadora oportunidad.

Las personas aficionadas a la cocina del pescado saben perfectamente que la sardina es el mejor pez comestible de todos cuantos vagan por las aguas amargas, siempre que se cumplan dos condiciones: debe llegar a la mesa en sazón y no hay que abusar al comerlas. La sardina no es plato para cada día, ni siquiera cuando se encuentra en el momento de su máxima comestibilidad. Fatiga, cansa y, si es devorada con glotonería –estilo de ingestión todavía visible en este país–, hace las veces de escopeta cuyo tiro sale por la culata. No podemos abusar de este pescado si no queremos llegar a resultados extravagantes.

He sido partidario desde siempre de la cocina sencilla, limpia y clara, buena pero saludable, por lo que me permitiría darles un pequeño consejo: no coman, en nuestra tierra, sardinas frescas antes de la segunda quincena de abril. Cuando este pescado pasa por nuestras costas entra en un proceso de maduración que coincide con la fecha que acabamos de dar. Tampoco tomen esta fecha en un sentido preciso y matemático: la vida no tiene nada que ver con las matemáticas. Cuatro o cinco días antes, cuatro o cinco días después, ésta es la realidad. Hay una sardina parasitaria que no se mueve de los lugares donde vive –generalmente en golfos– y una sardina que va de paso. Esta última es la que importa. La otra vale muy poco, es seca y desabrida, amarga y escuchimizada, durante todo el año. Su poderoso espinazo es más aparatoso que su sustancia comestible. La sardina es excelente sólo cuando pasa ocasionalmente.

Llega un momento en que la superficie de las aguas del mar se calienta y con la temperatura aumenta la alimentación, el plancton, y entonces las sardinas empiezan a engordar. Este aumento del peso de su contextura se observa, en nuestro litoral, a partir de la segunda quincena de abril. Hacia mayo alcanza su nivel culminante. La sardina es entonces grande, gorda y cremosa, de carne dura pero suave: es la ocasión de abordarla con decisión y vehemencia.

La sardina se ha de comer a la brasa. ¡Hagan el favor, no la coman nunca a la plancha! Jamás. Y a poder ser, la parrilla se colocará sobre brasas vegetales. Yo sé muy bien que todo esto ha pasado a la historia. ¡Lo sé por experiencia! No obstante, éste no es un libro de tonterías hiperbólicas y propagandísticas. Es un libro que pretende dejar constancia de calidades ciertamente pequeñas, pero reales; aunque no tengan más vida que la mental. Esta clase de escritos no pueden aspirar a otra finalidad que avivar las posibilidades mentales, algo siempre difícil de conseguir.

Así pues, las sardinas pasadas por las brasas y llevadas a la mesa, se han de rociar con aceite de oliva –el mejor aceite de oliva posible– y una punta, un pensamiento, de vinagre. El vinagre siempre poco acusado: si no queremos destruir el gusto de las cosas, nunca hay que abusar del vinagre. ¡Nunca! Es en este preciso momento cuando las sardinas llegan al máximo aliciente, transformándose en un alimento prodigioso, comestible, fascinante, el mejor pescado de las aguas del mar en ese instante. Los pescados tienen sus momentos, sus temporadas. Nunca son iguales.

En efecto, llegados a ese punto, un pescado fabulosamente gregario y de presencia tan anodina y monótona, tan vulgar, como la sardina, resiste todas las comparaciones y bate satisfactoriamente –siempre a mi gusto– a todos cuantos se le ponen en contraste. Supera no solamente a todas las especies de su clase –todas las clases de pescado azul como la caballa, el jurel, el estornino, los boquerones, etc., resultan insignificantes a su lado; incluso la caballa, en francés *maquereau*, y eso que en su tiempo y sobre todo con ajo y perejil, es un pescado perfectamente oportuno–, sino que excede en bondad a pescados de mucha más categoría, incluyendo serránidos como el mero. Para mi gusto se encuentra muy por encima de todos los crustáceos, a pesar del prestigio que estos animales tienen entre las personas que los comen poco o nunca. Bate a la lubina, excelente cuando es cortezosa, a la rascasa, al lenguado y creo que a veces bate incluso a la corvina, que es el mejor pescado de este mar. Y no digamos a los pescados de aguas superficiales, como el salmonete, el sargo, la dorada, el pagel, el dentón y la chopa. En mi país hay admiradores recalcitrantes del congrio con guisantes, y la afición de estos señores parece hacer sombra a las sardinas a la brasa del mes de mayo. Yo respeto el congrio con guisantes, como es natural, pero me parece que están ligeramente equivocados, y ahora utilizo el «ligeramente» en el sentido que la gente del país da a la palabra, que es un sentido de cortesía y de conversación afable; aunque es casi seguro que están simplemente equivocados.

Pero eso sí, fascinados por la calidad de las sardinas a la brasa, no pierdan nunca los estribos. No las coman cada día, no las frecuenten en demasía, tómenselo con un poco de calma. Procuren alternarlas, déjenlas respirar entre parrilladas, que si no acabarán por cansarse de ellas y las aborrecerán por exceso de felicidad. Ya lo decían los antiguos: «De nada, demasiado». La vieja frase griega, aplicada a la cocina y a todas las cosas de la vida, proyecta sabiduría, prudencia, equilibrio y ecuanimidad. Es un buen programa para vivir como Dios manda y la salud exige. Os lo dice un pobre hombre que, bien mirado, no ha hecho demasiado caso del aviso.

La sardina es un pez de paso, viajero, pero viajero en masa. En relación con el área en que vivimos, la sardina entra en el Mediterráneo por el estrecho de Gibraltar, generalmente *amolada*, como dicen los pescadores de mi tierra, o sea en mole, en bancos que llegan a ser muy voluminosos. Los naturalistas afirman que una vez en las aguas del mar interior, una parte de estos bancos sigue el perfil del litoral del norte de África y otra parte baraja las costas del levante peninsular. Esta emigración sigue también el trazado de la costa; se inicia a últimos de invierno y dura hasta el fin del verano, el tiempo que tarda este pez en alcanzar las aguas del golfo de Génova. La llegada a estos parajes coincide con el inicio del enfriamiento en el declinar del año, y esto hace que la sardina retroceda. Vuelve a recorrer entonces el borde de estos litorales hasta Gibraltar y el mar de Nelson, donde encuentra, ya en pleno otoño, aguas más calientes. Se trata por tanto de una emigración de ida y vuelta que ha de llevar a cabo todo pescado azul. Éste parece ser, según los observadores de la naturaleza, el ciclo anual de emigración de la sardina.

Ahora bien, la creencia que tenían antiguamente los pescadores, según la cual la sardina es un pez exclusivamente viajero, que viene, se va y vuelve a aparecer, se ha corregido mucho en los últimos años con la comprobación incuestionable de la existencia en nuestro litoral –sobre todo en las ensenadas ricas en plancton, acarreado principalmente por las corrientes de agua dulce que allí desaguan– de pequeños majales de sardina sedentaria, digamos que establecida en el país. El golfo de Rosas es uno de estos cobijos, sin duda porque en él desembocan muchas aguas dulces como el Ter viejo, el Fluvià, la Muga, la Mugueta y los pantanos de Castelló d'Empúries, ricos en alimentación para el pez. El golfo de Rosas es un auténtico vivero. Estos majales sedentarios nunca son tan voluminosos como los viajeros, pues está demostrado que si en invierno se pescan sardinas siempre son menos que las que se pescan en verano. Antes hacían este trabajo con barcas de sardinales. Yo aún he tenido ocasión de verlas a montones en el Estartit, la Escala y Collioure. Con la caída de la tarde el mar se llenaba de velas que solían pescar de prima, es decir, a las primeras horas de la noche. Eran unas barcas insignificantes comparadas con las actuales traineras, pero causaban una impresión de amenidad visual inolvidable.

Se ha formulado la hipótesis que sostiene que la sardina

sedentaria realiza en invierno un movimiento vertical hacia el fondo del mar, para reaparecer, en determinados momentos, en las aguas más someras de la superficie. No parece ni mucho menos absurda. Sea como fuere, hay dos clases de sardinas: la nómada y la sedentaria. Estas dos variedades han motivado la discusión entre los aficionados a este pescado sobre si es más gustosa la sardina naturalizada o la trashumante. Después de haber escuchado, en la Escala casi siempre –población donde he vivido largas temporadas de mi existencia–, los argumentos que se suelen dar a favor de una posición y de la otra, me he convencido de que la discusión es mera verbosidad de café, crepuscular e invernal. De lo que no cabe duda es de que las sardinas de primavera y verano son infinitamente superiores a las de invierno y que estas calidades se manifiestan tanto en las sardinas ambulantes como en las fijas. Es imposible discriminarlas en algún sentido, nos haría falta distinguir las sardinas con un carnet de identidad. Las sardinas de invierno tienen ciertamente su precio, pero esto es porque a la gente del país le gusta este pescado y lo comería en cualquier circunstancia. Da lo mismo. Las sardinas de invierno son secas, esmirriadas y amargas; no valen nada.

Si la naturaleza fuese un paisaje clemente y plácido, tengo la impresión de que las sardinas de paso viajarían lentamente, gozando del sol, de la tibieza de las aguas y de la pura delicia de las brisas marinas. Las grandes moles de sardinas pasan por la superficie de las aguas, yo las he visto varias veces en muchos lugares y sobre todo fuera del cabo de Creus, con el golfo de León despejado y abierto de par en par. Disfrutarían de las corrientes de agua fresca y viva de las puntas y de los cabos y del caliente sosiego de los engolfamientos, gregarias y arracimadas en una bacanal de viscosidad y grasa. Pero las sardinas forman parte del sistema universal del parasitismo y se han de defender, si bien precariamente, de los delfines y de las bandadas de gaviotas, que son sus principales enemigos. Una concentración de pájaros de esta clase –todas las crueles especies de gaviotas– en un punto determinado del mar, señala en esa estación la presencia de un banco de sardinas y naturalmente de una tropa más o menos nutrida de delfines. A veces el ataque se produce por sorpresa y los delfines se las zampan a boca llena, insaciablemente, con una glotonería que impresiona, mientras los pájaros las hacen saltar del agua a picotazos, aleteando furiosamente en medio de un chapoteo frenético, las ensartan por el vientre y se las tragan hasta que no pueden más. La lucha deja sobre la superficie del mar un espectáculo de vísceras sanguinolentas. Las sardinas no pueden esquivar estos peligros más que mediante la huida, generalmente descendiendo hasta profundidades más propicias –relativamente más propicias, puesto que los delfines gozan de un prodigioso vigor juvenil– y dispersándose con notorio apremio. Y estas trágicas escenas son la causa del paso acelerado de las sardinas, lo que no les permite gozar de la vida con tranquilidad. Cuando los pescadores no encuentran peces por la noche, habiendo visto a las cinco de la tarde numerosos indicios de majales, es que hay delfines de por medio y han pasado los pájaros.

Quieras que no, el acto en sí mismo es poco edificante, es origen de melancólicas meditaciones y suscita vocaciones a la misantropía.

Las sardinas han de ser muy frescas: axioma importantísimo. Se han de comer, creo en mi modestia, a la brasa, y si es posible sin haber sido tocadas por la sal, y muy poco, poquísimo, por el hielo. La sal crea una sardina salobre que sólo se puede comer si no hay más remedio. El hielo las estropea. Pueden servirse de muchas otras maneras: fritas, empanadas, en un rápido *suquet*. Esta última manera es muy importante en la orilla del mar; un *suquetot* de sardinas recién pescadas, de madrugada, es una maravilla. El resto de formas son más de tierra adentro. Pero la fórmula clásica de comer sardinas, insuperable y decisiva, es a la brasa –¡nunca a la plancha!– con una ligera vinagreta de buen aceite de oliva y cuatro gotas de vinagre vínico, no químico. Así preparada, y por mayo, la sardina es el mejor pescado del mar, superior a todos los pescados conocidos en esta fabulosa época del año; siempre con las reservas del apotegma griego ya citado.

CONGRIO CON GUISANTES

El congrio es un pez de aspecto horrible, viscoso y serpentino, una auténtica serpiente de mar, pero sin malicia; su color alterna lo vagamente blancuzco con lo vagamente negruzco; es un pez que da la impresión de estar en formación, blando y fangoso. Según el tamaño pueden establecerse dos clases de congrios: el que los pescadores de estas costas llaman el *congret*, que es el congrio pequeño, que a la postre no vale nada por la cantidad de espinas que tiene, y el congrio grande, de apreciables rodajas, que presenta tres cuartas partes de carne blanca y apreciable, bastante compacta, y la parte de la cola muy espinosa y difícil de comer. El congrio se puede pescar todo el año, pero es en primavera cuando los ejemplares de cierto diámetro llegan a su máxima calidad. Los pescadores los atrapan con redes de langostas en notorias profundidades. El congrio así obtenido es un animal de fondo marino y aparece atravesado por toda la vida viscosa, terrible y melindrosa, curvilínea, de las profundidades del mar.

Por sí sola la carne del congrio no tiene nada de particular, pero adquiere una gran importancia tan pronto como se presenta con alguna guarnición. Lo que le hace una compañía más positiva y justa son los guisantes del litoral. Los guisantes, las habas y los congrios de gran rodaja son coetáneos. La combinación del congrio con guisantes es muy acertada. Los guisantes mejoran el congrio, lo que demuestra la fuerza de adaptación de esta leguminosa. Proyectando esta comparación al terreno musical, podríamos decir que el congrio con guisantes es una línea melódica de Mozart con acompañamiento de flauta. Son dos elementos hechos el uno para el otro que en primavera ligan, como decimos en mi tierra, *com tap i carbassa*. Y si queréis formular lo mismo con cierta pedantería cultural, podéis decir que el congrio y los guisantes constituyen un caso de armonía preestablecida en el terreno gastronómico, que es el ámbito donde la teoría de Leibniz se concreta con mayor visibilidad.

La diferencia entre el congrio pequeño y el congrio grande es absolutamente decisiva. El primero, pescado de cueva, se pesca durante todo el año en las anfractuosidades del litoral rocoso inmediato. Este pequeño congrio, lleno de espinas, sobre todo del lado de la cola, es notoriamente inferior. Está tan lleno de espinas que no puede servirse en la mesa si la gente sentada a su alrededor aspira a cierta amenidad. Su parte superior se utiliza en la costa para completar el arroz familiar dominical. No hace ningún mal papel: el congrio da un arroz aguanoso *mollericós,* como dicen en Mallorca, cosa que no suele desagradar. Es otro ejemplo de lo que decíamos hace un momento, o sea de que el congrio debe presentarse siempre acompañado.

El congrio de gran diámetro es un animal de honduras. Es un pez que sube y baja y serpentea por las laderas de los montes submarinos, donde convive con la langosta y los bogavantes. Esta convivencia ha de ser entendida en un sentido estricto, pues las langostas y los congrios comparten el mismo ambiente hasta el extremo de que son atrapados juntos con los mismos aparejos de pesca. Se pescan, en efecto, con las redes langosteras, especialmente con las de medida más grande, que se sueltan y se calan en lugares específicos de gargantas y barrancos submarinos, señalados con triangulaciones empíricas, pero muy aproximadas con accidentes de la costa que los pescadores de tradición conocen por experiencia familiar, a menudo multisecular. Cuando se abre la veda de la langosta, suele ocurrir que en las mallas de juncos que se utilizan para pescar crustáceos penetren congrios considerables, atraídos sin duda por el cebo que contienen las redes. Este hecho tiene lugar sobre todo a principios de primavera y supone una admirable coincidencia con la aparición de los guisantes en los huertos resguardados. Más tarde y a medida que va entrando el buen tiempo, los congrios escasean cada día más, hasta que llegado el verano desaparecen casi por completo. El paralelismo con los guisantes es realmente extraordinario: si antes aludí a Leibniz y a su teoría de las armonías preestablecidas es porque el ejemplo es atinado y muy eficaz.

El congrio de gran rodaja presenta también un complejo de espinas muy espeso en su parte inferior, o de la cola: es realmente poco aconsejable. Pero este *Conger vulgaris* según su nombre científico –o sea este congrio blancuzco y fangoso, animal largo, casi cilíndrico, de color gris pálido con manchas oscuras– ofrece la ventaja de que la superficie de aprovechamiento alimenticio, cuando se llega a la rodaja, es considerable. Hay un detalle que sirve para distinguir esta clase de congrio del de estrecho cilindraje: ambos exhiben una piel sin escamas, pero difieren de color. Si el uno es de una uniforme palidez de barro, el otro es de un negro azulado, y por eso este pez conocido por los pescadores como «congrio de alga» es denominado por los científicos *Conger niger*. Aún existe una variedad más pequeña de congrio: es la variedad mallorquina y con más exactitud baleárica del *Conger balearicus*, llamado en el litoral valenciano congrio rojo, y congrio dulce o de azúcar, popularmente, en el archipiélago balear. Esta indicación de dulzor que su nombre subraya –calificativo que a mi entender puede generalizarse, con mayor o menor intensidad, a todas sus variedades– es lo que quizás explica la tendencia de la leguminosa escogida para acompañarlo. A la gente de nuestro país no le gusta la comida dulce, siempre que no se trate de repostería, se entiende. El matiz azucarado de la alimentación suele disgustar a nuestros paladares, peculiaridad que contrasta con el gusto de los hiperbóreos y de los pueblos de la Europa central, a quienes encanta mezclar pescados y carnes con mermeladas, en ocasiones agridulces y a menudo francamente dulces. Esto podría explicar que el congrio, pescado de carne neutra, tirando a dulce, haya sido sometido a combinaciones para neutralizar esta característica. El congrio asume su condición de pescado de una manera muy original: es dulzón. Casi diría que lo es más aún que la anguila, por comparar dos peces de forma similar. En realidad, tal vez sea el pescado más dulce de estas aguas; en eso no tiene parangón.

El congrio de mayor diámetro es por tanto el que ofrece mayor cantidad de sustancia aprovechable. Se come en primavera. Sus rodajas guisadas con guisantes conforman un plato de interés considerable. Su sabor no es comparable al que ofrecen en esa misma época del año las sardinas a la brasa; pero de todos modos no es un gusto vulgar.

Ante la afirmación según la cual la cocina del congrio se establece sobre el deseo de neutralizar el gusto dulzón de su carne, algún lector, extrañado, hará notar que el hecho es incompatible con el empleo de guisantes para producir este resultado.

–¿Cómo es posible –se preguntará el lector– que se utilicen los guisantes a estos efectos si para elogiar la calidad de esta leguminosa hemos dicho tantas veces que su sabor es dulce?

Y en efecto, así lo hemos hecho al encontrarnos ante unos guisantes de buena calidad. Ahora bien, podríamos localizar el origen de esta afirmación en una confusión palatal expresada con una precariedad notoria y acaso invencible. Muchas veces, incluso cuando tratamos de manifestar matices sensoriales, obedecemos a la pura comodidad mental como único camino posible, y nuestra precisión es poco ajustada. A menudo decimos que los guisantes son dulces porque creemos que les falta sal. Otras veces confundimos la dulzor de la leguminosa con su deliciosa ligereza, con la apetencia que los guisantes producen cuando son de verdadera y elevada calidad. ¿Acaso la ligereza tiene algo que ver con la dulzura? No lo creo. También tenemos tendencia a confundir el dulzor de algo con su suavidad, característica tal vez heredada de la cocina del barroco clerical. Y si decimos que los caramelos, los brazos de gitano y los roscones son dulces, ¿no es absurdo que utilicemos el mismo adjetivo para hablar de los guisantes? Decimos que los guisantes son dulces pero su gusto, si nos paramos a reflexionar, no es más que un gusto de guisante: la cuestión consiste en averiguar en qué consiste el gusto de guisante. Y entonces, comoquiera que ese gusto es de muy difícil expresión, quizás imposible, salimos del paso diciendo que los guisantes son dulces, y así podemos seguir hablando. Todo lo que no es riguroso lenguaje científico –y ni siquiera– es aproximado, poético, intuitivo, a veces deslumbrante y generalmente inconcreto y vago. Hablar es como caminar a tientas. Escribir es muy parecido. Hacerse entender es muy difícil, probablemente imposible. Es la precariedad del lenguaje lo que convierte a los hombres en seres solitarios. En nuestra soledad sabemos que los guisantes tienen gusto de guisantes; pero como ese gusto es inexplicable, decimos que son dulces, acogiéndonos a la amplia vaguedad de la palabra.

En la cocina del congrio utilizamos como elemento neutralizador el guisante, por razón, a mi juicio, de la levedad de esta legumbre cuando es de calidad. (Cuando afirmamos que el congrio es dulzón también empleamos un adjetivo muy impreciso, pero cómodo. El congrio nos parece dulce porque su sabor no tiene nada que ver con el denominador común sensorial con que solemos identificar el pescado.) Es decir: combinamos el congrio con los guisantes para aligerarlo de su neutra viscosidad.

De hecho, la calidad de los guisantes es tal vez más importante que todo lo que llevamos dicho. ¿En qué consiste la calidad de esta leguminosa primaveral? A mi modesto entender los guisantes han de ser del tiempo que les toca y de secano, quiero decir que deben presentar una naturalidad agraria. Los productos agrícolas obtenidos con muletas más o menos químicas son dignos de admiración y útiles, claro está, para la balanza de pagos del país; pero ahora hablamos de calidades de cierta elevación, y estas cosas no las produce más que la espontaneidad terrestre y meteorológica. En segundo lugar, los guisantes no han de ser mezclados, sino formar parte, en su totalidad, de una misma especie. Al respecto se viene observando en los payeses productores un poco más de atención. Las antiguas mezclas de perdigones de plomo en forma de guisantes con guisantes de aliciente más suave eran espantosas. Ahora parece que el porcentaje de perdigones va en descenso. No es mucho, pero lo importante es empezar. Por otra parte, la experiencia demuestra que las variedades de un verde lustroso, niquelado e insidioso son siempre de menor calidad que los guisantes pequeños, grisáceos y modestos. Finalmente, los guisantes envasados no tienen nada que ver con los guisantes de verdad.

El congrio de gran rodaja y el guisante de secano, uniforme –sin perdigones– y de la calidad que acabo de especificar, amalgamados con un sofrito poco acentuado, conforman un plato de buena compañía, primaveral y de agradable suavidad.

PESCADITO FRITO: LOS *SONSOS*

Estamos en tiempo de alimentación primaveral, que salvando todas las opiniones, es la más gustosa que este país puede ofrecer. En esta estación llegan a su punto de máxima calidad los ajos tiernos –que todavía no arrasan nada–, las cebollas tiernas y las patatas tempranas, así como algunas variedades de pescado, concretamente de pescado azul como las gordas y grasas sardinas a la brasa, o incluso la caballa. Antes de la guerra de 1914 había en este país, durante el mes de mayo, tal cantidad de productos comestibles, la oferta de comida era tan grande, que se producía la deflación de precios, y la vida era muy barata. Ahora la situación se ha invertido: hay mucha gente para comer y la producción no parece haber aumentado al mismo ritmo. La demanda es más voluminosa que la oferta, y por consiguiente el movimiento inflacionista es claro: los artículos alimenticios de primera necesidad y cierto valor –es decir, los poco viajados, los recogidos y servidos– son muy caros.

En el sistema de la alimentación primaveral hay un elemento que debe ser subrayado: es el pescado frito; y ello por varias razones, entre ellas su ancianidad y su gusto, que es incuestionable. Freír el pescado, o determinados pescados, con un chorro de aceite de oliva es probablemente una de las primeras recetas culinarias que se le ocurrió al hombre de estas riberas cuando el sedentarismo transformó la crudeza de los alimentos en comida aderezada. El aceite de oliva es anterior al universo homérico, un mundo que suele ubicarse mil años antes del cómputo cristiano, o sea, *grosso modo*, hace tres mil años. Aparte de su tendencia natural a la pesca, otros comportamientos del hombre primitivo debieron de ser tan naturales como lo son hoy: poner sobre el fuego un utensilio cualquiera más o menos parecido a la sartén, con una determinada cantidad de aceite y unos pescados dentro fue, lo más seguro, una actuación absolutamente natural. Constatar que la unión de aceite hirviendo y pescado era agradable al paladar debió de representar bien poco esfuerzo. La combinación tuvo que producirse en tiempos muy remotos. Seguro que fue un acontecimiento muy temprano.

Desde entonces ha llovido mucho; aunque posiblemente no tanto como habría sido menester, pero en fin, ha pasado suficiente tiempo para aplicar al proceder primitivo cierta discriminación.

Por ejemplo: todos los pescados se pueden freír, pero no todos se deben freír. El arcaico arte de la fritura debe reservarse para algunos pescados. Los hay que tienen demasiada calidad, y si se fríen se echan a perder. Otros sirven para condimentar diversos platos, y el hecho se ha de respetar. Freír una corvina, una rascasa o una lubina es un craso error. Estos y otros pescados se han de preparar del modo más adecuado, que no es la fritura.

Hay otros, en cambio, que parecen hechos a propósito para mejorar en una sartén con aceite hirviendo. Son pescados para freír, por ejemplo, todos esos pescados llenos de colores maravillosos como las cabrillas y los rubios que se pescan con el volantín, el salabardo o las gambinas y que constituyen uno de los encantos estivales de los pescadores aficionados. Y la verdad es que en verano, bajo un sol deslumbrante y una rutilante brisa de gregal sobre el mundo visible, una fritada de estos pequeños bichos hecha en una caleta o a la sombra de un pino en una roca, acompañada de una ensalada de cebolla, pimiento y tomate de pera, y regada con un vino pequeño, fresco, seco y fácil, podría considerarse un presente de la providencia prodigiosamente benigna. Así que, según parece, existe en este punto una regla general: estropear los alimentos utilizándolos sin ton ni son, de una manera aberrante, es un error nefasto. Hay pescados que se han de freír –añadiremos el sargo, la dorada y el pagel– y otros que no se han de freír bajo ningún concepto. Mantener esta confusión contribuye a incrementar gratuitamente las lágrimas de este valle, con actos manicomiales, situados fuera de la tradición, que no es otra cosa que la experiencia, el poquito de experiencia que uno puede sacar de esta vida.

En primavera aparece en los mercados costeros un pescado minúsculo que reúne más que ningún otro, a mi juicio, condiciones excepcionales para ser frito en aceite de oliva –si puede ser con el mejor aceite de oliva que se puede obtener, con el aceite que se produce en la Segarra, por citar un ejemplo. Es un pez insignificante, tan notoriamente diminuto que, según los chistosos, nunca llega a la medida natural. Es delgado y un poco alargado, a veces no mucho mayor que una aguja o poca cosa más, y su color es gris plateado, con unos ojitos un poco salidos sorprendentemente vivos y que hacen suponer una sagacidad que, verosímilmente, no existe. Es el *sonso* o lanzón mediterráneo.

Para mi gusto el mejor *sonso*, sin parangón, es el más pequeño, el más insignificante, el más canijo. Los ojos le sirven de bien poca cosa, pues siendo un pez que vive en majales y divagando por el litoral, es decir, gregariamente concentrado y embobado, es poco más que una anilla del inmenso sistema parasitario del mar. ¿Queréis un consejo? Coged estos pescaditos y ponedlos como cebo en los anzuelos: pescaréis lubinas indefectiblemente. El *sonso* es la carnaza favorita de las lubinas. Todo esto sólo quiere decir una cosa: que las lubinas los persiguen y engullen con una voracidad impresionante. Privado de cualquier defensa, el *sonso* es engullido en cantidades ingentes por lubinas, meros y otros peces. El pez es tan diminuto que los pescadores lo atrapan con una red hecha ex profeso con un entramado más apretado de lo normal: es la *sonsera*. Las barcas de pesca recorren los rincones más recónditos y minúsculos del litoral hasta descubrir el banco de *sonsos;* entonces los encierran con esa red especial y empiezan a hacer ruido, picando con los remos sobre el agua y sobre las maderas de la embarcación, gritando y chapoteando. Hermós era el mejor pescador de *sonsos* que yo he conocido. En invierno, en las caletas solitarias dormidas en el silencio más puro, emitía un ruido tan ensordecedor, vociferaba de una manera tan desaforada, que hacía temblar el mar y la tierra. Era como un ataque de locura: se quitaba la gorra, luciendo la calva al aire libre, las facciones le viraban a lo simiesco, los calzones le caían, el braceo era frenético. Las bolas viscosas de los *sonsos* se deshacían y los pececitos comenzaban a nadar como enloquecidos. La mayor parte iban a parar al fondo de la *sonsera.* Después de tanta violencia, entonces era feliz.

En catalán la palabra «*sonso*» puede aplicarse a individuos de la especie humana. En el diccionario de Moll el *sonso*-hombre o el hombre-*sonso* se define por una falta de vivacidad, de actividad y de gracia incuestionable y cierta. Moll cita dos versos del párroco de Vallfogona en los cuales se saca punta a la palabra y que dicen así:

Si el sonso anau fent, com qui no hi veu,
tindreu tot quant podreu imaginar...

El padre Vicenç vivió en la época del barroco y, por tanto, su puerilidad psicológica fue escasa. En aquella época tan dual, en que una cosa fueron las apariencias y otra muy distinta las realidades, hacer el *sonso* se convirtió a menudo en una forma de estrategia social. Evidentemente, esta estrategia no la gasta el pequeño e indefenso pececillo que ha dado nombre a una manera de ser. ¿Qué dice el padre Vicenç sobre el *sonso*-pez? No lo recuerdo. Quizá nada, y es una pena, porque este reverendo tuvo conocimientos precisos y excelentes sobre los peces. Tal vez sea el escritor que los ha descrito con mayor viveza y exactitud. Nunca le faltan adjetivos y, en general, son acertados.

El *sonso*-pez pertenece a la especie *Ammodytes cicerella,* y según el filólogo Moll, que domina prodigosamente el léxico marítimo, es largo y delgado y de un color blanquinoso azulado. En el mar su color es realmente blanquinoso, pero mucho menos que el de la angula, cuyo blanco cadavérico es muy acusado. En realidad el *sonso* es de un gris azulado y plateado, muy brillante, incandescente como una centella submarina.

Es verdad que frito posee los matices más gustosos y típicos de la alimentación primaveral. Se trata del pescado pequeño más comestible y parece haber sido puesto en este mundo para ser frito en aceite de oliva. No posee un espinazo definido ni una cabeza lo bastante voluminosa para poner trabas a su acceso, de modo que se come íntegramente y con facilidad, con tal que no haya crecido demasiado. Precisamente, cuando el pescadito alcanza la longitud del dedo gordo de la mano, deja de ser lo que yo propongo. Además es un pescado con gusto propio. Eso sí, hay que saberlo freír, que todos los trabajos son difíciles. Ya es espléndido si se le sabe dar un gusto de tostado, de tostadito, sin destruir su suavidad, pero si se acompaña de una ensalada de escarola temprana, entonces supera cualquier parangón.

El *sonso* no es como la angula. Éste es un pez de aguas entre dulces y saladas que, en estado natural, es absolutamente insípido y por eso lo sirven sobrecargado de ajo y guindilla y a una temperatura de infierno. En este sentido, una cazoleta de angulas es uno de los platos más violentos y espantosos de la península, una comida que arrasa el paladar, insensibilizándolo. Se diría que es uno de esos platos inventados para armar lo que llaman una juerga, y que me perdonen los vascos, muchos de los cuales compartirán mi punto de vista. Un día pregunté a don Pío Baroja la opinión que le merecían las angulas servidas de esta manera y me respondió que no las había probado nunca pero que le parecían un «comistraje para maquetos», madrileños y forasteros.

En la vieja redacción de *El Sol* de la época de don Manuel Aznar, el señor Mourlane Michelena, que era de Irún, redactor predispuesto a la lírica, solía explicar la problemática de las angulas utilizando textos ingleses. Con el punto de afectación que le caracterizaba decía que lo más probable era que la angula naciese en el Caribe y que la corriente cálida del Gulf Stream la transportase al golfo de Vizcaya, donde se establecía en las bocas de los ríos, a veces hasta allá donde llegan las mareas. De todas maneras, en el Mediterráneo hay muchas angulas, y una gran parte de las que se comen en Barcelona provienen del golfo de Rosas y, concretamente, del litoral de la Escala, uno de los lugares más afectados por las aguas dulces. En definitiva, estas angulas son como las atlánticas: es muy difícil saber el gusto que tienen porque el acompañamiento que les ponen –sobre todo las guindillas– y la temperatura a que las sirven –siniestra– se interpone entre el paladar y el pescado de manera decisiva.

El *sonso* tiene gusto propio y aroma de mar, un sabor de fruto de mar, una ligereza de pescado popular que nunca ofrece los matices del pescado sedentario, que siempre sabe a lo que ha comido –gusto de alga– y en este sentido «pescadea» de una manera excesiva. En este tiempo de primavera, el sabor directo de esta fritura –que no tiene nada que ver con la del boquerón y los otros elementos presentados en el litoral de Andalucía– se adapta perfectamente tanto a la estación del año como a sus límites geográficos precisos. Así el *sonso* pasa a formar parte de los mitos primaverales, de una mitología que si no es eterna, poco le falta.

Otro pescado que no se ha de freír es el pejerrey. Es un pez pequeño, de caleta, pero mayor que el *sonso* y con todos los elementos de su clase: espina, cabeza, carne, etc. Tiene un punto un poco amargo. No es nada del otro mundo, pero cuando no hay otro se suele aprovechar. Hay que hacerlo a la brasa: freírlo es desgraciarlo.

Las distinciones que a modo casuista hemos hecho en la fritura del pescado se refieren, naturalmente, al litoral. Sería absurdo freír un salmonete fresco y cortezoso. Las brasas le van exactamente. Ahora bien, cuando el pescado llega al interior, con la ayuda de los transportes y de los frigoríficos, lo mejor es freírlo para evitar males mayores.

LOS CRUSTÁCEOS: EL SECRETO DE LA LANGOSTA

Hay personas –conozco muchas– que no saben qué hacer para quitar las espinas del pescado y esto hace que si alguna vez lo comen, aunque por propia iniciativa lo piden raras veces, adopten ante él un aspecto de personas molestas y disgustadas. Consideran que el hecho de que los pescados tengan espinas es una aberración de la naturaleza inexplicable o, por lo menos, una equivocación muy extraña. Hay gente realmente rara. Un señor me dijo en una ocasión, con una insistencia destacada, que la forma de las montañas era errónea. Tuve la paciencia de dejarle hablar. En la vida he tenido que tener tanta paciencia como un asno. No me arrepiento. Es la mejor escuela para ir tirando.

En el interior del país el pescado no abunda mucho, y así es natural que la cuestión de las espinas del pescado se haya proyectado poco sobre los conocimientos prácticos, por decirlo de alguna manera. También es del todo cierto que en muchas poblaciones marítimas –en Barcelona sin ir más lejos– vive una considerable cantidad de personas que, en cuestión de espinas, no sabe por dónde empezar. Estas personas tienen tendencia a creer que las espinas del pescado son absolutamente caprichosas, que surgen en los momentos más inesperados y que es imposible dominar la anatomía de los pobladores del mar. Evidentemente, hay pescados con más espinas que otros. El congrio, por ejemplo, tiene una gran cantidad de espinas por la parte de la cola.

Vale más no servirla. Hablando en general de los pescados comestibles de nuestro país, una cosa es incuestionable: la anatomía de todos ellos está muy generalizada, todos tienen las espinas que han de tener independientemente de su tamaño, y esas espinas no tienen nada que ver ni con el capricho ni con alguna veleidad meramente personal. Ahora bien, lo que está claro es que esta anatomía se debe conocer, y si es posible hasta en sus menores detalles.

Perdonen la pedantería, pero la anatomía de los peces ha sido tan observada y fijada, es tan ineluctablemente repetida y monótona, es tan poco caprichosa a pesar de la enorme cantidad de familias de peces que vagan por el mar, que el panorama que se ofrece sobre el plato es siempre idéntico. Yo comprendo que es difícil convencer a la gente de que los peces son un fruto meramente fantástico de la naturaleza y su anatomía es absolutamente igual y normal. Hay personas que divagan sobre la cuestión afirmando que hay quien posee el don de saber cómo hallar las espinas y hay quien no está dotado con tal gracia. Nada. Ni hablar. Es necesario conocer la anatomía del pez, que siempre es la misma. Pero lo cierto es que es muy difícil hacerlo comprender a la gente, porque éste es un país que, hablando en general, está formado por personas que nunca están dispuestas a mirar, ni a observar, ni a recordar; un lugar habitado por tímidos mudos, charlatanes hiperbólicos y amantes de la improvisación.

Las personas embarazadas por las espinas, cuando no les queda más remedio que comer pescado, piden sistemáticamente pescado sin espinas, o sea: calamares, filetes de lenguado, filetes de boquerón preparados sin espina o crustáceos como langostinos, gambas, cigalas, langostas y, si encuentran, bogavantes, aunque casi nunca hay.

La anatomía de los peces es muy clara, mucho más simple que la del cuerpo humano. Puesto en la mesa, lo primero que debe hacerse con un pescado es abrirlo en canal y apartar a un lado la espina dorsal y ambos extremos, cabeza y cola. Si la pieza es grande, la cabeza del animal suscita el interés de muchos aficionados al pescado, conque mejor dejársela a ellos para que se diviertan con las delicias que contiene. Luego hay que quitar las espinas de las agallas y de las branquias, que son las más grandes y visibles y por tanto las más fáciles de retirar. Después hay que quitar, de arriba abajo y en cadena, las espinas de los dos acoplamientos del animal. Estas sucesivas operaciones son de extrema facilidad. Si las efectúan, con cierta calma al principio y más tarde con una inconsciencia absolutamente habitual, no encontrarán en el resto del pescado ni una sola espina y podrán comérselo todo con la mayor seguridad, como si fuese un auténtico filete. Eso que dicen acerca de la anatomía de los peces normales y corrientes del país: que tienen unas espinas caprichosas que varían en cada familia y en cada ejemplar, es un producto de la psicosis del pánico y de las molestias que producen las espinas, que para muchos es un problema realmente espinoso y nefasto.

El éxito de los crustáceos, como el éxito de los calamares, producto que en sí mismo no vale gran cosa si no va acompañado de algo –y no hablemos de la *canada*, ese pequeño monstruo negligible que imita al calamar–, se debe esencialmente al hecho de que estos productos carecen de espinas y ofrecen por tanto una seguridad que estimula y generaliza su acceso. La gente siente una verdadera pasión por los crustáceos. Son alimentos, en general, muy caros y lo serán cada día más, pues el número de personas dispuestas a comerlos es mucho más abultado que el número de piezas disponibles, incluso importándolas. Pero la gran aceptación que han tenido y tienen estos bichos, desengañémonos, se debe al hecho de que no tienen espinas, y de esta manera se les puede plantar cara con perfecta y cómoda seguridad. Otra cosa muy cierta es que hay unos cuantos peces que se encuentran muy por encima de estos animales, que son mucho más gustosos que los crustáceos, incluidos los más importantes. Pero esto hay que decirlo en voz muy baja, porque es antipopular.

Hay crustáceos de dos clases notoriamente distintas: por un lado los que viven y se pescan en terrenos de barro y arena del medio submarino, que son los que recogen del fondo las redes de las barcas de arrastre, y por otro los que deambulan vertiente arriba vertiente abajo por las montañas subacuáticas. Los primeros –la gamba, el langostino, la cigala y algún otro– viven en terrenos fáciles y llanos, tanto si están cerca de la costa o mar adentro, tanto en los terrenos cerrados por pequeñas ensenadas o vastas bahías, como en la libertad de movimientos del mar lejano. Cerca de la costa suelen ser abundantes, de ahí que los reglamentos marítimos, cuando se cumplen, obliguen a las barcas a pescar en mar abierto para no matar las crías. Estos animales quieren aguas mansas, tranquilas y reposadas, con una buena alimentación enriquecida por las aguas dulces. Los que viven más allá del horizonte inmediato también vagan en su medio porque en los mares de mayor profundidad, por más grande que sea el temporal, los movimientos de las aguas no llegan a remover más que los veinte o veinticinco metros superficiales. Más abajo todo es quietud y calma dentro de un color, según dicen los expertos, vagamente azul.

Pese a recibir el aprecio y el interés creciente de la gente, lo cierto es que estos crustáceos son de muy diversa calidad. La carne de la cigala es posiblemente la más parecida a la de la langosta. Los demás –gambas, etc.– tienen una carne de barro, quiero decir que a menudo sabe excesivamente a barro. La carne del animal acuático nunca ha de ser uniforme, pastosa o como decimos en el litoral, hormiguera; sino fuerte y cortezosa.

No es éste el caso de la langosta, y aún menos el del escaso bogavante. Estos animales viven en parajes rocosos, en barrancadas marinas, en las anfractuosidades de la orografía del mar. Están habituados a grandes corrientes, a aguas frescas y vivas, a buenos pastos, y se dedican a un parasitismo importante. Son animales voraces, razón por la que llegan a determinadas calidades. Los aparejos de las barcas de arrastre no tienen acceso a sus lugares de residencia habitual y por eso se pescan con otras artes, como mallas de juncos y cada día más con redes de trasmallo. En las redes se coloca un cebo para engañarlos, y como siempre están hambrientos, caen en la trampa con una voracidad inmensa. Son animales eróticos, dominados por el fabuloso erotismo de la vida en el mar. Cuando una langosta hembra se ha colado por el agujero de la trama, es casi seguro encontrar un número indeterminado de machos, que en la época de celo penetran en la red sin demasiados cumplidos, ofuscados: los mejores jornales de los pescadores por obra y gracia del erotismo en el mar.

La langosta se ha de comer a la brasa, modo obligado si el bicho es fresco, vivo y enérgico. Hemos dicho ya en alguna ocasión que la cocina del pescado es antiquísima, y es natural que uno de los primeros movimientos de los pescadores haya consistido en poner las langostas sobre las brasas vegetales. Las combinaciones han sido obra de la cultura y, por tanto, mucho más tardías. La langosta viva, a la brasa, presenta la prodigiosa particularidad del tostado del caparazón, que emana un olor maravilloso, intenso y marino, ligeramente acre y tiene un sabor, sin exagerar, sensacional. Este perfume, unido a la calidad de su carne consistente, posee un interés extraordinario y el sabor es digno de mención. Los alimentos a la brasa, la langosta a la brasa, nos desplazan a la cocina antigua, a la cocina directa y natural, que en definitiva es la que a nosotros, pobre gente sofisticada, nos causa mayor impresión.

En esta época de prisas y de frigoríficos en tanta abundancia, la langosta se sirve, casi siempre, hervida. La langosta hervida no tiene mucho gusto, ha sido arrasada, se le han roto todos los tentáculos vitales. Pero la gente la come y la paga como si fuese de primera calidad, porque la cuestión, la gran cuestión, es no comer pescado con espinas, algo obsesionante para muchas personas. Cuando se abre su veda, en estos últimos años, la langosta no ha hecho más que subir de precio. Aunque la peseta no se hubiese devaluado tanto, el fenómeno se habría producido igualmente. La gente de este país nos tuvimos que despedir de la langosta hace ya unos cuantos años. Son ilusiones del espíritu que hemos tenido que abandonar.

La langosta guisada está también muy rica, y estas realizaciones pueden ser de muchas clases. En mi rodal conocemos, más o menos, la langosta a la americana, la langosta a la catalana, y en el gran restaurante que tienen en la Escala mis amigos Ballester sirven una langosta a la *armoricaine* –a la manera de Bretaña– que los aficionados afirman, y es un hecho constatado, que no tiene rival. La langosta en la costa de Torroella, como en el cabo de Creus, es incomparable. A veces he visto servir algunos de estos platos añadiéndoles coñac para flambear la langosta, a menudo coñac francés de primera calidad. Nunca he sido partidario de incorporar alcohol, coñac, whisky o el que sea, a ningún plato: el alcohol destruye los alimentos y flambeado aún los desbarata más, de manera que la langosta con coñac es siempre coñac con langosta, algo horripilante. Son recetas para paladares anormales, fatigados y distantes. Lo que se suele llamar langosta a la catalana es un plato modesto, pero excelente, y que no parece aumentar la presión arterial. Sobre nuestro clásico sofrito de cebolla, ajo y tomate –¡poco tomate!–, se añade una picada de almendras y se espolvorea una pizca de chocolate. La composición es excelente y puede resistir las más arriesgadas comparaciones.

La langosta de las costas de Portugal es de primera calidad. En las costas americanas del Pacífico –no digamos en Chile– y en los Estados Unidos se come mucha langosta, pero tal vez no tenga el sabor de la del Mediterráneo. Eso que dicen de América: fruta sin olor, pescado sin sabor, etc., es bastante exacto. Pero en América, como aquí, la gente las come porque tanto el miedo a las espinas como la ignorancia de la anatomía del pescado son circunstancias muy extendidas.

En el problema de discernir si es mejor la langosta o el bogavante, me decido por este último crustáceo. Ambos son monstruos de carne ligeramente dulce, y por tanto se pueden subrayar con algún aderezo, aunque sin pasarse. La manera de cocinarlos respetando las cualidades de su carne es a la brasa.

EL BOGAVANTE

Un amigo me ha enviado un bogavante. Se lo he agradecido sinceramente. Este amigo es un señor que vive, como yo mismo, en la costa norte de este litoral, y que conoce, claro está, el respeto que yo profeso a este crustáceo, tantas veces expresado oralmente y por escrito. Considero el bogavante como el mejor de esos monstruos con caparazón que llamamos crustáceos. Lo tengo en mucha más estima que a la langosta, tan apreciada por la gente, como he dicho tantas veces, porque no tiene espinas. Bien mirado, no pueden compararse: al lado del bogavante, un monstruo permanentemente crispado, la langosta parece una niña en su primera comunión. Por otra parte, el bogavante tiene mucha más calidad. Lo dicho quizá dé una idea al lector del agradecimiento que ha suscitado en mí el curiosísimo regalo.

En nuestro litoral rocoso, como es bien sabido, hay muchos menos bogavantes que langostas, o en cualquier caso, se pescan menos. A pesar de esta escasez y de la elevada calidad del crustáceo, su precio en el mercado es sensiblemente inferior al de la langosta. Esta anomalía nunca la he comprendido, y todos los esfuerzos que he hecho en este punto para saber algo concreto han fallado. Evidentemente, es muy extraño. Tal vez se pague menos porque con sus dos formidables pinzas frontales, que le dan un aspecto de explícita monstruosidad, causa un cierto miedo al comprador.

Junto al bogavante, el aspecto de la langosta es tan inofensivo que hace un momento lo he comparado al de una niña el día de su primera comunión: es por decir que parece un objeto artístico de los juegos florales; una cosita beata y discreta.

Sí señor. El par de enormes pinzas frontales que tiene el bogavante le confieren una apariencia tan ofensiva, dura y salvaje que es natural que su visión ponga a la gente, un poco, la piel de gallina. El mar produce algunos monstruos que no por ser comestibles dejan de ser muy repulsivos. Pero la característica de este crustáceo no es precisamente la monstruosidad pasiva, algo tan típico y perceptible en muchos seres del mar, sino que, bien al contrario, se trata de un animal activo, mortífero, vital y salvaje. Su aspecto es de un salvajismo impresionante. La fuerza de apresamiento de sus tenazas es digna de respeto. Una vez sacado del agua y puesto en el medio aéreo, contra lo que sucede con la mayoría de animales marinos, el bogavante parece entrar en una nueva existencia y sobrevive muchas horas, un número de horas sorprendente teniendo en cuenta lo rápido que mueren los peces en su situación. Ante este hecho, los pescadores atan las pinzas de los bogavantes con un fuerte cordel y así los convierten en inofensivos. Es un animal que, cuando menos, es dueño de un magnífico utillaje de ataque.

Los pescadores dicen, por observación directa, que el pulpo mata a la langosta, porque con sus extremidades la cubre y la ahoga; que la langosta mata a la morena, porque el mordisco de esta serpiente de mar no puede quebrar el caparazón del crustáceo, con lo que la desigualdad de la lucha se manifiesta; que la morena mata al pulpo, porque los anillos del reptil forman un nudo entre la cabeza y las patas del octópodo y rompen su organismo. Por esta razón, estos tres fantásticos animales colocados, por ejemplo, en una red, no se hacen nada y se respetan. Se quedan mirándose imperturbablemente. Con el bogavante, este equilibrio es imposible: es un animal que ataca con su poderoso instrumental. Se dedica, de manera escandalosa, a la lucha por la vida. En el mar hay pocos animales que puedan dominarlo y devorarlo. Puede enfrentarse con la mayoría. Su tendencia al dominio y a la devoración es permanente, su disposición al ataque, fortísima.

Si uno compara una langosta y un bogavante del mismo peso, o poco más o menos, desde el punto de vista de las posibilidades alimentarias, podrá comprobar sin dificultad cuán notoria es la superioridad absoluta del bogavante. Si a todo lo que decíamos hace un momento añadimos este detalle, se hace cada vez más incomprensible que la desigualdad de sus precios sea tan manifiesta. El bogavante es mucho más rico en alimentos que la langosta, muchísimo más.

Por regla general, lo acostumbran a presentar hervido. Es un completo error. La manera más normal y correcta de servirlo es a la brasa, como ya comentamos al hablar de la langosta. Debido a su volumen, hacer un bogavante a la brasa no es sencillo; pero cueste lo que cueste, los crustáceos se han de hacer a la brasa, nunca a la plancha, y no sólo porque ésa es la manera de sacarle a su carne todas las cualidades que tiene, sino porque el tostado del caparazón contribuye de una manera decisiva a ensalzar el sabor de su sustancia. Este olor abre el apetito y se llegan a obtener así cualidades de elevada categoría. He aquí un modestísimo consejo, que yo me atrevería a dar en relación con todos los crustáceos, tanto los pequeños –gambas, etc.– como los de volumen superior. El bogavante, en realidad, tiene una carne infinitamente superior a la de la langosta, una carne mucho más consistente y directa. El talante salvaje del pescado se nota, en seguida, en su maravillosa sustancia interna.

El bogavante no se suele guisar, tal vez porque su escasez no lo ha hecho susceptible de las recetas corrientes. Que se podría guisar, sin embargo, parece evidente. Se suele servir hervido, como decíamos hace un momento, por razones de simple comodidad, y a veces se hierve demasiado, hasta un arrasamiento sin sentido. ¿Por qué lo hierven hasta convertirlo en madera? Nunca lo he comprendido. Lo hierven en exceso y lo sirven después con cualquier salsa: mayonesa, holandesa, *romesco*... ¡Qué manera más extraña de comer, Dios mío! Los crustáceos no deben comerse con ninguna salsa. Es un error garrafal. La verdadera salsa del crustáceo es el crustáceo mismo con el perfume de su caparazón tostado al fuego. Podría añadirse, todo lo más, una sumaria vinagreta: unas gotas de aceite puro de oliva y una ligera presencia, muy leve, de vinagre. Maltratar con gustos extravagantes lo que por sí mismo posee cualidades únicas constituye, a mi modo de ver, una equivocación manifiesta. Un ejemplo de lo que acabamos de decir es eso que hace tanta gente: echarse unas gotitas de limón en el pescado. La costumbre está tan arraigada que en todas partes sirven el pescado con un pedazo de limón. Si el pescado es fresco, no os pongáis nunca limón, siempre que vuestra intención sea comer pescado. Si os encontráis con un pescado más o menos descompuesto, dejadlo y no hablemos más. El uso del limón sólo puede comprenderse si no hay más remedio que vérselas con un pescado equívoco. Nunca le echéis limón al pescado fresco: la sofisticación, la falta de simplicidad en esto como en todas las cosas, es una desviación del gusto.

La devastación de los crustáceos por el procedimiento de hervirlos ofrece, por contraste, el ejemplo claro de cómo deben servirse: los crustáceos se han de servir en su punto, esto es, ligeramente crudos, respetando la cualidad de su carne, evitando, en definitiva, convertirla en una pasta de madera, hórrida y absurda. Todos los auténticos aficionados al pescado aspiran a ingerirlo en un punto de crudeza, justo y equitativo. Con los crustáceos, este axioma es especialmente respetable. Hay que conservar la grasa propia del animal, su gusto de mar, su auténtica peculiaridad. Con el bogavante, que de todos ellos es el que tiene la carne mejor y más personal, de una fuerza vital correspondiente a su vigor, estos principios no deben olvidarse, porque en cuestiones como ésta la tradición no puede ser sustituida por filosofías inconsistentes y errabundas o por modas extravagantes e irrisorias.

Joan Coromines, en su gran *Diccionario crítico-etimológico de la lengua castellana,* afirma en la ficha correspondiente a *bogavante* que la palabra castellana proviene del italiano o del catalán y que este nombre era el que se daba a la primera persona que remaba en cada galera, o sea el remero que bogaba *avanti* o *avant*. El término se empleó para significar el crustáceo máximo, superior en realidad a la langosta y al cangrejo de río, o sea al *homard* –*Homarus vulgaris*. La agresividad del bogavante ha sido reconocida en todos los tiempos. El naturalista Plinio lo llamó el león marítimo, y en el italiano de hoy es aún conocido como *il leone*. Su nombre griego quiere decir una especie de *phantera uncia*, en castellano, según el litoral, lo denominan de una manera u otra, pero todas giran alrededor de la palabra *bogavante*. El filólogo al que hacemos referencia anota los diferentes nombres catalanes del crustáceo: en Valencia lo llaman *llomàntol; llàmantol*, oyó Coromines, en Sant Pol de Mar; Joaquim Ruyra, que era de Blanes, lo denomina *llobregant* en sus prodigiosas historias del mar, y ese mismo nombre recibe en las playas de Palafrugell. Añadiré, por mi cuenta, que en nuestra costa más septentrional he oído *llongant* en la Escala y *llobregant* en Cadaqués, que son los nombres que he utilizado en este escrito.

Considero que la palabra utilizada por el señor Ruyra es magnífica, sobre todo para señalar a través del *llobregant* –*llobregat* significa rojo– el nombre de este crustáceo. Es un nombre, al menos, que tiene en todo el litoral peninsular y mediterráneo la enorme plasticidad de las voces populares.

A mi modesto entender, este impresionante crustáceo no tiene rival, desde el punto de vista culinario, siempre que se respete su sabor original y no lo presenten sofisticado por esa maldita cocina de masas, socialista y cuartelera. No sé si dejo escrita alguna extravagancia sobre su cocción. Los aficionados a la cocina del pescado tienen al respecto la última palabra. Todo lo que he escrito es la consecuencia de experiencias corroboradas en el curso de mi vida –experiencia que años atrás podía llevarse a cabo, porque yo soy de una época en que este crustáceo, aun siendo más bien escaso, costaba poco dinero, y mucho menos que la langosta, que era, de hecho, el crustáceo de las personas más o menos distinguidas de todos los estamentos, pero de una avidez cierta y admirable.

Después de haber escrito todas estas líneas, y las he escrito con un punto de entusiasmo, ya comprenderá el amigo que me ha enviado un bogavante de dos kilos el favor que me ha hecho. Es el primero y hasta ahora el único crustáceo que me será posible comer esta temporada. Su escasez es total. El precio se mantiene aún por debajo del de la langosta, pero estas desorbitadas y prohibitivas cantidades no están hechas para mí.

Así pues, muchas gracias.

SOBRE EL BACALAO

–¿Le gusta el bacalao?

–A decir verdad, a mí me gusta el pescado fresco...

–De todos modos...

–Sí. Lo reconozco. El bacalao cumple con su obligación incluso después de haber sido convertido en una mercancía reseca, fibrosa y momificada. El bacalao es susceptible de resucitar, cosa que no es muy corriente ni se da con excesiva frecuencia. A través de la cocina se producen fenómenos de lo que mi respetable amigo el señor Rafael Puget llamaba la resurrección de la carne. La resurrección de la gallina ocurre gracias a las croquetas. Es un milagro un poco extraño, pero cierto y a veces positivo. Todas las carnes, al final, acaban resucitando a través del aprovechamiento de los despojos. La resurrección del bacalao en la culinaria del País Vasco y en la nuestra es un fenómeno digno de tener en cuenta, a veces muy apreciable.

–Usted es un hombre comprensivo...

–Soy de una época en la que en este país se consumían grandes cantidades de bacalao, magnífico, de elevada calidad, indiscutible. Las generaciones anteriores a la mía y mi propia generación fueron bacaladeras. No podría precisarle cuándo llegó a este país, y no es necesario decir a Portugal y a Italia, el bacalao nórdico, que es el único bacalao bueno. La palabra *bacalao* es relativamente reciente en las lenguas de esta península. Los portugueses son grandes devoradores de bacalao; si les queréis dar una alegría, habladles de bacalao; pero nunca he sabido cuándo llegó el bacalao a aquel país. La palabra viene del norte y entró en nuestra península procedente del francés, del gascón a través del vasco. Los vascos pescaban el bacalao desde muy antiguo en los bancos de Terranova, en las costas septentrionales de América. Dicen los filólogos que es probable que la palabra llegase antes de que se popularizara el consumo de bacalao, al igual que ha ocurrido con la palabra *televisión*, que llegó primero que los aparatos para verla. La popularización y la comercialización del bacalao en nuestro país se produjo cuando nuestros veleros viajaban al Báltico transportando vino. El desastre de la filoxera perturbó este tránsito naturalísimo, pero el bacalao ya había sido admitido por la gente, había pasado a ser un elemento de primera necesidad para pobres y ricos y continuó llegando. Barcelona fue un gran centro consumidor de bacalao y la sociedad lo consideró un manjar excelente. Fue tras la última guerra civil y la segunda mundial que nos vimos privados durante casi un decenio de este alimento. Luego la política autárquica y la balanza de pagos mantuvieron la privación. En los últimos decenios se han vendido en los mercados unos productos que sólo admiten el nombre de bacalao por razones puramente imaginarias y patrioteras. Ahora parece que la cosa tiende a mejorar y que a veces se puede encontrar algún bacalao más o menos discreto.

–En efecto, el hecho parece cierto.

–En realidad, han pasado los años, y la juventud de nuestros días, como consecuencia del bacalao que le han servido últimamente, tiene una idea muy vaga del bacalao bueno, carnoso y cortezoso que se comía en este país años atrás. La juventud de nuestros días se considera muy inteligente y seguramente lo es, pero su paladar se va volviendo de cemento armado, absolutamente sindical y masivo. La desaparición del bacalao nórdico ha hecho que muchas tiendas que lo vendían y tenían una fuente de agua corriente en el mostrador para desalarlo y esponjarlo se esfumasen con él –hecho visible sobre todo en Barcelona y suburbios–, y así se ha ido perdiendo la memoria bacaladera.

El bacalao tiene tres momentos: primero lo ponen en salmuera en los barcos pesqueros; después, ya transportado a los puertos de matrícula de los barcos, lo exponen al aire libre colgándolo en unos secaderos sostenidos por palos, espectáculo que se puede contemplar en muchos puertos de pesca de la costa noruega; por último, se somete, una vez exportado, al chorro de agua corriente que había o hay en las tiendas a que hemos hecho alusión. Parece que la meteorología que padece el bacalao en su período de exposición es decisiva para que su carne adquiera aliciente en el paladar de la gente.

En Barcelona, el bacalao llegó a ser magnífico, a lo mejor porque los tenderos que lo vendían tenían una habilidad cierta para desalarlo. En esta operación, la calidad del agua debió de ser un elemento decisivo. (En los años de que ahora hablo el agua de Barcelona era infinitamente superior a la de hoy.) Cuando menos el bacalao *a la llauna* de Barcelona llegó a tener una auténtica y elevada categoría. Yo no sé si lo antiguo resucitará, aunque me parece muy difícil. A la postre todo dependerá del grado de libertad de comercio a que podamos llegar. También ignoro si la generación que sube y las que vendrán serán tan bacaladeras como las de nuestros abuelos. Las predicciones son difíciles, y las del paladar, muy arriesgadas. Es una realidad incontestable que el bacalao arraigó muy bien en el país, y por una razón verificable a cada momento: el bacalao satisfacía la necesidad de los payeses de comer pescado, resolviendo así un problema muy acuciante para ellos, tanto como el que se produce en la situación inversa con los pescadores que quieren y no pueden comer carne. En efecto, excepto en las grandes ciudades, la gente del interior apenas tiene acceso al pescado fresco y, si come pescado, raramente es de ley, porque el pescado, como la verdura y la fruta, va perdiendo calidad a medida que se aleja de su lugar de origen. Por tanto, el bacalao satisfacía, en el interior, la ilusión del pescado.

En el área del Mediterráneo dos países se han significado como grandes consumidores de bacalao. Ambos son pobres en pescado fresco, y cada día lo serán más, dado el progresivo crecimiento demográfico. Los campesinos italianos, los *contadini*, conocen sobre todo el bacalao servido en su forma más reseca y delgada, comían el *stock fish* o estocafís, que aquí llamamos *peixopalo* o *pixopalo*. Al término de la última guerra y gracias al Plan Marshall, Italia se vio inundada de esta mercancía, proporcionada en gran abundancia por los países escandinavos y sus posesiones árticas. En nuestra península se consumían, generalmente, formas de bacalao más esponjosas y de una suavidad menos intermitente, me refiero al bacalao *stricto sensu*.

En el rincón donde vivo también se consumía estocafís y con este producto, el bacalao, las tripas de bacalao, algunos pajaritos, las patatas y la correspondiente cucharada de ajoaceite, se había montado un plato que llamamos el *niu*, que se comía sobre todo en invierno y era realmente divertido, además de exquisito.

Hay muchas personas que creen que el bacalao y el estocafís son dos pescados diferentes. Según mis noticias se trata del mismo pescado, de dos diferentes calidades del mismo pescado obtenidas con una manipulación diferente y para clientelas de posibilidades económicas distintas; pero en definitiva dos mercancías que provienen del mismo producto básico. Estas dos formas sí presentan, como mínimo, una personalidad tan peculiar que no pueden ser intercambiadas, por más habilidad que uno ponga en su resurrección culinaria.

Tengo que añadir una cosa más: en mi opinión el bacalao bueno de antes no era nada del otro mundo, y el que comimos después, en la época de la autarquía, suponiendo que fuese el mismo pescado, fue infecto, uno de los productos más ordinarios de la tierra. Sin embargo, lo cierto es que gracias a la cocina se obraba con estos elementos una especie de milagro. La cocina es origen de milagros: transforma materias de extrema mediocridad en alimentos no solamente potables, sino a menudo excelentes. La cocina es un arte de magia, una de las pocas artes de magia existentes; pero es un arte de dos filos: también puede convertir un producto inestimable en algo detestable e incomestible, hecho éste que se produce con demasiada frecuencia. Pero insisto en que es capaz de transformar un alimento de poca categoría en algo susceptible de tener aliciente, y el bacalao es un ejemplo claro de lo que acabamos de decir.

Los vascos, grandes devoradores de bacalao, han proyectado sobre la resurrección de este pescado una parte importante de su estrategia culinaria. Tengo la sospecha de que en el norte vasco y navarro se suele comer muy bien. Todos ustedes conocen los platos que con esos trozos de fibras secas han llegado a elaborar en aquel país. Ahí está el bacalao al pil-pil. Y el bacalao a la vizcaína, traducido a la cocina francesa con el nombre de *morue à la biscayenne*, que es la *fondue de morue*, auténtico *soufflé* de bacalao en el cual, para mi gusto, hay un exceso perturbador de mantequilla. En la época de las abstinencias rigurosas, destruidas por los años del hambre y no restablecidas, esta *fondue* era una solución muy recurrida. No entremos ahora en la vieja controversia entre la cocina del aceite de oliva y la cocina de la grasa animal. Personalmente, creo que el bacalao queda más redondeado y directo con aceite que con mantequilla, dicho sea sin ganas de entrar en inagotables polémicas. Es una simple opinión personal, sin trascendencia.

Los *contadini* italianos comen, o comían, el estocafís con patatas. Aquí hacemos lo mismo con el bacalao, y ésta es una de las innumerables formas de presentarlo, creo que no precisamente la mejor. También lo comemos en *samfaina*, sobre todo a principios de otoño, cuando los pimientos rojos, los tomates y las cebollas entran en sazón, es decir, en el momento en que estos admirables coadyuvantes están vivos y en su mayor esplendor y así no hay que utilizarlos envasados. Lo comemos asimismo con arroz, un arroz de bacalao deshilachado que es un plato agradable de Cuaresma, poco consistente y bastante ligero. Lo comemos *esqueixat* con una ensalada, etc.

Ahora bien, para mi gusto, la receta de bacalao más genuina y sabrosa de este país, la que da a esta mercancía ex resecada una mayor suavidad y un positivo rendimiento, es el bacalao *a la llauna* cocinado en aceite de oliva purísimo, como lo hacían en la Barcelona de mi juventud.

LA RESURRECCIÓN DEL *NIU*

En algunas zonas del Mediterráneo, como ya hemos dicho, se consumieron grandes cantidades de bacalao en el curso de los siglos inmediatos. Es muy posible que el negocio del bacalao fuese determinante para el establecimiento de relaciones comerciales y de tráfico marítimo entre los países escandinavos y los países del sur europeo. Italia fue un gran consumidor de estocafís, que es una especie de bacalao inferior, más ordinario y achatado. En nuestro país tuvo lugar idéntica situación y fuimos compradores, y lo somos todavía, de bacalao del norte de Europa, de estocafís y de las tripas de estos animales. Al estocafís lo solemos conocer por el grotesco nombre de *peixopalo* o *pixopalo*, denominación extraña cuyo origen ignoro y tal vez provenga de alguna fuente pintoresca y tabernaria. Esta clase baja de bacalao tuvo hace años una gran popularidad.

Creo que está fuera de toda duda que este país supo cocinar este pescado, sobre todo el bacalao, y que Barcelona fue una de las capitales de su consumo donde se alcanzó, en alguna de sus combinaciones culinarias, la perfección máxima. Lo mismo hay que decir del País Vasco. Ahora bien, los desgraciados acontecimientos de estos últimos decenios nos privaron y alejaron del bacalao escandinavo, principalmente del noruego y del islandés, que son los pueblos que han sabido tratar este pescado con la mayor inteligencia y con el candor de la calidad. Probablemente no tuvimos más remedio, para no aumentar el déficit crónico de la balanza de pagos, que crear el bacalao autárquico. Con el paso de los años –¡tantos años!– fue posible compaginar un poco el bacalao importado y el autárquico, y si las cosas han de llegar a la normalidad, el bacalao escandinavo, sin duda el mejor que existe, volverá a nuestras mesas de manera ineluctable. Una de las principales ventajas del Mercado Común, ya perfectamente visible entre los países que lo integran, es que cuando uno de los pueblos que forman parte de la comunidad hace algo bien –sin conocimiento no puede haber calidad– y lo vende a precios mundiales, la competencia se abandona. Puede afirmarse que en el interior del Mercado Común, la gente comerá y beberá mejor porque todos los productos tendrán garantía de origen. Durante siglos y siglos nuestros estómagos han estado influidos en buena parte por los aranceles de las aduanas. En los países del Mercado Común, la influencia estomacal de estos aranceles ha ido menguando, y en el momento de escribir estas líneas –otoño de 1970– ha concluido definitivamente.

En la actualidad, con motivo de la considerable actividad turística, este país ofrece en algunos establecimientos de restauración los platos tradicionales del país que hasta hace poco estaban arrinconados y limitados a la cocina familiar; aunque todavía no podemos decir que el hecho se haya puesto de moda. Esta cocina ha sido siempre y en todas partes la más gustosa e importante, y en líneas generales se podría afirmar que los mejores restaurantes no han hecho sino copiar –a veces para bien, otras no tanto– lo que la habitualidad de la vida familiar ha creado. El hecho se constata sobre todo en Francia y en París concretamente. Donde se come bien en Francia es en muchas, muchísimas casas particulares de todos los estamentos y sin necesidad de discriminar.

Una de las características de la cocina de mi tierra ha sido las mezcolanzas de los elementos más extravagantes. En estos últimos años se ha puesto de moda un plato que ha suscitado mucha curiosidad: la langosta con pollo. Es una receta de la cocina familiar que se ha practicado sobre todo en las poblaciones de la industria del corcho. La langosta con pollo es un plato muy difícil de ligar. *A priori* parece imposible, pero yo lo he comido en muchas casas, perfectamente integrado y agradable. Últimamente lo he visto ofrecer en restaurantes.

Particularmente soy contrario a estas combinaciones. Cuando les aplico el racionalismo más elemental, me parecen irrealizables y de resultados muy precarios. Pero lo cierto es que la cocina es un arte muy empírico, y por tanto, de resultados imprevisibles y aprioristicamente inasibles. En definitiva, lo único que cuenta son los resultados. Cuando estas mezclas desaforadas no llegan a compaginarse y a integrarse, el resultado es nefasto. Este resultado menudea, pero lo curioso es que a veces todo marcha bien, de una manera positiva y agradable. El arroz con pescado y pollo, plato de larga resonancia y muy apreciado, *a priori* es inconcebible. ¿Qué puede dar de sí una combinación tan contradictoria? Si explicáis a un cocinero francés, y por tanto dotado de un mínimo de racionalismo, la composición de este plato, sentiréis un *vade retro!* contundente y decisivo. Con todo, el arroz de pescado y pollo puede ser muy bueno, como lo puede ser la langosta con pollo y la langosta con caracoles y muchas combinaciones heteróclitas que podríamos citar. Al fin y al cabo, todo depende del toque del cocinero o de la cocinera encargados de llevar a cabo la receta y de ligar estas contradicciones extravagantes.

¿Puede definirse ese toque? ¿En qué consiste? ¿Cuál es el *quid* que se encuentra en su base? Si es que existe, y es previsible que así sea, ¿cómo se podría formular? Yo no lo sé. Es una cuestión que no puede explicarse, como no pueden explicarse la mayor parte de las cosas de la vida. ¿Cómo se hace un buen soneto? ¿O un libro bien dispuesto? ¿O un buen discurso? ¿O un tratamiento médico eficaz? ¿Cómo se poda un olivo o una cepa pensando en los resultados inmediatos y en la conservación y fortalecimiento de la planta? ¿O una buena ley, o una escultura sobresaliente? Son asuntos muy arduos, y en definitiva, de realización posible pero inexplicable.

Con la aparición intermitente del bacalao escandinavo y de sus subproductos, ha vuelto a dejarse ver por estos parajes uno de esos platos asentados sobre la más inconcebible e incomprensible combinación. Es lo que denominamos el *niu*, un plato que, por las razones que dijimos, parecía haber naufragado en la memoria humana.

El fundamento de este plato es pura y simplemente el bacalao con patatas, elaborado al estilo más habitual y familiar: el sofrito de siempre, la picada, el bacalao y las patatas. Pero una vez llegados a este primer resultado, se le añaden las tripas del bacalao, que en los comercios se encuentran en forma de cinta, de un color blanquinoso y largo. Estas tripas, que colgadas en el establecimiento donde las despachan tienen un aspecto, si queréis, poco corriente pero trivial, cocinadas convenientemente –quiero decir durante largo rato– segregan un jugo graso, pastoso y marítimo de la más elevada calidad que añadido al guisado, le elevan notoriamente la importancia y dan una realidad de consistencia al plato, más bien ligero, del bacalao con patatas. A mi juicio, el gustillo marítimo que ha de tener esta comida viene dado por el jugo segregado por las tripas del bacalao. Estas tripas, naturalmente cortadas, se incorporan al plato, como se le añade el estocafís, que por el hecho de ser una mercancía muy fibrosa y vegetal, pasablemente coriácea, hay que mantener en el fuego hasta que se esponjen un poco sus carnes. Llega un momento en que este estocafís es tan bueno y tan gustoso como el bacalao, por más pulpa que tenga y por más cortezosa que sea su composición escandinava.

Hasta aquí todo es un poco complicado, pero parece normal. Pero ahora viene la cosa más extraña e inexplicable, lo que es difícil de comprender y *a priori* de aprobar.

Al plato que ahora describimos, se le añaden, en efecto, unos pájaros, si es posible de primera calidad. Los tordos son rotundamente adecuados. Los tordos son incomparables. Si no se puede disponer de tordos –que pasan en otoño y en invierno, en temporada de aceitunas, hacia el sur–, se pueden utilizar otros buenos pájaros, y si sigue habiendo problemas, se puede echar mano de los gorriones, que hay todo el año y en invierno se pueden cazar con facilidad. El conjunto forma un plato de invierno bastante notable, evidentemente completo y que los aficionados generalmente amenizan con la popular cucharada de ajoaceite de nuestra milenaria vida rural. La palabra *niu*, que así denominamos este plato, es una descripción de la realidad: todo el plato, esencialmente marítimo, se organiza como una especie de nido para los volátiles que se añaden al final, colocados en el centro de la cazuela lista para servir.

Explicado así, y la explicación aspira a cierta exactitud, el guiso les parecerá de tal extraña novedad y la combinación tan extravagante, que acabarán por formular, de entrada, el *vadre retro!* de que hablábamos hace un momento. Desde todos los puntos de vista, la razón les sobrará. Es evidente, en efecto, que si los componentes de esta comida aparecen ante su vista en estado natural, si no han estado al fuego el tiempo necesario o si el toque del cocinero o de la cocinera no ha sido bastante capaz para que el común denominador del jugo de las tripas haya unido todos los elementos presentes, el resultado, que primero será incomprensible, se volverá francamente detestable. Pero al menos en determinadas ocasiones, y lo digo seriamente, porque es verdad, el resultado es decisivamente favorable. Aparece entonces un guiso importante, que será nuevo para mucha gente y que es de real notoriedad.

Dejadme decir otra verdad: estos últimos años he tenido ocasión de acceder a algunos *nius* que han hecho por aquí. No han sido malos, pero tampoco comparables con los que comíamos hace años, antes de que todo quedase soterrado en las capas neutras de la memoria humana. Aquellos *nius* eran mejores. No sabría precisar las causas de su decadencia. Había en estos *nius* actuales todo lo que tenía que haber, como en los tiempos pasados, pero el resultado no era el mismo. Ahora no estoy criticando, me limito a exponer la realidad. Quizás incluso había mayor abundancia de elementos, por el deseo de que nada fallase, pero el resultado fue distinto. La tradiciones se han de mantener en su virtualidad. Si se quiebran es difícil resucitarlas.

Y ahora prescindimos de estas simples anécdotas, curiosas pero, en definitiva, sin importancia. Se verán muchas otras, de un volumen y de una trascendencia mucho más considerables.

En la cocina, lo primero que hay que precisar, con el deseo de eliminarlo, es la prisa. Culinariamente hablando, la prisa no solamente no sirve de nada, sino que es contraproducente: lo hace todo crudo y desgraciado y se encuentra en el origen de constantes y habituales catástrofes. En el plato de que hemos hablado, la obtención del jugo de las tripas de bacalao para ligar la totalidad es una cuestión de tiempo. Se han de esponjar y convertir la carne más fibrosa y seca del mundo en algo sentimental, tierno y tolerante. Si la cuestión se resuelve, se tiene mucho ganado, y el plato adquiere una verdadera personalidad. Estoy tan seguro de lo que digo, que no me cuesta nada imaginarme el *niu* como gran plato de restaurante. Eliminen, pues, de su pensamiento, las convicciones aprioristicas. Constaten los resultados, y si son positivos –lo serán si el toque existe–, se encontrarán ante un plato que difícilmente olvidarán.

SOBRE LAS ANGUILAS.
UN CAPÍTULO DE RECUERDOS

Cuando se hace visible el declinar del año y el otoño comienza a teñir el paisaje y el aire, algunos años hacia septiembre, otros más tarde, llega la temporada de las anguilas.

En nuestra área lingüística las anguilas abundan sobre todo en el Delta del Ebro, en los ríos valencianos y en el Baix Llobregat. En estos parajes da gozo ver con qué agrado la gente se las come. A mí me parece, en cambio, que en los ríos de las tierras gerundenses la anguila ha ido a menos, hablando objetivamente.

La vieja señora Neus, que con sus precarios fogones creó el mejor y más acreditado restaurante de este litoral, presentaba dos platos de gratísimo recuerdo: las sepias rehogadas y el *suquet* de anguilas. Eran platos que solían servirse los domingos por la tarde, para merendar, en forma de porciones. Entonces había gente, sobre todo payeses más o menos consolidados, que iban a merendar, y acusaban mucho el aliciente de estos platos. Era un plato realmente interesante. Fue en un restaurante del Congost de Gerona donde comí las primeras anguilas, y me las sirvieron con tomate. El tomate, servido con exceso, lo estropea todo y no arregla absolutamente nada, pero por fortuna, le pusieron poco, y las anguilas resultaron excelentes. También las he comido en Pals. ¿Pero dónde encontrar hoy un plato cocinado de anguilas de acceso público y garantía más o menos positiva? Los años se

234

lo llevan todo por delante, y no quedan más que establecimientos mezquinos, fríos, pretenciosos y sin intimidad.

Existen muchas clases de anguilas, que el lector podrá encontrar detalladas en cualquier manual de historia natural. Hay anguilas de agua dulce y anguilas de aguas de confluencia dulces y saladas, éstas se distinguen por su color más rojizo. Todas son excelentes. Su carne es un poco fofa y viscosa y por tanto, su tratamiento culinario, si las queréis guisar, ha de ser objeto de un sofrito importante y acusado. Las anguilas deben ser convenientemente subrayadas, *relevées*.

La cocina francesa de la anguila ha elaborado un plato memorable y de gran sabor. Es el llamado *matelote d'anguilles*, plato popular, como su nombre indica, pero muy refinado, que es posible encontrar en las pequeñas poblaciones que tienen río, poblaciones crepusculares, muy calmadas y provincianas. Si alguna vez pisan algún establecimiento de estas poblaciones –es esencial que tengan río– y se les ofrece la oportunidad de comer una *matelote*, abandonen rápidamente las dudas del escepticismo y cuando la hayan comido me enviarán una postal dándome muchos recuerdos y las gracias.

En su famoso *Diccionario etimológico y crítico*, el filólogo Joan Coromines dice que la palabra castellana *anguilla* –que así la escribía aún don Francisco de Quevedo– podría ser de origen catalán. Por otro lado, no recuerdo haberme encontrado, en las cartas de los restaurantes de Castilla y de La Mancha que he conocido, con ningún plato relacionado con las anguilas.

En mi país las pescan principalmente de dos maneras: una de ellas es chapoteando el agua y removiéndola con el barro de los canales y las acequias, agitando en general los cursos de agua a fin de que las anguilas se pongan en movimiento y penetren en las anguileras, que son unos cestos de mimbre de entramado suficientemente apretado para impedirles la huida, teniendo en cuenta que estos peces tienen merecida fama de ser muy escurridizos y de escabullirse de las situaciones más cerradas. También las pescan obstruyendo un determinado espacio de un curso de agua, vaciando el agua del cerco y atrapándolas con las manos cuando aparecen serpenteando sobre el barro. Dada su viscosidad y sus movimientos serpentinos, es muy difícil tenerlas cogidas con las manos. Para mantenerlas inmóviles los pescadores utilizan un paraguas abierto: plantan la contera en la tierra y dejan la cúpula con el varillaje extendido. Arrojadas las anguilas en el paraguas invertido, es posible entonces asistir al curioso espectáculo de los esfuerzos que realizan para escapar de la cúpula de tela. Resbalan sobre la forma curva una y otra vez, no pueden alcanzar el borde, se fatigan y no salen airosas en ningún caso.

Las anguilas son realmente huidizas y se escurren de todas partes, incluyendo las tenazas de los dedos de las manos. Por su extraordinaria movilidad y lo resbaladizo de su piel son dificilísimas de dominar. Escurrirse como una anguila ha pasado a ser un tópico real, no solamente de la psicología recreativa, sino de la otra. En cambio, puestas dentro de la concavidad de un paraguas invertido, no pueden huir por más esfuerzos que hagan. Los pescadores de anguilas de parajes lacustres, pantanos y canales de agua forman, con sus negros y grandes paraguas, una estampa pintoresca y arcaica. En general la gente cree que los paraguas sólo sirven para no mojarse cuando llueve. Lo cierto es que plantados en tierra de forma invertida son los mejores viveros de anguilas para los momentos inmediatamente posteriores a su pesca que hasta la fecha se han encontrado.

Antes de comerlas, las anguilas han de ser objeto de diversos lavados consecutivos. Todos los pescados, independientemente de su calidad, tienen la viscosidad de su especie y del medio en que han vivido. Para los *gourmets* del pescado, ésta es una de las características de su sabor y de su personalidad. Pero las anguilas tienen demasiada. Hay que lavarlas. Las anguilas son animales de barro y las mejores de ellas, según dicen los expertos, son las que han vivido en aguas limpias sobre fondo lodoso. Su elemento vital es el barro, razón por la que hay que quitarles el que transportan, por medio de lavados de rigor, que no han de ser superficiales, sino de la mayor eficacia, hasta dejarlas bien limpias. A veces he sospechado si el desinterés creciente que producen las anguilas no tendrá por causa principal la prisa que se constata en la preparación, en la manipulación de la cocina de nuestros días y en la cocción, observable aquí y en tantos otros lugares, sistemáticamente. Ya lo he dicho: la carne de la anguila es un poco fofa, pastosa y viscosa, pero es buena y nutritiva. Para sacarle la grasa viscofangosa que contiene, se requiere tiempo y paciencia. Y ahí está, creo, la causa del desinterés advertido.

En los viejos tratados culinarios franceses, la cocina del pescado de agua dulce ocupa un capítulo muy comprensivo. El lector nos tendrá que perdonar si nosotros no le dedicamos ni una palabra. Ese pescado es infinitamente más insípido que el de agua salada. Si exceptuamos las truchas de montaña, no hallamos ningún otro aliciente apreciable. En Suiza, los lagos son adorables; pero el *poisson du lac* es horripilante de mediocridad. La receta importante en este capítulo es la *matelote* de anguilas, que se manipula después de haberla limpiado, vaciado y cortado en rodajas, como es fácil de suponer.

Estas rodajas se colocan en la cazuela acompañadas de lo que en aquel país denominan un *bouquet garni*, formado por perejil, laurel, una cabeza de ajos y una chispa de romero. Las rodajas y el ramito se cubren con una rociada de vino tinto de la máxima calidad posible, la sal y un sustancioso polvillo de pimienta. El conjunto se somete a un golpe de fuego violento y se ha de mantener en ebullición, como mínimo, durante veinte minutos. Mientras tanto, en otra cazuela, se ha de poner la mantequilla correspondiente, un par de docenas de pequeñas cebollas –susceptibles de tomar un hermoso tono dorado–, dos cucharadas de harina, cuatro champiñones, una punta de vinagre y el agua, sin exagerar. Cuando las salsas de las dos cazuelas están a punto se pueden mezclar, naturalmente, y añadir al compuesto, si se quiere, unas tostaditas, que mojadas en el jugo siempre constituyen un añadido apreciable. El plato se sirve en la seguridad de que será celebrado.

Nuestra cocina de la anguila, comparada con la *matelote*, está en pañales. La fórmula que recogemos es realmente típica de la cocina francesa: la promiscuidad de la mantequilla y del vino. Es precisamente el vino lo que corrige la mediocridad del pescado y posibilita la temperatura del guiso, que ha de ser viva y pujante. Con el vino, los franceses han hecho muchas combinaciones culinarias, pero fundamentalmente dos platos muy conocidos: el *coq au vin*, o sea el pollo al vino, y la *matelote*, o sea la anguila al vino. Ambos son de gran categoría y muy vitales. A veces me pregunto si estos dos platos hechos con aceite de oliva serían mejores o peores que con mantequilla. No hallo respuesta, por desconocimiento práctico, pero el resultado de los franceses sí está a la vista, y haber conseguido tal plato con un pescado más bien mediocre y que no ha merecido la atención general no me parece desdeñable, en absoluto.

La fórmula de la *matelote* es una de tantas que puede ofrecer la cocina francesa. Hay muchas otras. Soy consciente de que afirmar, en nuestro país, que una de las mejores anguilas que se pueden servir se guisa con vino, provocará siempre un soplido de reticencia y disconformidad. ¡Qué le vamos a hacer! En cualquier caso, ésa es la realidad, el aserto no incurre en ningún despropósito y el resultado es real.

En nuestra tierra comemos las anguilas, cuando son asequibles, cosa que no suele suceder, guisadas con el sofrito de siempre: el ajo, la cebolla, el tomate y el perejil; todos los ingredientes habituales.

El plato adopta un aire popular y es muy gustoso. Pero a veces lo que se pretende hacer es cocina popularista, es decir, de alpargata, y entonces es prescriptivo el sometimiento a la endemoniada tendencia al ajo. La primera consecuencia de la sobrecarga de ajo es que el resto de sabores de los elementos que integran el plato desaparecen como por encanto. El gusto del ajo pasa a ser único y absoluto. ¿Por qué razón no se puede concebir una cocina popular sin que el ajo impere sobre todo? El ajo se erige en el único gusto perceptible, lo que provoca un desequilibrio total, una repulsión inicial que acaba convirtiéndose en una obsesión muy desagradable. Los establecimientos que cocinan de esta manera son difíciles de tolerar. Son enemigos de la buena marcha de la cocina y de la salud del género humano. Se considera, en virtud de una petulancia y una ignorancia habituales, que las cosas populares han de ser fuertes, brutales, amalgamadas e insolubles. Otros hacen una cocina de enfermo, de convaleciente, de media vida, algo que pende de un hilo, sin chicha ni limonada, precario.

Los restaurantes de este país, hablando en general, son algo extraño. Muy extraño. Cuando aparece uno dispuesto a hacerlo bien y de acuerdo con la salud de la clientela, el éxito es inmediato, sea cual sea el lugar donde se haya instalado. Al cabo de una temporada, los propietarios han ganado dinero y se desinteresan del negocio. La luz se va apagando lentamente. Después todo decae... Los únicos restaurantes corrientes que se aguantan en pie son los que tienen una concepción grosera de la cocina popular o los que practican una irrisoria falsificación más o menos pretenciosa de la cocina casera.

A veces recuerdo las porciones de anguilas que cocinaba, en la Escala, la vieja señora Neus, ya hace muchos años, por cuarenta céntimos, y me invade una misantropía profunda y razonada.

LAS TRUCHAS DE MONTAÑA

Cataluña es un país montañoso. De muy altas y desorbitadas montañas, no. De montañas para estorbar la agricultura, las comunicaciones, el comercio y la industria, es muy probable. A mí me gustan los países más bien llanos, con una tendencia a la ondulación. Las montañas son tan abundantes que, después de haber viajado por el país, con la intención de contemplarlo, uno acaba persuadido de que hay montañas repetidas, inútiles, sobrantes.

Al recorrer estos lugares, observando la fatiga de los motores de los autobuses que tratan de escalar un puerto, os entran ganas de pensar cuán agradable sería poderlas achatar un poco con la yema del pulgar, para dejarlas a una altura asequible, discreta, cultivable, aunque el cultivo que se asentase en ellas no fuese más que el de secano. El país, por otra parte, sería más anchuroso. Pero no hagan caso de estas manifestaciones subversivas y totalmente utópicas de un hombre de tierras bajas, pero siempre tapiadas por montañas, admirador de las sinuosidades suaves y largas, y más bien convencido de que la belleza de las cosas nace, en gran parte al menos, de su utilidad.

Miradas desde su base, las montañas os causan una impresión de pequeñez y de inanidad, que es muy normativa, que convence a muchas personas autosugestionadas. En sus cimas, el aire es ligero y fino y pueden verse inmensos paisajes. Como las montañas, nada hay en el mundo..., dijo el poeta. Lástima que la insignificancia que provoca su contemplación, que la amplitud que ofrecen sus vistas panorámicas, aparezca atravesada por tantas sensaciones laterales: por la salud, por la fuerza, por los deseos, por las ilusiones, por tanta presencia angustiosa en cada momento determinado. El hombre no es un ser monográfico. Si lo fuese estaría satisfecho, sería feliz. Pero se halla en este mundo para captar muchas cosas, afectado como está por contradicciones innumerables. Y de ahí, probablemente, su infelicidad.

Este verano –por decirlo con una frase zaratustriana– he subido a las montañas. He ido desde el litoral hasta la punta pirenaica extrema de este territorio. He visto la Maladeta y el Aneto, que es la cumbre más elevada de este país, desde los prados verdes, tiernos y risueños del Valle de Arán. ¡Cómo resoplaba el motor al remontar el puerto de la Bonaigua! Para una persona de capacidades alpinas nulas, el baño geológico fue notable. Me propusieron una tortilla con unas setas llamadas de humedad, pequeñas, negras y escaroladas, que me parecieron exquisitas, inolvidables. Después de volver a las tierras bajas, tuve la sensación de haber regresado de un lugar muy remoto; como si hubiese viajado, pongamos, al norte de Noruega.

No creo que quienes viajan en avión lleguen a experimentar las sensaciones que da la carretera. El avión, digan lo que quieran, de no ser por la inconsciencia, que es un distintivo propio del ser humano, daría mucho miedo. Aunque desde los aviones se pudiese distinguir algo, el miedo impediría ver nada a las personas cuyo entendimiento vela por su seguridad. Así se recorren tres o cuatro mil millas y se pasa de un hotel a otro –todos los hoteles importantes son iguales– con el riesgo normal, pero en un estado de absoluto descuido. Para mí que ciento cincuenta kilómetros en autobús o en coche particular, escalando los puertos y deslizándose por los valles, penetran más en el espíritu que todos los desplazamientos aéreos, de tan acusada invisibilidad. Ciertamente, son viajes que agotan, pese a lo irrisorio de las distancias; pero no sé si la angustia del vuelo fatiga más. Mi viaje al Valle de Arán fue de órdago: acabé saturado para todo el año.

Cuando expuse a mis amigos el proyecto de ir a pasar unos días a las altas montañas me comentaron:

–¡Muy bien! Comerá buenas truchas. Por allí debe de haberlas en abundancia y excelentes.

Esto os dará a entender que se trataba de amigos del litoral. A ninguno de ellos se le ocurrió decirme una palabra ni sobre el viaje mismo ni sobre los paisajes tan singulares que se me plantarían delante. No: para ellos, la montaña era ante todo un pretexto para comer truchas, para acercarse a algún rincón donde este pescado fuese fresco y adorable.

En Sort, en el camino del Pallars Sobirà, empiezan los tejados negros, de pizarra, de *llécol*, como lo denominamos en las tierras bajas. Antes se pasa por Tremp, una población de mediana altura, agradable y normal. Gerri de la Sal, entre ambas, es una maravilla de carácter. En verano, Sort es un país fresco, sus prados muestran un verde denso y delicioso, el agua se puede palpar y encanta los oídos con su vago rumor. Los payeses acababan de guadañar y recogían la segunda o quizá la tercera siega de la hierba de los prados. El sol se vertía sobre las oscuras pendientes de los abetos, coloreando sus hojas azuladas, rosadas y tiernas, y de los árboles de los bosques emanaba un intenso olor a tierra y a vegetación descompuesta. El río, la Noguera Pallaresa, bajaba tumultuoso, el agua resbalaba por las piedras desnudas y blancas del lecho formando recodos de una estática inmovilidad. A veces, sobre las altas vertientes de la carretera, se veía caer una cascada blanca en forma de cola de caballo, pura, fascinadora, espumosa. La falta de agua que se constata en todo el país crea y seguirá creando la mitología del agua. Estas cascadas del Pallars me causaron la impresión de haber llegado al país de las hadas. ¡Impresionantes caídas de agua! Las hadas, que siempre tuve por creaciones del espíritu, me provocaron una sensación de vaga realidad.

Tan pronto se llega a estos parajes surge en el autobús la alusión a las truchas.

–¡Éste es un país de truchas!... –exclamó un señor que

me pareció algo peripuesto y que, por la edad, tenía aspecto grave y razonable.

Y así, como es lógico, las truchas que ya apenas recordaba quedaron suspendidas de nuevo en mi imaginación.

En la fonda de Sort pedí unas truchas, no sólo porque estaba un poco cansado del bistec con huevos fritos y patatas de las tierras de Lérida, sino porque la ilusión ya estaba en marcha.

–¡Si hubiese venido ayer! –me dijo el fondista con la amabilidad del oficio–. Ayer las teníamos a montones.

En Espot, desde donde se asciende con jeep al lago de San Mauricio y a las impresionantes verticales de los Encantados –un valle con fama de ser el más bello del país; juicio muy plausible, pues todo este espacio parece soñado–, pedí una trucha y el propietario del establecimiento me preguntó de cuántos huevos la quería.[1] Este equívoco entre la trucha y la tortilla se usa mucho y es un poco pesado.

Me quedé muy sorprendido: tampoco en Espot había truchas. A tan poca distancia de los fríos lagos, en un pueblecito invadido por el rumor de las aguas que bajan agitadas, produciendo espumas plateadas, tampoco hubo posibilidad de comer una trucha de la región, algo que en principio debería ser corriente en estos rincones tan ricos en agua.

Cruzado el puerto de la Bonaigua, impresionante por su altura –permanece cerrado al tráfico durante cinco meses al año–, me sentí obligado a repetir la intentona. Me encontraba ya en el Valle de Arán, donde se habla el aranés, dialecto gascón. El paisaje, ¿acaso no era todo, árboles y prados, tan verde como un caramelo de menta, y no de los claros, sino intenso y acusado? ¿No cantaban las aguas por doquier? ¿No veía con mis propios ojos las construcciones eléctricas que se estaban llevando a cabo? Si aquí no hay truchas, pensé, es que se han acabado, por haberse extinguido la especie.

1. En catalán, la misma palabra –*truita*– significa tanto «tortilla» como «trucha»; para distinguir entre ambas hay que especificar si se trata de *truita d'ous* («de huevos») o de la otra. (*N. del T.*)

En Viella me dijeron que las tendrían al día siguiente, porque aquel día no habían picado. Y no habían picado porque el día anterior había sido muy tempestuoso, y ya se sabe –quiero decir que entonces lo supe–: cuando hay tempestad, las truchas no pican.

–¿Me podría decir, si es tan amable –pregunté al fondista–, qué es lo que se ha de hacer para comer una trucha en estos altos valles pirenaicos?

–Lo mejor es enviar un telegrama... –oí que me contestaban con rapidez y contundencia.

–¿Próximo? ¿Lejano?

–Lo más lejano posible. Cuanto más tarde llegue el telegrama, tanto mayores serán las posibilidades, porque habrá más tiempo para pescarlas.

Hay que desengañarse: los peces de agua dulce no son, en este país, nada del otro mundo. Son peces de carne fláccida, fangosa, hormiguera. Debe de haber peces, nacidos en estas aguas, todavía de peor calidad. Hicimos una alusión a los *poissons du lac* que sirven en Suiza. Son muy mediocres, proporcionan un comer de rebaño.

De todos modos, tal vez no convenga generalizar demasiado. El salmón, si no estoy equivocado, es un pez de agua dulce que goza de una consideración elevadísima muy extendida. En nuestro país, sin embargo, según afirman personas documentadas, el salmón es una pura ilusión del espíritu; un alimento importante y, por lo general, muy caro.

Comparar el salmón con la anguila es algo que ni siquiera debe intentarse: es como comparar un huevo con una castaña. La anguila es un pescado más bien ordinario, que cocinado con cierta malicia puede alcanzar alguna apreciación entre las personas a quienes gusta la cocina popular. En cualquier caso, se trata del único pescado de agua dulce que cuenta con una clientela nutrida.

Hemos de llegar, pues, a una conclusión: no disponiendo fácilmente de salmón, y al ser la anguila un pescado tan basto, el único elemento positivo y de calidad originario de este medio es la trucha.

Hay muchas clases de truchas. La de carne floja y pastosa no vale mucho. La trucha fresca más hecha y consistente es muy apreciada, tanto si se sirve hervida, como frita o de las diversas maneras como se presenta en Francia, donde es posible encontrarla en numerosos lugares de montaña. La trucha con mantequilla, a la *meunière*, es la más comúnmente conocida y apreciada. Sobre las truchas hay entablada en este país una ligera discusión: hay quien afirma que este pescado no le llega a la suela de los zapatos, ni con mucho, a cualquier pescado importante de mar. ¿Por qué tanto dogmatismo y tanta intolerancia? Deberíamos prescindir de una vez de tanto prejuicio al dirimir estas cuestiones. La trucha de montaña no tiene nada que ver con los peces de mar; es otro tema. Y si tenemos tan poca cosa, ¿por qué privarnos de la trucha por culpa de una dialéctica y de una adjetivación tan primarias? Yo soy partidario de estas truchas, me parecen excelentes y son muy agradables.

Lo que me sucedió con las truchas en el Pallars Sobirà me ha ocurrido a menudo en lugares más cercanos a casa. A veces las truchas están en Setcases, a veces en Ripoll. Según mi profesor de latín, las truchas de Ripoll, frescas, fritas y del Freser, eran las mejores del mundo. Otras veces las encontraban en las quimbambas.

Al regresar al pueblo mis amigos adoptaron un aire de suficiencia y me dijeron:

–Debe de haber comido buenas truchas en aquellos parajes tan frescos y tan altos.

–Sí, señores. Algunas, pero no demasiadas.

EL AJO, CON CALMA

Los ingredientes más típicos y habituales de nuestra tradición culinaria son el aceite, el ajo y el tomate.

La cocina del aceite de oliva, si el aceite es bueno, puede defenderse con toda seguridad, sin reparos. Pero la calidad del aceite es condición inquebrantable: no puede ser ácido ni rancio. La cuestión está dominada por una constante perplejidad explicable porque durante siglos, en esta península el aceite ha sido tan malo que según algún humorista, lleno de buen sentido, todas las invasiones que ha sufrido el país en el curso de la historia han fracasado a causa de la peste a aceite ácido que generalmente se ha despedido. Este mal olor ha supuesto un muro infranqueable para toda nariz bien educada. Limitándonos a la cuestión interna, también se podría recordar que todos los períodos revolucionarios precipitados en el caos, algo habitual, han tenido lugar en medio de un delirio oloroso de aceite irrespirable.

Pero el aceite puede ser bueno, y entonces la esencia de las aceitunas es muy aceptable, pues en ningún caso destruye el sabor de los alimentos que se cocinan en ella.

No es precisamente ése el caso del ajo. En principio, yo soy contrario a la cocina del ajo, que lo prodiga de manera excesiva. Es indispensable que me detenga un momento a precisar esta cuestión.

Cuando en primavera aparece el ajo tierno, el asunto no alcanza todavía ninguna trascendencia, pues se trata de un ajo inofensivo, que se puede comer crudo. Cuando el ajo envejece y se manifiesta la cabeza de ajos tan bien formada, la sustancia adquiere una presencia tan decisiva y tal fuerza expansiva, que en la cocina destruye todos los sabores y elimina cualquier posible matiz del gusto de los alimentos. No se puede negar, al fin y al cabo, que el ajo es un factor de importancia fundamental para la condimentación peninsular. Gusta a muchísima gente, de todas clases sociales. Durante siglos ha creado, en determinados ambientes, la ilusión de la alimentación, aunque ésta haya sido muy precaria. Me apena tener que decirlo: no siento el tradicionalismo del ajo.

Y para escribir lo que acabo de escribir no tengo más que un argumento simple, pero para mí esencial: todos los alimentos cocinados con ajo, por poco que se te vaya la mano, sabrán a ajo. Este gusto y este olor son, en primer lugar, insoportables. En segundo lugar, llegar a unos resultados tan simplificados y sumarios que la carne y el pescado no tengan más que gusto a ajo, me parece excesivo y de una primariedad indignante. La cocina es un arte –y me tendrán que perdonar la insistencia, que considero decisiva– destinado a subrayar, a descubrir, a personalizar los matices de los alimentos, tanto desde el punto de vista del paladar como del olfato. El ajo, destruyendo, arrasando como arrasa los matices de los elementos alimenticios, para suplantarlos con la exhalación y el gusto que proyecta su fuerza expansiva, equivale a convertir la cocina en la negación de sí misma. El ajo lo arrasa todo. La cocina del ajo no tiene más que un común denominador que impera en solitario: el ajo.

Me he preguntado muchas veces por qué razón el ajo ha tenido y tiene tanto peso en nuestra cocina. Me sirven ahora, aquí en Mallorca, unas setas de aspecto excelente: *esclatasangs*, que es el nombre que en estas islas dan a los níscalos. Sobre las setas, espolvorean una picada excesiva de ajo y perejil. Me pregunto por qué realizarán una acción tan absurda. Estos últimos días ha llovido, hecho siempre agradable en Mallorca; las setas son frescas y sabrosas, es exactamente su tiempo. Estos *esclata-sangs* hechos a la brasa con una simple gota de aceite encima, pienso para mí, serían una auténtica maravilla. Con el ajo a cuestas son horribles: sólo huelen y saben a ajo. En otro restaurante, en un pueblo situado a la orilla del mar, me sirven unos salmonetes recién salidos del agua, rojos, de carne dura, grandes, incomparables. Los han cubierto, literalmente, con la acostumbrada picada de ajo y perejil. El primer movimiento consiste en liberar al pescado de la picada que le han arrojado encima. Pero ya no hay remedio: los salmonetes se han impregnado fatalmente de ajo y todo, hasta el aire circundante, apesta a ajo. Estos salmonetes, pienso ya desanimado, hechos a la brasa, con una gota de aceite por encima, habrían sido deliciosos, inolvidables. Los han arrasado. Sólo saben a ajo. Los salmonetes han desaparecido, no son más que pretextos para que el horrible olor a ajo lo invada todo. Me domina una creciente tristeza. Cuando la comida ha sido empapada en ajo las tardes son interminables, horribles. Y los anocheceres, lo mismo. Siempre queda el regusto persistente del ajo. La buena cocina no dura, se digiere y se pierde de vista. No tiene una consistencia pesada: es aérea y olvidable.

Desde la terraza del establecimiento contemplo el azul del mar, y pienso con una tristeza persistente y acentuada:

«Todo el Mediterráneo, o casi todo: el cristiano, el musulmán y el eslavo, huele a ajo. Poseer pocas, pero tan buenas cosas, tan gustosas, y suplantarlas con el olor del ajo, ¿no es una insensatez gratuita e intolerable? Estas acometidas contra el buen sentido más elemental me dejan abrumado».

Pero lo más curioso es que, cuando pienso en estas cosas, veo que yo no tengo ninguna prevención contra el ajo, quiero decir ninguna prevención *a priori*. Quienes afirman que el ajo emana un olor sólido, ordinario y adocenado, no me dicen nada nuevo. Aún se encuentra gente, de una cierta edad, que transporta una perfumería infinitamente más irrespirable que las exhalaciones del ajo. Estos perfumes aspiran a lograr cierta superioridad social, y el ajo es terriblemente vulgar. Pero esto no importa. En definitiva, el ajo sólo huele a ajo, mientras que la perfumería es más pedantesca, complicada, esnob y, en definitiva, irreal. Ahora bien, el drama proviene del hecho de que el ajo crudo, una cabeza de ajos colocada en una cazuela con otros alimentos, tiene una fuerza tal de expansión, tal poder de dominio, que todo lo que allí se manipula queda transformado en otra cosa y acaba por tener, estrictamente, el gusto del ajo.

Así pues, en la cocina, se ha de saber dosificar este poderío expansionista, aprovecharlo con parsimonia y mucha calma, en la seguridad de que cuanto más bueno sea el alimento que se trata de preparar, menos ajo se le ha de poner. Ya comprenderá el lector que, después de lo que acabo de escribir, yo nunca pretenderé hacer una sopa de ajo sin ajo o con tan poco que no tenga gusto a nada. No. La persona que se encara a una sopa de ajo, lo que desea es que tenga gusto a ajo. Es natural y respetable. Lo que no tiene sentido, en ningún caso, es que quien pretenda comer un asado de carne tenga que decir, al final, como tantas veces he oído o dicho:

—El ajo de este asado era potente. Ahora bien: el asado no era nada, una cabeza de ajos disfrazada de asado insignificante.

La mejor carne que he comido en el curso de mi vida ha sido en el centro y en el norte de Europa y en los Estados Unidos: nada de ajo, absolutamente nada. En los Estados Unidos, presentar un *steak* de buey, que se considera una de las mejores carnes del mundo, con ajo, sería una actitud inconcebible, lo considerarían un auténtico atentado culinario. El ajo destruye el paladar, es un elemento de sofisticación y de transformación irreparable.

Por todo lo dicho, hay que saberlo dosificar con el mayor cuidado y vigilar lo que ocurre.

Hace años, Manuel Brunet publicó un artículo, uno de los mejores que salieron de su pluma, que era un ditirambo de la sopa de ajo. Se titulaba con estas últimas palabras. Estas sopas, básicamente tan mediocres, hechas con pan y agua, se preguntaba el articulista, ¿qué serían si no contuviesen ajo? La afirmación es absolutamente cierta y legítima. Esto me lleva a pensar en la utilización generalizada del ajo. Por ejemplo: es incuestionable que el cordero, que a veces corderea hasta resultar incomestible y tiene un gusto espantoso, mejora notoriamente cocinándolo con ajo. En este caso, el gusto de lana que tiene el animal queda rápidamente desplazado por la fuerza expansiva del tubérculo y, en este sentido, el resultado es muy apropiado. Lo mismo se podría afirmar cuando el pescado es equívoco y su frescor cuestionable. En estos casos, sólo hay tres soluciones: ponerle unas gotas de limón, de una acidez siempre desagradable, cargarlo de ajo o no comerlo. A mi juicio la última solución es la más saludable.

Es, pues, indispensable llegar a alguna solución. El ajo joven, tierno, primaveral, no ocasiona ningún estrago y es de gran inocuidad. Sobre los ajos viejos, la cabeza de ajos, las cosas parecen ir de la manera siguiente: pueden ser positivos cuando se trata de elementos precarios y de constitución notoriamente vaga. Por el contrario, cuando los alimentos son buenos, la utilización del ajo sin ton ni son los destruye irreparablemente. Es casi seguro que el ajo se utilizase en gran abundancia en el interior del país, en la época de las comunicaciones lentas y tardías, cuando los alimentos, sobre todo el pescado, llegaban en un estado de postergación deplorable. Este uso acabó por convertirse en un hábito que se generalizó de manera muy vasta. Ahora bien, nunca se deberá aplicar esta costumbre a alimentos de primer orden. ¡Jamás!

Los extranjeros, sobre todo los de la cocina de la mantequilla, muestran una prevención viva y notoria contra el ajo. Yo nunca he creído que los extranjeros, por el hecho de serlo, lleven siempre razón: a veces la tienen toda, otras menos, otras nada. En este caso, creo que su posición está absolutamente justificada y que hay que darles la razón. Y lo creo por las razones que he dado en este capítulo, cuya enumeración me parece de cierto peso, desde el punto de vista culinario. Tendría que haber añadido otra más, a la que sólo he aludido vagamente: el ajo carga las digestiones con su olor infecto, un olor que dura muchas horas y hace la sobremesa muy pesada. La buena cocina es insensible, aérea y olvidable. Éste es un principio básico, indispensable.

No se puede negar, bien mirado, que la cocina aparatosa y triunfalista del ajo va de capa caída. En este país se ha vivido, durante siglos, con el prejuicio, para mí equivocado, de la cocina del ajo. Ahora vamos aclarando los conceptos de la cocina de manera positiva y apreciable. Pero no es menos cierto que la cocina va perdiendo calidad ostensiblemente. Podríamos encontrarnos con que, después de haber clarificado todos los conceptos culinarios, la cocina hubiese desaparecido por completo, o casi.

EL TOMATE: SUSPENSIÓN CON TENDENCIA CONTRARIA

Me dicen que en este litoral, tan poblado en verano, se acaba de abrir un establecimiento de restauración pública basado principalmente en estos alicientes: pan con tomate y vino tinto. La opinión general es que esta combinación, que hasta ahora parecía limitada a la población indígena, se abre camino a pasos agigantados entre la clientela extranjera y del resto del país. No me extraña.

El pan con tomate, con el correspondiente aceite de oliva no muy ácido, es gustoso, sabroso y positivamente nutritivo. Puede constituir una merienda sin parangón, sobre todo frente a este mar nuestro que, entre otras bellezas y condiciones, tiene la de despertar un apetito, si no estridente, por utilizar el adjetivo de Rabelais, al menos muy pujante. No creo que sea preciso recordar, por otra parte, que en este país poseemos, a vueltas de verano, una variedad de tomate de enorme importancia. Es el que llamamos tomate de pera, del cual me atrevería a decir, sin que interviniese en la afirmación el mínimo rastro de patriotismo local, que puede superar con gran éxito las comparaciones más arriesgadas.

Es, por tanto, perfectamente natural que este fruto haya ampliado su difusión en la alimentación. El tomate presenta muchas variedades y es precisamente en este momento del año, en verano, cuando se producen las mejores, que siempre son las menos viajadas, o sea las locales. Por este motivo me inclino a pensar que convendría hablar de los tomates con la suficiente claridad.

Soy un partidario decidido y obstinado del tomate crudo, es decir, utilizado como elemento decisivo en las ensaladas y en el acompañamiento de otros platos. En cambio, lo soy mucho menos cuando se trata del tomate guisado. Considero un error el exceso de tomate como elemento culinario; un error, a mi entender, que nunca se ha de cometer. En definitiva, el tomate, rebasados ciertos límites, produce los mismos efectos que el exceso de ajo.

Ya lo dijimos en el capítulo anterior. El ajo, sobre todo el ajo viejo, las cabezas de ajos, lo arrasan todo. Utilizarlo en exceso, condimentar con él los alimentos, no solamente destruye y arrasa todos los platos que se ponen por delante, sino que convierte el paladar de quien los prueba, valga la comparación, en una suela de zapato, incapaz de recoger el más leve matiz que tan candorosamente ofrece la cocina sencilla y de calidad. A pesar de la inmensa popularidad del ajo en esta península, creo que el dogmatismo, la intemperancia y el fanatismo de esta liliácea conducen a la vulgaridad más adocenada. De ajo, poco, el justo, cuanto menos mejor y siempre tratando de evitar lo que un determinado espíritu indígena llama la cocina gustosa, o sea la horrible, monótona y unitaria cocina del ajo. La cocina es uno de los fenómenos más decisivos de la cultura y la civilización y está cimentada sobre la matización, la suavidad y la variedad. El patrioterismo del ajo es muy desagradable.

Con el tomate sucede una cosa parecida, aunque menos escandalosa y destemplada. El tomate es más dulzón, menos intemperante, no interfiere tanto en la pituitaria; pero concentrado excesivamente sobre otros alimentos, destruye igualmente los matices que pueden ofrecer y todo acaba teniendo el sabor del tomate como imperativo general.

Un momento: no podría negar, naturalmente, que en compañía de alimentos de precaria graduación gustativa, como el arroz hervido, el arroz a la cubana o las pastas italianas, un poco de salsa de tomate realza su sabor, siempre que se tenga el juicio de no cargar demasiado la mano. Si se carga, el tomate invade con gran facilidad el paisaje circundante, no solamente en el terreno del color, sino en el del gusto, lo que a la hora de la verdad es más grave. El resto de alimentos inseparables de un carácter inconfundible y real quedan, ya sea pescado o carne, absolutamente despersonalizados, por no decir destruidos al ser cocinados con sobra de tomate. El tomate es dulzón de entrada, pero es ácido de salida: el ácido oxálico. El horrible ácido oxálico.

Sentiría mucho que estas afirmaciones que acabo de escribir se recibiesen por algún lector como la expresión de una opinión personal. De ninguna manera. En estos asuntos, las opiniones personales son intrascendentes y no tienen la menor importancia. Son unas afirmaciones que responden a una situación objetiva que nadie podrá negar. Yo conozco, más o menos, la vida rural. He vivido y vivo con payeses, en una zona de terrenos de secano, de ancestral inmovilismo. Los payeses hace muchos siglos que comen mal. Su cocina está fundamentada en frituras con tomate. A los pocos días resulta incomestible. Al cabo de tantos decenios, una cosa está clara, y es que esta cocina demuestra estar puramente destinada a crear estómagos de cemento armado. Sé muy bien que escribir esto en un país que ha abusado tanto de los tomates provocará las reacciones naturales, porque todos tenemos al respecto el paladar paralizado y saturado de tópicos inmemoriales. Pero mantengo la afirmación: en la cocina, poco tomate; el justo para evitar que se malogre el resto del plato.

Ya he dicho en varias ocasiones que los payeses comen desastrosamente. En casi todos los países europeos existe una cocina nacional popular muy buena y sustanciosa, sobre todo en las grandes llanuras de la Europa central. Esta cocina se basa en la presencia de gran cantidad y variedad de sopas de verduras, enormes ollas de sopa con la correspondiente mantequilla y la leche habitual. En nuestro mundo agrario las únicas sopas utilizadas son las del cocido, que en invierno siempre tiene un punto de rancio, y las de aprovechamiento, sobre todo las del aprovechamiento de pan, las sobras de pan seco. Sopas de restos. Muy bien. En un país de tan poca sustancia, todo se ha de aprovechar. Así, es natural que las sopas de pan con las variedades naturales –la de ajo, de menta, de tomillo, etc.– sean las únicas existentes en los medios rurales y en muchos medios ciudadanos, aparte, claro está, de la sopa de nuestra *carn d'olla*, que con diversos nombres –cocido, *potaufeu*, *potée flamande*, etcétera– cubre casi todo el área continental. Pero aparte la inexistencia de buenas sopas, la gente de campo tiene la manía ancestral de freírlo todo con tomate –sobre todo la carne, como la ternera y el cordero, y los productos de la avicultura: pollos, hígados, pichones, conejos, etc. El tomate es su requisito. Los rústicos son poco partidarios de la cocina sencilla y saludable, de modo que les gusta poco la cocina del hervido y de la parrilla. Lo quieren todo frito: frito a la cazuela, con una gran cantidad de tomate, salsa que después de haber estado un rato al fuego adquiere un tono dulzón ligeramente agrio y ácido –el ácido oxálico– que destruye el resto del plato y origina una posición de desequilibrio imperante. Una salsa ha de servir para subrayar las cualidades de un alimento; nunca para despersonalizarlo.

Quizás algún día la sociología, que en este país acaba de echar a andar, por el horror que produce la realidad, y que reclama el placer por la investigación y la observación atenta, explicará por qué este país con raíces rurales tan antiguas y tan fuertes tiene una cocina agraria tan depauperada. No cabe duda de que es una consecuencia más de la pobreza, quiero decir de la desvalorización multisecular de los productos agrícolas, que son la piedra de toque de la economía peninsular. Esta cocina podría ser antes un fruto del medio que un producto de la voluntad humana.

Por tanto, a mi juicio, una cosa es el tomate crudo y otra muy distinta el exceso nivelador y destructor del tomate cocinado. ¿Puede haber, en esta época estival, un entrante de mayor atractivo que una ensalada de tomate de pera, con cuatro hojas de lechuga, sin agua, con aceite, sal y nada de vinagre? El pan con tomate tiene, por otra parte, un éxito que va en aumento y que aún irá a más, si no me equivoco.

¿Puede existir plato más suculento y sustancial que un corazón de solomillo a la parrilla, en su punto, bien presentado acompañado de un gran tomate de pera, partido simplemente por la mitad, rociado con una punta de aceite de oliva y una pizca de sal? Es éste un plato liviano, sustancioso y de digestión ligera.

Y lo que acabamos de decir con referencia, sobre todo, a la carne, es absolutamente válido aplicado a la cocina del pescado. El pescado es incluso más sensible que la carne a los efectos deletéreos del tomate cocinado proyectado en abundancia. El pescado se impregna en el tomate con mayor rapidez y más profundamente que la carne y queda totalmente despersonalizado. Un pescado al horno, de gran categoría, pide poco tomate, nunca suministrado en forma de salsa, sino de cuerpo entero, lo justo para que sea perceptible su sabor dentro de una natural vaguedad. Un pescado al horno cargado literalmente de salsa de tomate derramada con prodigalidad podrá tener una presencia suntuosa o incluso decorativa, pero es un completo absurdo culinario, pues el pescado queda en segundo o en tercer término y su existencia se pierde de vista sin dejar rastro.

El tomate también se utiliza en la operación de la resurrección de la carne. Es el tomate relleno. Sería un plato familiar bastante aceptable, si no fuese por un par de defectos: el de la resurrección de la carne y el del tomate.

Hace años la salsa de tomate se hacía en casa y tenía autenticidad. La envasaban en frascos que en invierno servían para crear cierta variedad en la cocina del momento. El invierno, desde el punto de vista culinario, es la peor estación del año y todo lo que sea luchar contra su monotonía está bien enfocado. Hoy en día esta salsa se vende enlatada y bien provista de ácidos. La utilización de estos envases ha llevado la mayor comodidad a los establecimientos públicos de restauración: la salsa que contiene la lata se vierte simplemente sobre los alimentos del plato, sin ni siquiera pasar el conjunto por el fuego. Es la adición, no la integración. La prisa trae la facilidad y a la postre, la falta de calidad. Tampoco me interesan demasiado las sopas de tomate ni los brebajes que con este fruto componen en los bares. En cambio, el tomate crudo no tiene rival. Los zumos de tomate –siempre para mi gusto, claro– son para tomarlos cuando no hay más remedio. Forman parte de la cursilería americana.

SALSA A LA MAYONESA

Siento debilidad por la isla de Menorca, además de por las afinidades que tiene con mi país, porque es un verdadero paraíso de calma y silencio –que no durará mucho, a juzgar por la invasión que cada día se concreta más. En Menorca hay muchos atractivos para pasar el rato, como el Ateneo de Mahón, en cuya biblioteca, magnífica, traté de averiguar los orígenes de la llamada salsa a la mayonesa, o sea de la salsa a la mahonesa. Los eruditos todavía no se han puesto de acuerdo sobre si la salsa de referencia tuvo sus orígenes en Menorca –pongamos en Mahón– o en Mayenne, en Francia, que antes se escribía *Maienne*. Evidentemente, montones de salsas, salsas importantes, son de origen francés, y esto ha fomentado el equívoco.

La isla de Menorca fue conquistada por los franceses a los ingleses en 1756. La dominación francesa, comparada con la inglesa, fue efímera: duró de 1756 a 1763, en que volvió a ser expugnada por el Almirantazgo inglés. Pero en siete años hay tiempo, en mi modesta opinión, para inventar y popularizar una salsa.

La salsa a la mayonesa, o a la mahonesa, es la reina de las salsas frías y se utiliza, como todo el mundo sabe, para servir el pescado o la carne, las carnes frías y las pechugas de los animales de corral, pollos y gallinas. Su esencia está formada por el aceite de oliva y las yemas de huevo, de manera que es una salsa típica de la cocina del aceite de oliva.

En estos momentos la producción de aceite ha bajado mucho en Menorca, sin duda porque el cultivo de los olivos es improductivo. Pero esta escasez actual no prejuzgaría, en ningún caso, la localización del invento. En épocas pasadas los olivos abundaron, y esto es perfectamente constatable dada la gran cantidad de olivos bordes que hay en la isla: los acebuches, olivos sin injertar que se ven por doquier. Si bien Menorca produce poco aceite en la actualidad, produjo mucho en tiempos pasados, como es posible comprobar a cada momento. En cambio, en Mayenne o *Maienne* nunca se ha dado el olivo, conque si la salsa nació en esta provincia francesa tuvo que elaborarse con aceite de importación. Y así, desde el punto de vista de la materia prima, la cuestión de la paternidad de la mayonesa parece decantarse a favor de Mahón.

La incorporación de Menorca al sistema de la corte de Luis XV fue un episodio que causó una enorme impresión en la Europa de la época. Se habló muchísimo de la toma de Mahón por La Gallissonière, que fue presentada con tal dramatismo y cargada de tanta pasión, que los memorialistas del tiempo la describieron con una temperatura patriótica nunca vista en la historia, y sólo comprensible porque Luis XV fue un puro degenerado y un perfecto imbécil. Todavía hay una calle de París, muy céntrica, tocando a la rue 4 de Septembre, que se llama rue de Port-Mahon. Es una calle estrecha, de gran carácter, situada en el mismo riñón de la ciudad. Inglaterra fusiló a uno de sus más destacados oficiales de marina, el almirante lord Bing, por haber perdido la batalla naval ante el puerto de Mahón, y haber abandonado, por tanto, a sir William Blakeney, gobernador de la isla, con lo que dejó el paso franco a La Gallissonière. Voltaire no se puede explicar el fusilamiento de un almirante en su tiempo. Habida cuenta de la sacralización de estas carreras, el hecho es todavía hoy difícil de entender.

Recordamos estos detalles y otros que podríamos mencionar porque pueden explicar la entrada de la salsa a la mayonesa en los manuales de la cocina francesa. El gobernador de la isla, Blakeney, fue procesado y salió absuelto después de mucho tiempo que duró el proceso, seguramente porque el tiempo todo lo arregla. Este proceso mantuvo el interés por Menorca durante muchos años. La Pompadour dio un baile deslumbrante en honor del duque de Richelieu, primer gobernador francés de la isla, que se llamó «baile a la mahonesa». El hecho trascendió del mundo oficial y entró en la misma vida de la gente, de la misma manera que hoy hemos visto vestir a muchas personas y construir establecimientos –como los *snack-bar*, por ejemplo– con formas que por coloración y pintoresquismo responden a que los americanos han ganado la guerra y son el país hegemónico. Si la última guerra la hubieran ganado los alemanes, mucha gente se habría puesto el sombrero tirolés, las señoritas vestirían como hiperbóreas valquirias y el rubio se habría puesto de moda. Todo esto, suponiendo que la salsa fuese menorquina, cosa que los eruditos aún no han aclarado, contribuyó a la difusión general de la salsa a la mahonesa.

A mi juicio, humilde, la fórmula auténticamente menorquina de la salsa a la mayonesa la publicó el señor Pere Ballester en su libro *De Res Cibaria*, que ya hemos citado en esta digresión. Como buen abstemio, el señor Ballester entendió mucho de cocina, porque éste es un asunto que, muchas veces, está ligado con la ilusión del espíritu. Vamos a dejar la receta tal cual la escribió el señor Ballester, que es como sigue: «Se pone en un almirez o en un plato [un almirez es lo que llamamos un mortero] dos o más yemas de huevos, según la cantidad que se desea y con una cuchara de madera o con la mano del almirez [la mano del almirez es la mano del mortero] al tiempo que se echa muy despacio aceite del más refinado, se revuelven las yemas con gran cuidado y siempre en la misma dirección [esto es importante] para que no cuajen; cuando se han echado ocho cucharaditas de aceite, se agrega una de vinagre o de zumo de limón [el lector comprobará hasta qué punto el señor Ballester es aritmético] prosiguiendo el movimiento de rotación hasta que la masa adquiera la consistencia de la mantequilla y a ello se llega teniendo en cuenta que el aceite espesa y el ácido alarga. El pescado se hierve con agua, sal y un ramillete surtido; cuando está cocido se sirve entero o sin espinas [siempre es preferible servirlo sin espinas, porque la incapacidad o la inatención de la gente para comprender la anatomía del pez está ya generalizada] cubriéndolo con la salsa, guarneciendo la fuente con huevos duros, aceitunas, alcaparras, escarolas, anchoas, etc.».

Como pueden ver, el señor Ballester es un escritor admirable, claro y sencillo. El párrafo reproducido es, literalmente, de antología.

En otro lugar el señor Ballester afirma que los pescados que lucen más con esta salsa, aparte de los crustáceos, son la dorada, la lubina, el dentón, el pagro, el pagel, el sargo, el mújol y el gallo. Se comprende. La inmensa mayoría de estos peces, eliminando la lubina, son pescados de segunda o de tercera categoría, aunque yo acepto que el mújol, si no es de aguas de confluencia, dulces y saladas, puede ser un pescado excelente. En general, estos pescados necesitan un refuerzo que encuentran en la salsa a la mayonesa, cuya fórmula está tan bien detallada en el párrafo del señor Ballester.

Primera constatación que se podría hacer: la salsa a la mayonesa ha de ser consistente y amarilla. Su misma simplicidad exige que los ingredientes que intervienen en ella sean de primera mano y muy finos. Siempre vamos a parar a lo mismo: uno de los primeros factores de la calidad de una cocina proviene de la calidad de los elementos que se manejan. Luego viene el saber hacerla. Hay personas que ponen atención en lo que hacen y la saben montar, darle consistencia. Otras no.

En los momentos actuales, esta salsa no solamente ha perdido cohesión molecular, sino que se ha vuelto pálida hasta extremos alarmantes. La salsa a la mayonesa se puede comprar envasada y en algún caso –raro– se hace muy bien, como por ejemplo la que presenta la industria del señor Fontana, hasta el punto que es preferible esta salsa a la que se sirve habitualmente. Hoy, salsas a la mayonesa sofisticadas se pueden encontrar en todas partes, pero quizá la más sofisticada que me ha tocado en suerte me la sirvieron en un reputado hotel de Sevilla. Era una salsa desintegrada y líquida y de una palidez tan absoluta que parecía que la habían encalado; era una salsa a la mayonesa blanca, muerta. Es curioso, porque en Sevilla se puede encontrar aceite bueno y abundante, y sin embargo la salsa era como digo, con lo cual el resto era inexistente.

Aún podríamos añadir más acerca de su origen: esta salsa es uno de los ingredientes que ha dado lugar a más erudición y a más papeles, como puede verse en la colección de cualquier revista culinaria. En 1943, el señor T. Bardají defendió la salsa mahonesa en un largo escrito, con una considerable plétora de detalles y una temperatura de espíritu local realmente magnífica. La salsa, según el señor Bardají, es menorquina, nació en Mahón, y la receta fue trasladada a París cuando Menorca, en tiempos de Luis XV, cayó en manos de los impresionantes y enchambergados soldados del duque de Richelieu. En París cambió de nombre, pasando de mahonesa a mayonesa, como se conoce hoy en el mundo entero.

Todo esto estaría muy bien si no se hubiese publicado antes la poesía del poeta Lancelot sobre la salsa a la mayonesa. Los versos son del siglo XVII. Es la primera vez que la literatura habla de esta salsa. Es una obra, pues, anterior a la toma de Menorca por La Gallissonière y Richelieu. ¿Será posible escamotear este escrito? Es tan exigua la documentación de que disponemos, que estos versos bastan para impedirnos nacionalizar esta salsa. ¿Pero cómo vamos a desembarazarnos de ellos? Por supuesto, se ha sugerido una solución: se ha afirmado que los versos de Lancelot son un pastiche elaborado en la época del simbolismo. Esta afirmación es temeraria y falsa, incuestionablemente. La poesía de Lancelot fue divulgada por tratadistas culinarios antes de la aparición de la escuela simbolista. El señor Muro, de Madrid, cocinero y estudioso, da cuenta de ellos en sus *Conversaciones culinarias* de 1890. Ahora bien, si estos versos son anteriores al simbolismo, como parece evidente, ¿en qué época se escribieron? Se trata de una poesía muy trabajada, castigada y de un vigor en el extremo de la pluma considerable. Son versos que no han podido ser escritos ni en el siglo XIX ni en el siglo anterior. Es una pieza anterior al estilo de Voltaire –que como poeta es muy malo–, de Rousseau, de Diderot. Es un texto de un ambicioso que torció el cuello de la retórica. Para satisfacción de las personas cultivadas y norma de cocineros, copiaré esta fórmula culinaria convertida en una realización literaria elegante y perfecta. Dice así:

> *Dans votre bol en porcelaine*
> *un jaune d'oeuf étant placé,*
> *sel, poivre, du vinagre à peine.*
> *Et le travail est commencé.*
> *L'huile se verse goutte à goutte.*
> *La mayonnaise prend son corps*
> *épaissisant sans qu'on s'en doute*
> *en flots luisants jusque aux bords.*
> *Quand vous jugez que l'abondance*
> *peut suffire à votre repas*
> *au frais matelas par prudence*
> *–tout est fini– n'y touchez pas.*

¿Cómo podríamos escamotear estos versos?

MAYONESA Y AJOACEITE

El ajo lo arrasa todo. Ya lo dijimos. Y sin embargo, el elemento seguramente más típico y característico de la cocina del ajo es el ajoaceite, la salsa tan célebre que los franceses, partiendo sobre todo de la cocina provenzal, han difundido por todo el mundo.

En la biblioteca del Ateneo científico y literario de Mahón leí muchos papeles ingenuos sobre la salsa a la mayonesa, o mahonesa. Me permití sintetizar uno, que decía más o menos lo siguiente:

Cuando el mariscal-duque de Richelieu se instaló en Mahón, como primer gobernador francés de la isla de Menorca, quiso conocer la cocina del país. Le presentaron, como es natural, el ajoaceite, antiquísima salsa de la cocina del aceite. Resultó, sin embargo, que encontró demasiado ajo en el ajoaceite y que, por tanto, lo juzgó demasiado vulgar para una persona tan admirable y espaciosamente vestida, compuesta con una peluca tan maravillosa, de un temperamento tan encantador y siempre rodeada de señoras tan elegantes y de tan nobles caballeros. Sucedió, así pues, lo inevitable. El paladar de todo este mundo distante y de apariencia importantísima creyó que su primer cometido debía ser la idealización del ajoaceite, que en definitiva se tradujo en la confección de un ajoaceite sin ajo. Esta nueva salsa, desprovista del oloroso y avasallador tubérculo, se convirtió una vez trasladada a París en la salsa a la mahonesa, como tantas otras cosas se hicieron entonces «a la mahonesa» después de la conmoción literalmente europea, y no digamos francesa, que supuso la ocupación de la isla por el gobierno de Luis XV. Cuando, al cabo de muy pocos años, los ingleses recuperaron la isla, la salsa siguió llamándose de la misma manera. Luego al fin la mayonesa no fue nada más que un ajoaceite elegante y distinguido, inodoro e insípido como corresponde a la arrogancia de aquellos tiempos tan altisonantes, barrocos y ficticios. Todo lo anterior quedaba perfectamente establecido en aquel escrito: el patriotismo local así lo exigía.

El ajoaceite es la salsa antiquísima, popular en mar y tierra, típicamente mediterránea, de la cocina del aceite de oliva. Esta salsa ha sido y es muy ordinaria, pero no creo que esté tan generalizada como lo estuvo en épocas lejanas. Ha ido muy a menos entre las personas finas y delicadas, aunque se ha mantenido con todo su vigor entre el campesinado y la gente del mar, como se puede ver cada día y a pesar de que el aceite es muy caro y en el litoral se han arrancado muchos olivos. En la Provenza, país que fue de olivares, cada día se ven menos y los esfuerzos que se han hecho para obtener ajoaceite a partir del aceite de cacahuete no han dado ningún resultado digno. La exhalación insidiosa de la salsa no se considera plausible en un mundo en que el número de personas que aspiran a la distinción crece de una manera tan ostensible. La cosa fuerte, directa y groserota del ajoaceite, que en otras épocas fue tan apreciada por todas las clases sociales de estas riberas del mar interior –en el norte de Europa el ajo nunca ha gozado del aprecio de la gente–, atrae hoy tan sólo a las clases más populares de la población. Sospecho que a los demás también les gusta, pero obviamente se guardan de practicarlo, por razón principalmente de su fetidez, que no es admitida en sociedad, como tuvimos ocasión de comentar más arriba en el capítulo que dedicamos al ajo.

Encuentro ahora la receta clásica del ajoaceite en un libro de cocina provenzal. Dice así: primero se pelan los dientes de la cabeza de ajo y se abren en canal para quitarles el tallo o germen que los atraviesa; luego se echan al mortero y se machacan bien con la mano del susodicho utensilio hasta formar una pasta lisa y compacta, a la que se añade un poco de sal. A continuación se va vertiendo aceite en la pasta, poco a poco, hasta que el conjunto es una mezcla espesa y consistente. Se le puede agregar unas gotas de limón, no muchas y siempre según el gusto de la casa, naturalmente. Ocurre muy a menudo, no obstante, que el ajoaceite se corta, quiero decir que se niega, como decimos en el país, o de otro modo: que se disuelve la consistencia y se desfibra. Para prevenir esta eventualidad existe la vieja costumbre de incorporar al mortero una o dos yemas de huevo crudas, sustancia que parece tener una virtud propicia para mantener la consistencia. Pero yo he visto negarse también al ajoaceite a pesar de este refuerzo. En esos casos, para tratar de recuperar la densidad de la mezcla se suele añadir, incluso, unas cuantas migas de pan. Y ése es todo el secreto. El ajoaceite ha de quedar, para ser de ley, muy espeso. Si hundimos una cuchara, ha de mantenerse vertical. El lector tendrá suficiente con esta lectura para advertir la gran similitud que relaciona la formación del ajoaceite con la de la salsa a la mayonesa, cuya fórmula transcribimos en el capítulo anterior, extraída del libro del señor Ballester. Este parecido hace verosímil la conjetura de que la mayonesa no sea más que el ajoaceite idealizado y distinguido, o para resumir: sin sabor a ajo. El célebre cocinero y tratadista francés Monsieur Carême, en su libro *La cuisine française dans le XIXème. siècle* –libro clásico, que tuvo gran trascendencia hasta el extremo de haber salido de su contexto toda la cocina burguesa contemporánea– dejó escrito un ditirambo de la mayonesa como salsa delicada y fina. Es perfectamente comprensible.

Querer localizar el nacimiento del ajoaceite en algún país o zona concreta del Mediterráneo es una pretensión irrealizable, imposible. Esta salsa es como la lengua franca: un común denominador de la cocina de este mar, sobre el cual se proyectan, de cerca o de lejos, tantos maravillosos olivos. Se encuentra en nuestra área lingüística, como en el Languedoc, como en la Provenza, como en Italia, como en Grecia, como en el norte de África, donde se plantaron, en el transcurso de siglos, tantos olivos. El aceite de oliva ha sido, desde siempre, la grasa del hombre mediterráneo. Así pues, la salsa no se puede localizar; su origen es vasto, genérico. He leído y oído decir a aragoneses que el ajoaceite, que en aragonés llaman *ajolio*, es de procedencia lemosina, para dar a entender que la salsa tuvo un origen catalán. Personajes ilustres, no hace muchas décadas, también denominaron *llemosina* a nuestra manera de hablar. Son patochadas localistas y provinciales. No. El ajoaceite es de todos los espacios mediterráneos: se elabora en todos ellos, sobre todo en invierno, para amenizar los guisos de carne o de pescado, particularmente las ollas de pescado, plato básico y gustosísimo, inseparable de todas las orillas de este mar. Será imposible encontrar la tradicional cucharada de ajoaceite en los restaurantes elegantes, porque como es lógico son concurridos por un público hervido, de impresionante distinción, pero será posible encontrarla en las masías, en los pueblos rurales o marineros del litoral. Es cierto que su consumo ha descendido, más que nada a causa de determinadas tendencias económicas del tiempo actual. Vivimos una época en que las cosas que cuarenta años atrás eran muy baratas –como la *escudella i carn d'olla*– ahora cuestan un ojo de la cara. Con el aceite de oliva ha pasado lo mismo. Yo diría que esta salsa se ha estabilizado.

¿Salsa lemosina? ¿Salsa catalana? Nada, hombre... Mucho más vasta. El poeta Frederic Mistral dirigió una publicación titulada *L'allioli* que tuvo un gran éxito en las tierras de la Provenza. El felibre radical y ateo Félix Gras, gran amigo del autor de *Mireia*, propugnó para la gente de su país, en un momento de escepticismo, un solo programa político: el mantenimiento del ajoaceite en la conciencia general. Algunos individuos del clan Daudet cantaron en prosas, a veces elegantes, a veces rabelesianas, las excelencias de esta salsa. Nuestra literatura más bien la ha tratado según su anémica y esclerótica costumbre.

Se trata de algo grande y elevado, sabroso, capaz de inflar hasta límites muy respetables el pneuma del individuo, de duplicar y a menudo de triplicar la vitalidad humana. Es una salsa exultante, trascendental. Es una salsa juvenil que abre el apetito y despierta la sed. Es una salsa que acompañada del vino correspondiente –pongamos un Châteauneuf du Pape o un Barbera *frizzante*, que es uno de los mejores vinos italianos– estimula unas incontenibles ganas de conversar; por eso siempre se utilizó en gran escala contra la morosidad invernal del campo y contra la postración húmeda y melancólica que los vientos del sur provocan en todas las riberas de este mar. Es una salsa que excita la imaginación, el gusto por la hipérbole, los prodigios de la ficción, los encantos, siquiera momentáneos, de la seguridad, los placeres, puramente soñados, del vivir; una salsa que mantiene las obsesiones agradables y los olvidos difíciles de olvidar, que fomenta la generosidad irresponsable, que vuelve cínico y angélico, egoísta y pródigo, prudente y comediante, que os hace poner patas arriba o transmutaros en cemento armado. Es una salsa que varía vuestra esencia, suponiendo que la esencia humana sea variable; una salsa de consecuencias inimaginables, terriblemente imprevisible, poética, grosera y vulgar.

De joven fui sensible al ajoaceite. Accedí a él muchas veces. Pasé largos años bebiendo, fumando, leyendo y charlando. Nunca llegué a ser un orador apreciable. Mi soledad fue completa. El tufo del ajo era insoportable, pero la soledad hace totalmente innecesarios todos los sentidos personales. De viejo he dejado atrás muchas cosas; si queréis a la fuerza, pues la vejez lo limita todo. Os limita, terriblemente, el paladar. Abandoné todas las audiciones nasales. El tufo del ajo es en verdad intolerable. Me di cuenta de que el ajo lo arrasa todo, sospecho que a causa de la limitación del paladar. De joven se tiene un paladar permeable, inconsciente e informal. De viejo el paladar se vuelve pequeño, justito, persistente, monótono, fatal. Con un paladar así, el ajoaceite se acabó. Ahora ya no toleraría ni el más precario e insignificante ajoaceite negado, ni siquiera capaz de reforzar un plato descolorido. Adiós, ajoaceite de mi insoportable, irresponsable, horrible juventud... ¡Adiós para siempre jamás! Todo llega a su fin.

EL *ROMESCO*

Carezco de suficientes conocimientos para enumerar los inventos y las formas mentales o de la sensibilidad que han tenido lugar en este país en el curso de su historia. El catalán, según dicen los observadores, es una persona que tiende al análisis. Podemos estar de acuerdo con la afirmación: somos analíticos, si bien menos que otros países. Pero esta característica de nuestro espíritu, que a no dudarlo coincide con la de los pueblos que han creado la vida moderna, ha generado poco rendimiento. El carácter analítico del catalán ha sido muy estorbado por la historia del país. ¡Qué historia, Dios mío! Cataluña es una marca. La han invadido innumerables veces por los cuatro puntos cardinales. Los primeros gobernantes lograron con mucha inteligencia la unión de los viejos condados. Crearon el país. La unión con Aragón se hizo, probablemente, para dar profundidad al corredor, a la marca. Fue una unión que no dio ningún resultado: una unión sobre el papel de dos pueblos que en la realidad no se querían unir, y esto es lo peor que le puede pasar a una unión. Los reyes ya no fueron tan buenos como los viejos gobernantes y todo lo que ha podido manifestar la historia romántica sobre este período no ha servido para nada. Más tarde, entrados ya a formar parte de un vasto imperio, nuestra historia se convirtió en una angustia casi permanente. De este imperio no hemos conocido ninguna ventaja, sólo la decadencia. La historia moderna ha consistido

269

en una serie de desastres consecutivos. Un milenio de historia semejante ha generado, como es comprensible, un país de historia interna dual, nunca unánime, siempre fanático y dialéctico. Así las cosas, no ha habido tiempo para nada. La historia ha sido un continuo hacer y deshacer. De una manera sistemática los valores personales más auténticos han tenido una vida interrumpida, rota. La picardía ha pasado a ser la esencia de la vida cotidiana. La facultad analítica del catalán ha sido una quimera. El catalán, como creía Maragall, a menudo ha hecho servir su tendencia al análisis para la destrucción. Y así hemos llegado a los momentos presentes.

El párrafo que tan trabajosamente acabamos de escribir podría ser objeto de muchas observaciones y, al mismo tiempo, de la presentación de un gran número de pruebas. Es cuando menos un párrafo demasiado serio. Lo dejaremos. Descenderemos de las nubes, pondremos los pies en el suelo y nos dedicaremos a hablar de nuestras propias cuestiones, que son las pequeñas, los detalles, las cosas menudas. La literatura es cosa de detalles; no hay más. Y así diremos que en este país, estos últimos años, se ha propagado mucho una salsa de la Cataluña Nueva llamada *romesco*. No creo que un hecho de tal relevancia pueda ser presentado como una historia insignificante y fútil; pero es una pena que no haya ido acompañada de otras más conspicuas. Mientras que el descubrimiento de la mayonesa en Menorca es históricamente incierto y el del ajoaceite tiene horizontes vastísimos, no cabe duda de que el *romesco* es una salsa autóctona indiscutible.

El *romesco* es una salsa de la Cataluña Nueva, exactamente del campo de Tarragona, ese territorio que gracias a la agricultura ha conocido durante siglos cierto bienestar y en los años actuales experimenta una vigorosa expansión industrial y turística. Hoy día en todos los restaurantes se sirve el *romesco* pródigamente para acompañar el pescado hervido o a la brasa. ¿Qué es el *romesco*? Yo lo he visto hacer y puedo describirlo concisamente. El *romesco* es muy semejante al sofrito habitual que entra en tantos platos de nuestra cocina, pero es un sofrito en el cual figuran más ingredientes, una salsa más complicada. En una cazuela, sobre el habitual fondo de aceite, poned una cantidad de cebolla cortada, tomate, mucho tomate, pimiento, pimienta, sal, laurel, tomillo, hinojo y orégano. Todos estos ingredientes se han de cocer mucho, quiero decir un buen rato, hasta fundirlos en una papilla; después se pasa por el colador que en las cocinas llaman «chino» y se sirve sin más.

Entre los elementos que componen el *romesco* hay uno que debe dominar sobre el resto; es el tomate. Se ha de poner una cantidad notable de tomate. En la cocina de este país siempre se ha utilizado tomate, y con frecuencia, para mi gusto, en exceso, como creo haber testimoniado reiteradamente. El tomate de estas tierras, en su tiempo, es delicioso para comerlo crudo, solo o en ensalada acompañado de cebolla y pimiento. Es un hecho, sin embargo, que en la alimentación de nuestros días ha avanzado mucho y se utiliza casi en todas partes, sobre todo en los países donde no lo producen. En verano, en nuestras costas, uno de los elementos culinarios más exitosos es el pan con tomate, que en la época de mi adolescencia solían dar para merendar a los niños, en verano, aquellas familias que no podían permitirse dar pan con chocolate. Hoy día el pan con tomate tiene un éxito inmenso. El aceite que se le pone ha de ser bueno, poco ácido. Es posible encontrarlo a todas horas, pero sobre todo a la hora de cenar. En nuestros días la gente cena poco: cualquier tontería y andando, pan con tomate y una tortilla o una loncha de jamón y ya has cenado. Son las facilidades que proporciona el tomate en la actual alimentación lo que explica su difusión. Pero además entra en juego otro factor: la calidad del pan que se compra ha bajado mucho, y en ocasiones es incomestible.

En las tierras de Tarragona el *romesco* debió de ser, inicialmente, el guiso de pescado a la cazuela, o sea el *suquet* de pescado, por decirlo como en la costa norte. El sabor de este plato es absolutamente particular, sin duda porque entran en su condimentación elementos locales directos, de un sabor que en cada área geográfica tiene una personalidad incuestionable. Y como la cocina, no importa de dónde sea, tiene siempre unas raíces locales imprescriptibles, quienes aseguran que el *romesco* sólo se puede comer en Tarragona y aledaños tienen toda la razón. Es un hecho, sin embargo, que este sofrito inicial se ha convertido en una salsa independiente que se sirve ya en todas partes, y por lo que he podido ver, con un éxito considerable.

En Tarragona, con la estación estival, se celebra cada año, al menos hasta hace poco, la fiesta de la elaboración del *romesco*, reservada a los cocineros aficionados. La base de este concurso es el guiso de pescado con esta salsa y está destinado a la obtención del título de «Maestro mayor *romescaire*», que es un poco altisonante y afectado, aunque ya se sabe que la cocina tiene su retórica estereotipada –en la cual, por otro lado, desearía no haber incurrido en el curso de este libro tan largo. Con esta salsa, sin embargo, sucede algo muy curioso: ni en el concurso de Tarragona ni en otras manifestaciones paralelas se ha llegado a fijar su receta de una manera aceptada por todos. Cada cual hace el *romesco* a su estilo, y si uno se dedica a buscar la receta en los libros, no la encontrará.

El pescado del guiso ha de ser, naturalmente, vivo y fresco. No se ha de utilizar una pimienta normal y corriente, sino la guindilla, el auténtico «pimiento de romesco» que los payeses de aquel campo cultivan con gran atención y ponen a secar con el cuidado más esmerado. El aceite debe ser de primera calidad. Se ha de echar un poco de vino de grados, del Priorato, y unas avellanas tostadas del país, previamente machacadas. Y luego viene el «secreto». ¿Pero en qué consiste este secreto? No lo sé, y todos mis esfuerzos por averiguarlo no han dado ningún fruto. Una vez, en Tarragona, me aseguraron que ese secreto se transmite de padres a hijos en aquellas familias cuya admirable obsesión es comer el *romesco* a la manera antigua y tradicional. Resumiendo: la receta del *romesco* es materia reservada.

Sea como fuere, el guiso del *romesco* y la expansión de esta salsa ha colocado Tarragona a la cabeza de un matiz culinario autóctono de una importancia efectiva. Las salsas de uso general que existen en nuestra cultura occidental no son muy numerosas y sobran dedos de las manos para cubrirlas. Antoni Alasà, viejo amigo y condiscípulo, tarraconense, publicó hace algún tiempo una *Apología del romesco*, en la que pueden leerse las palabras que van a continuación y que transcribimos tal como fueron escritas: «Quien no haya saboreado un romesco de llobarro o de dentón o bien de rape, conjuntado con la famosa rata y la fina araña[1] regándola con cualquier vino etiquetado o sin etiquetar del campo de Tarragona, bebiéndolo en el higiénico y colectivo porrón, no puede decir, en verdad que conoce el mundo y sus placeres». ¡Válgame Dios! ¡Qué conceptos tan bien expresados!

Es mi modesta opinión que lo que hacen en Tarragona a favor del *romesco* está muy puesto en razón. Hay que abandonar la pedante y grotesca manía de la cocina internacional y concretamente de la francesa, que es la que se considera internacional, porque tal como nos la presentan, salvo contadas excepciones, es horripilante. La cocina internacional consiste, por lo general, en hacer en este país la cocina de los otros países sin saber ni jota de la misma y con ingredientes que sólo recuerdan en la forma a los genuinos del país de donde es originaria la receta. No. Abandonemos la vanidad y las separaciones gratuitas. Regresemos a la cocina sabrosa, discreta y local que, en este país, aunque se haya perdido en parte y se esté perdiendo aún, suele ser bastante agradable. La intención de Tarragona, por tanto, es atinada y digna de encomio.

Con todo, el *romesco*, como todas las salsas populares, podría ser objetable si se produce con exceso de celo. Digámoslo claro: el *romesco* no debe ser fuerte. Soy enemigo acérrimo de la cocina fuerte y arrasadora. El paladar, en la cocina, es importante y se ha de respetar.

Hay dos clases de salsas: las de personalidad arrolladora, como el ajoaceite, y las coadyuvantes. Las primeras ata-

1. Recordaremos que la rata o la araña son peces que se pescaban con el arte del bou y ahora con el arte *de la vaca*, peces muy populares, pero en invierno excelentes para guisar en la cubierta de las barcas. *(N. del A.)*

can frontalmente a los alimentos, y cuando uno se dispone a enfrentarse con el plato resulta que la salsa ha pasado a ser lo esencial hasta tal extremo que lo que uno pretendía percibir queda totalmente desvirtuado. No. De nada demasiado, decía el antiguo buen sentido. A mi juicio son mucho más comprensibles las salsas coadyuvantes, las que subrayan ligeramente, las que matizan sin transmutar los alimentos. ¿Qué clase de salsa es el *romesco*? ¿Invasora? ¿Coadyuvante? Sospecho que tanto puede ser una cosa como la otra: depende, en definitiva, del consumidor. Puede ser una salsa explosiva o puede viajar en conserva sin pretender ostentar una hegemonía en la combinación. Me han hecho probar una y otra forma de esta salsa. Y bien, en mi humilde opinión, el *romesco* debe ser coadyuvante, debe ser lo que fue inicialmente: el sofrito de un plato de pescado destinado a subrayar, a matizar específicamente el pescado, sin la presencia de un gusto primordial diferente. Un *romesco* concebido a partir de esta moderación será algo bueno de verdad y positivamente delicado. De seguir por este camino, a esta salsa le aguarda un gran porvenir. Este país ha sido quizá demasiado dado a las grandes maneras, a la parodia, a menudo a la grosería, demasiadas veces a la volumetría palatal excesiva.

La marina y el campo de Tarragona, primeramente, crearon un sofrito que con posterioridad se convirtió en una salsa cada día más apreciada y difundida. Es la demostración de un espíritu analítico que positivamente existe. Todo lo que sea insistir en este sentido, en la cocina como en todos los aspectos de la vida –o sea de los conocimientos, porque en definitiva, vivir es pensar–, será muy favorable y positivo.

COCINA DE VERANO: PLATOS DE FIESTA MAYOR

Con el verano llegan las fiestas mayores. En los pueblos y aldeas tiene lugar la fiesta mayor por antonomasia y la fiesta pequeña, que suele ser en invierno. Son reminiscencias de la época del barroco, de aquella larga etapa en que la gente vivió tan mal y tan tranquilamente, atropellada por la miseria, sin necesidades ni ilusiones, en la vacía inopia de una sociedad inmóvil y cerrada. La compensación de la miseria fueron las fiestas: las grandes y las pequeñas, las eclesiásticas y las cívicas. El nuestro es todavía un país de fiestas y festejos.

En esta época, sin embargo, las fiestas mayores han decaído, y además se han transformado: cada año son diferentes. No poseo suficiente capacidad para establecer estas distinciones, pero oigo decir a personas que entienden que las diferencias se producen. Lo constato. Nada más.

En algunos aspectos son muy perceptibles. Fueron un pretexto para que las familias, en especial las que habitaban en los pueblos y en las casas de campo, pudiesen ejercer una hospitalidad extensa, es decir, no solamente con la parentela lejana sino con los amigos. Mientras duraban los festejos, se consideraba agradable recibir un número, generalmente importante, de invitados. Correr las fiestas mayores en casa fija fue desde muy antiguo una costumbre placentera. Uno tenía invitados, digamos, de título, lo que significaba que era automáticamente correspondido en casa de estos invitados cuando tocaba su fiesta. Estos intercambios se esperaban con candeletas. Suponían una variación del tono de vida, creaban lazos entre las gentes. Yo no sé lo que sucede en otras comarcas del país, pero en la que generalmente residido, estas historias han desaparecido totalmente. Mucho me parece que, en la vida que se lleva hoy, todo tiende a acentuar la soledad. Cuanto más densa es la población, cuanto más cómodas y fáciles son las comunicaciones y cuanto más hacedero es el trato entre las personas, tanto mayor es la soledad y más notoria la situación marginal. Hablamos con los demás cuando creemos que nos pueden satisfacer algún interés. No tenemos tiempo para nada más. Casi todo lo demás nos deja fríos y distantes.

El oficio de fiesta mayor gustaba. Solía estar amenizado por orquestas desafinadas que emitían una misa de Mercadante a veces con cierto *languore* y *morbidezza* y algunos gorgoritos operísticos desaforados. Había sardanas y baile en el entoldado. Se practicaba un trato interpersonal del que nacían amores fatales. Ahora bien, el gran interés de estas fiestas era gastronómico: allí se comía por arrobas, hombres y mujeres se ponían las botas.

Si la fiesta era en verano, se sacrificaba un cordero o un par de ellos; si era en invierno, se mataba un cerdo para chuletas y butifarras. Los pollos, las ocas y los patos abundaban mucho.

La comida del primer día, en los festejos estivales, consistía en una enorme, completísima *escudella i carn d'olla*; los *platillos*, los guisados a escoger: oca con nabos o con peras; carne con setas —antes se salaban las setas en los hogares— o carne con tomate y pimientos; luego hacía su aparición el *rostit* obligado. Muy abundante. Los postres habituales, la *grana de capellà* formada por higos secos, nueces, pasas, almendras, etc., eran sustituidos por el inevitable *relleno*: de pera o de manzana, con tapadera o sin ella. El segundo día la comida era casi igual, sólo que en lugar de la *escudella i carn d'olla* se servía de entrada una cazolada de arroz impresionante.

La cena también era muy copiosa. En verano se abría

con la verdura del tiempo, acompañada de una gran bandeja repleta de costillas a la parrilla, los *platillos* correspondientes, que siempre era lo que gustaba más, porque los guisos son el primer elemento de la tradición culinaria del país, y el *rostit* o asado de los pollos *gratapallers* de la casa, dorados. En invierno se sustituía la verdura por las judías secas para acompañamiento de chuletas y butifarras. Si el cordero representaba el papel protagonista en verano, en invierno le tocaba al cerdo acabado de matar. El resto era esencialmente igual. No habiendo fruta para cocer al horno, de postre se comían galletas, *carquinyolis* y roscones. La gente era capaz de resistir esta formidable comilona, de la que nos hemos limitado a señalar los menús mínimos. Había platos que se alargaban más. A todo esto se le llamaba hacer un «extraordinario». Su volumen demostraba que los «ordinarios» eran más bien precarios y raquíticos.

Esta cocina de fiesta mayor se hacía en muchos hogares, en aldeas y en masías. En los domicilios particulares de este país es donde siempre se ha comido mejor. Me es grato constatarlo, después de haber pasado tantos y tantos años yendo de aquí para allá. Esta cocina de fiesta mayor ha suscitado muchas críticas. Era una cocina muy rica, pero perjudicial para la salud; se comía en exceso. La cocina actual ha contribuido a su extinción. Ahora la gente se empeña en cumplir una cantidad desorbitada de años comiendo de una manera monótona y triste. Es un criterio como cualquier otro.

Entre los platos que recuerdo de aquellas viejas historias figura la oca con nabos, que es un manjar de categoría. El pato y la oca son dos animales palmípedos y los dos son muy divertidos; pero a mi modesto entender, hay una diferencia de calidad a favor de la oca. Una cosa es el pato y otra la oca. Ambos ofrecen una carne excelente, pero si la carne del pato, aunque sea mudo y por más gordo que esté, es siempre un poco enjuta y ofrece más estructura que composición interna, la oca, en cambio, goza de una admirable plenitud y de un redondeo incuestionable. En este sentido, el pato no es más que un simulacro de oca, un proyecto, frustrado, de oca. Se trata, en definitiva, de dos animales de la misma familia, pero de diferente calidad, y esta distinción se mantiene aun habiendo sido sometidos a la misma alimentación. Son animales muy parecidos que en la mesa descubren su diferencia; en realidad no se pueden comparar.

En algunas regiones de Francia donde estos palmípedos se crían en abundancia han inventado un plato denominado *canard à l'orange*; es el pato a la naranja, considerado de mucha categoría. Un restaurante de París, conocido, lujoso y caro, La Tour d'Argent, situado en la azotea de un edificio desde el cual se disfruta de unas magníficas vistas sobre Nôtre-Dame en la isla de San Luis, se ha especializado en este plato. Al cliente que lo pide le dan el número del pato que ha comido y que ha sido elaborado desde buen principio en la cocina del restaurante. Carezco de toda autoridad para juzgar el *canard à l'orange* de La Tour d'Argent, pero me atrevería a decir que es un pato que deja al cliente en una muy acentuada situación de suspenso. A mi juicio, el pato y el zumo de naranja son dos elementos muy difíciles de combinar y ligar. En ocasiones parece que el pato sabe a naranja y otras veces que el zumo de naranja tiene gusto a pato... Uno no sabe a qué atenerse y se queda con algo muy parecido a un palmo de narices. Ligar dos cosas, en este terreno, quiere decir crear un tercer gusto, de la misma manera que en la filosofía de Hegel la tesis y la antítesis tienden a la síntesis. Y bien, ¿se produce alguna síntesis en este caso? El gusto es nuevo, inédito, absurdo, pero se considera notabilísimo... Los resultados de la experiencia culinaria son difíciles de juzgar, pero cuando se admiten por la elegancia universal tal vez no valga la pena discutirlos. En la cuestión que nos ocupa, el hecho de haber convertido un pato, elemento culinario en definitiva de segundo orden, en un plato de gran categoría, dándole un gusto de zumo de naranja, debe de tener mucho mérito. Yo al menos así lo creo, aun pensando que la combinación es abominable. ¿Quién les iba a decir a los patos que llegarían a crear un plato tan lleno de fantasía, tan elegante?

Es difícil imaginar una oca entrando en una mezcla tan singular. La oca va sola, la oca tiene valor por sí misma –para mi gusto un valor elevado– y no es corriente pensar que intrínsecamente puede ser desvirtuada. El guiso de la oca con nabos, con nabos de calidad, no de los que se dan a los animales, responde según creo a nuestra manera de pensar. Para el gusto general, la carne de la oca es demasiado grasa: los nabos sirven de contrapeso, la neutralizan y equilibran. Los tejidos vegetales de los nabos absorben una determinada cantidad de materia grasa, ennobleciéndose de modo acentuado. La carne de la palmípeda, por su parte, queda con la grasa justa, sin exceso. La oca y los nabos se funden en una combinación muy feliz. El plato, que ha de ser claro y llevar una salsa poco subrayada, puede alcanzar, sin duda, altas cotas de calidad. Acaso sea éste uno de nuestros más excelentes guisos.

En aquellas fiestas mayores aparecía el *relleno*, que yo nunca he sabido si es plato o postre, pues tanto puede ejercer de una cosa como de otra. El hecho de poner peras o manzanas al horno es antiquísimo. Este país, que nunca ha concedido excesiva importancia a la fruta hervida –es decir, a la compota– ha confeccionado, en cambio, confituras muy apreciables. Lo cierto es que depositar una manzana en el horno se consideró insuficiente, y esta sensación de carencia originó el *relleno*. Existe una vieja discusión sobre si es mejor el *relleno* de pera o el de manzana. Para mí que es mucho mejor el de pera: a igualdad de calidades, la pera es una fruta más fina y agradable que la manzana. Sin embargo, el *relleno* de pera es el que se hace menos. El *relleno* puede ser de dos tipos: se puede embutir el interior de la fruta, después de haber vaciado el contenido interior pero dejando la pulpa buena con un picado de carne cocida, y en este caso, el *relleno* puede actuar de primer plato o de segundo, ciertamente original por el sabor que da el picado a la fruta cocida. En el norte de Europa, estas combinaciones de carne con fruta y otras materias dulces es bastante corriente; en nuestro país, mucho menos. Con todo, gusta a la gente, quizá por lo dulce del conjunto. Éste es el llamado *relleno con tapa*, porque el agujero a través del cual se ha vaciado la parte interna de la fruta se tapa con un cuadrado de la misma fruta. Y después está el *relleno* estrictamente dulce, que consiste en practicar en la fruta una operación idéntica a la anterior y rellenar luego el agujero con galleta desmenuzada, azúcar y otros elementos de confitería. En este caso, el *relleno* constituye estrictamente un plato de postre, muy dulce, para mi gusto demasiado, aunque en este tipo de platos ésa es la tendencia más generalizada entre la gente.

Está claro que la calidad de un *relleno* depende de la fruta que se utilice. Existen muchas clases y categorías de manzanas y de peras. De todos modos, la pera es mejor que la manzana para hacer *relleno*. Ahora bien, el más extendido y característico es el que se hace con manzana. Cocinada de esta manera, la manzana gana, es evidente. Gana principalmente en sentimiento, pues se vuelve lánguida, azucaradamente pegajosa y un poco mustia y triste. Chorrea adhesividad y melindrería. Tanto en su forma de plato como en su forma de postre es una de las realizaciones culinarias payesas más cordiales que ha producido este país, dentro de lo sustancioso. Era un plato típico de fiesta mayor, y estas fiestas eran un desbordamiento de cordialidad, de hospitalidad y de afabilidad. Todas estas actitudes están hoy en decadencia, incluso desde el punto de vista culinario, porque aquella cosa de buena fe que proyectaba la fiesta ya no existe. El *relleno* podrá gustar más o menos; ayer gustaba demasiado, hoy no tanto. Ahora se come menos y de otra manera. La bestia parece diferente.

COCINA DE VERANO: EL GAZPACHO

Estos días hemos tenido el gusto de ver, por estas tierras, a nuestro insigne y sin embargo agudo y divertido escritor Joan Fuster –no creo que una cosa esté reñida con la otra: el aburrimiento es mortífero– y en el curso de estos ocios estivales, que Fuster tiene tan merecidos, me ha dicho:

–Hoy, podríamos comer gazpacho...

–Imposible, amigo Fuster. No sabría encontrar gazpacho en veinticinco kilómetros a la redonda. Además, todavía no ha llegado a nosotros. ¿A usted le gusta el gazpacho?

–Sí señor, me gusta y me parece que con el calor que hace sería muy apropiado.

–Yo también como gazpacho, pero no sé cómo obtenerlo. Y crea que siento no poder complacerle.

El gazpacho andaluz está destinado a penetrar, en verano, por estas tierras catalanas. Avanza en este sentido. Es una sopa fácil de hacer, de escasa trascendencia, que parece que gusta. Estos últimos años ha ido subiendo península arriba. Ya está introducido en algunas casas, sobre todo en las que tienen servicio del sur peninsular. Lo ofrecen en algunos restaurantes de Barcelona. En Andalucía, que yo sepa, no conceden al plato la menor importancia, aunque lo aprecian, y no solamente en las familias, digamos, humildes, sino en las otras. Con lo que aprieta el calor por allí, me parece perfectamente natural.

Una vez, hallándome en Cádiz, traté de obtener la receta de esta sopa y no la encontré por ningún lado. Supuse que estaría en algún libro de cocina, pero mi búsqueda resultó infructuosa. Ni palabra. El bibliotecario de la Provincial me asegura que la cocina, entendida como arte de integración de cosas reales –sentido que suele tener en todas partes–, tiene en Andalucía una importancia muy vaga. Lo que allí se lleva son los pescaditos fritos y el jamón. Son maneras de entender la vida. Se oye decir que la cocina de este país está de acuerdo con su clima. Ahora bien, quizá se ha sacado demasiada punta a esta idea y se ha partido de la hipótesis de que el clima es alimenticio. No creo que la hipótesis tenga ningún fundamento apreciable. El clima andaluz es fuerte, tanto en verano como en invierno, pero tengo para mí que si dentro de este clima la gente comiese más y no bebiese la cantidad de líquidos que suele trasegar, no creo que se produjese ningún inconveniente. Al contrario. Lo más probable es que el clima, en general, se resistiera mejor.

En el *Diccionario etimológico y crítico*, de Joan Coromines, las noticias sobre esta palabra y sobre la sopa que representa se encuentran en la palabra *caspa*, de uno de cuyos derivados –«caspicias, restos, sobras de ningún valor»– se deduce *gazpacho*. Coromines escribe: «Según Covarrubias, el gazpacho es "un género de sopa que se hace con pan hecho pedazos, aceite, vinagre, ajos y otros ingredientes; es comida de segadores y gente rústica"». Cervantes utiliza la palabra en plural: *gazpachos*, la pluralización vendría de los trocitos de pan de la sopa. «Era comida preciada, que hoy se come fría como refrescante, y el sufijo "acho" señala un origen mozárabe andaluz, de acuerdo con el área principal del vocablo en el día.» Éste fue, sin duda, el sentido antiguo de la palabra: cosa ordinaria, sopa de residuos, hecha con elementos aprovechables, con *profiteroles*, por decirlo con un galicismo corriente en mi tierra entre las personas que conocen Francia.

De todos modos, es indiscutible que en nuestros días el gazpacho ha sufrido algunas transformaciones muy sensibles. En estos últimos años no recuerdo haber encontrado, en las sopas que me han servido con ese nombre, un gusto a ajo excesivo. Este sabor me ha parecido muy leve, apenas perceptible, insignificante. De no ser así, esta sopa nunca la habrían ofrecido en los restaurantes que la incluyen en sus cartas, todos de indiscutible distinción. Es un hecho, o al menos así me lo parece, que el gazpacho se ha refinado conforme ha ido ascendiendo por la península, hasta desmentir el sentido que tenía para Covarrubias: «comida de segadores y gente rústica». No. Ya no tiene este sentido. Se ha aburguesado. No voy en contra del ajo por razones elitistas y de distinción personal. No. Pero a pesar de la inmensa importancia del ajo en la cocina peninsular, y partiendo del hecho de que esta liliácea lo arrasa todo, como he manifestado algunas veces en esta digresión culinaria, yo digo que si se utiliza sin discreción, a lo loco, todo lo que acompaña al ajo pierde su gusto propio y primigenio, habida cuenta de esa invencible proyección invasora. El ajo es el Gengis Kan de la cocina peninsular y catalana. El hecho de que el gazpacho actual tenga tan poco ajo ha ampliado mucho sus límites, eliminando lo que tenía de cocina estrictamente vulgar. Esta sopa aspira a ser, en estas latitudes, estival, o sea refrescante. ¿Cómo podría abrigar esta aspiración si contuviese un volumen de ajo grande, obsesivo, agresivo y por completo intolerante?

Los manuales culinarios franceses del siglo pasado recogen el gazpacho como un plato típico de la península ibérica, pero como es natural, aconsejan poner cebolla en lugar de ajo, seguramente porque es mucho menos obsesionante. En la cocina europea, el ajo es una anécdota reducida y limitada: nunca se ha considerado un elemento decisivo, no lo han aceptado. Digámoslo claro: el ajo molesta y hasta irrita. Esta afirmación podría considerarse exagerada. Si la presencia del ajo es excesiva, la afirmación es muy cierta. El ajo ha de existir, pero su presencia debe ser apenas perceptible, remota.

En uno de estos manuales encuentro una fórmula de esta sopa que, si mis notas no me engañan, es la misma que servía para componer el gazpacho al cocinero del conde de los Andes –que era andaluz– y que este gran señor de la intolerancia daba a sus amigos en Biarritz. La fórmula dice así: «En una fuente de ensalada, mézclense agua, sal y vinagre. En otra fuente, mézclense limón, aceite, pequeñas cebollas cortadas, cuadritos de cohombro y migas de pan, abundantes, que sobrenaden en la mezcla. La primera combinación se funde con la segunda, y el gazpacho –que se sirve frío– está hecho». La receta es buena de lo simple que es. En las combinaciones actuales se suelen añadir, además, trocitos de pimiento verde. Nada que objetar, si el estómago lo resiste, claro.

Si comparamos esta receta con la vieja de Covarrubias, dada en la documentación del *Diccionario*, aparece un hecho nuevo: la salida del ajo y la llegada del pepino. En la vieja fórmula no existía pepino y el ajo era dominante. La diferencia es total. La sopa actual es refrescante por ausencia de ajo. En cambio el pepino, integrado con vinagre, es notoriamente refrescante. Y ahora que ha aparecido el vinagre, diré cuatro cosas de él, siempre en el bien entendido de que mis gustos personales son una simple comprobación que no aspira a crear ningún dogma, sino a respetar los de los demás. Yo soy contrario, en principio, al vinagre utilizado sin medida. Del vinagre, no se puede abusar, porque si se rebasa el límite puede llegar a ser repulsivo y a menudo de embocadura crispante. El hecho de que en la receta de gazpacho que hemos facilitado no se encuentren ni las cantidades ni los pesos que intervienen en la combinación debe de querer decir que la dosificación de éstos se deja al capricho de la persona que lo presenta, o sea que es una dosificación particular. Pero esto es muy elástico. De la misma manera que ante el ajo hay que tomar una posición preventiva, yo diría lo mismo del vinagre: no hay nada más repelente, a mi modo de ver, que un exceso de vinagre, nada peor que los alimentos copiosamente avinagrados. Ni nada más agradable, ni más alegre, que una punta de vinagre. Estas dos situaciones son inmediatamente perceptibles a pesar de no haber entre ambas un pelo de distancia. Eso sí, se trata de una distancia que hay que respetar si no se quiere caer en el estrago culinario y, a menudo, en el desarreglo estomacal. El vinagre es un ingrediente cuyo uso, por poco que rebase su medida, se convierte en algo tétrico y anormal. Este país consume mucho vinagre. No merece la pena. Ya de por sí la gente es bastante agria, en la intimidad.

Las noches de verano, sobre todo si hace calor y la luz es clara, esta sopa, hecha de buena fe, es un plato agradable, fácil, rápido y fresco. Antiguamente lo debían de servir en su frescor natural. Ahora el frío ha hecho tantos progresos que se tiende a presentar a una temperatura cada vez más baja. Diré en seguida que tampoco soy partidario de la cocina frigorificada, por más calurosa que sea la temperatura. Los platos frigorificados –cada día hay más– acusan el enorme defecto de no tener ningún sabor ni conservar el mínimo gusto primigenio. Sólo tienen un sabor, absolutamente uniforme, dado por la temperatura a que han estado sometidos. Un gusto de veras insignificante, o mejor dicho horrible. Según mi modesto criterio, no hay nada que deba ser presentado tan absoluta y decisivamente frío: ni los líquidos, ni los sólidos, ni los intermedios como la sopa de que ahora hablamos. Por mucha afición que yo le pueda tener al agua helada matinal, mi opinión es que nunca se ha de ofrecer ningún líquido helado, y menos el vino, ni siquiera el blanco. Y los sólidos, no hablemos; pero ni siquiera las sopas como el gazpacho. Para mantener el gusto auténtico de las cosas debe evitarse su frigorificación. Esto es tan cierto, que los helados empiezan a tener algún sabor –siempre que su complexión sea de buena fe, lo que no es muy corriente– cuando se descongelan y pierden el helor mecánico y brutal. Al menos esto es lo que yo creo, y quien crea lo contrario puede decir, naturalmente, lo que le plazca, con la seguridad de que lo discutiré de manera ecuánime.

La calidad de un gazpacho viene dada, fundamentalmente, más por lo que contiene que por lo que hay que evitar ponerle. Lo primero y principal es que el ajo sea insensible y muy lejano; lo segundo que el vinagre esté presente, pero sin incurrir en los excesos que este líquido puede comportar. Esta moderación es aconsejable no sólo por la misma naturaleza de los ingredientes, sino porque ni el uno ni el otro son refrescantes. Finalmente, el gazpacho no se ha de servir a temperaturas demasiado bajas. Frío y basta. El frío gélido es arrasador y lo uniforma todo: destruye los matices entre alimentos y entre platos. No se trata de comer helados en forma de gazpacho, sino esta sopa simplemente fría. Observando estos preceptos, el gazpacho puede ayudarnos a pasar el rato y amenizar la vida de manera discreta y sin trascendencia apreciable.

COCINA DE OTOÑO: LA *SAMFAINA*

La cocina varía según las estaciones del año y también cambia con el transcurso del tiempo, luego en un país como el nuestro, donde las condiciones de la cocina son, además, tan locales, establecer un repertorio culinario general equivaldría a confeccionar un diccionario como el que realizó Alexandre Dumas sobre la cocina francesa, que contiene un número fabuloso de páginas y de noticias. El diccionario está superagotado.

Todo el año, sin embargo, hay tomates frescos, porque cada comarca los importa, ya sea de Canarias, de Valencia o de la Marina. Son más o menos buenos, depende. Ahora me hablan de una variedad de tomate que durará todo el año, que según dicen se cultiva en el Maresme. Yo no soy partidario de estas monstruosidades. Las cosas son buenas en su tiempo. En esta época científica que se acerca, no sé si nos divertiremos mucho. Creo que no nos divertiremos nada.

A finales de primavera o principios de verano, en mi época, aparecían los tomates, que gustaban porque representaban una novedad, aunque por lo general eran mediocres. No eran más que un ensayo para la formación de los tomates de pera, que son deliciosos y constituyen un pequeño acontecimiento en la vida cotidiana. Ninguna otra clase de tomates se les puede comparar, ya sean de importación o indígenas. Me parece que estos tomates de pera son los mejores porque son los que contienen menos ácido.

¿Ácido oxálico? Así he oído que lo llaman. Para comerlos crudos, en ensalada, no tienen rival. Llevo más de cincuenta años diciéndoles a los payeses que comen muy mal porque casi todo lo hacen –lo fríen– con tomate. Es una ácida monotonía. Tendrían que comer sopas, grandes platos de sopa, ríos de sopa, como los campesinos europeos, de legumbres verdes o secas, con la leche que supliese la mantequilla, suculentos. En este país tan viejo, tan agrario, no existe una cocina rural de diario, cotidiana. Un campesinado alimentado con sopas generaría una población rústica físicamente poderosa. Nuestros payeses no son corpulentos más que en los primeros años de vida: cuando maman. Es un grupo social sin grasa ni corpulencia, tirando a canijo. Con mal genio, pero canijo.

En pleno verano aparecían los pimientos, que ahora venden envasados. Primero se formaban los de color verde, cuya fibra, en general, es bastante delgada y probablemente mediocre, pero que gustaban porque eran los primeros. Luego se coloreaban a medida que iba pasando el verano hasta acabar con un color rojo subido de tono, brillante, y una fibra dura, de mucha pulpa y magnífica calidad. No soy partidario de despacharme con adjetivos desorbitados, pero ante los pimientos rojos, lo repito: su calidad es excelsa. A la vista gustan a todos, pero después resulta que hay personas cuyos estómagos no los digieren y otras que los devoran. Como no hay dos estómagos iguales, ante este resultado, todo lo que se diga sería superfluo.

Cuando adquieren este color, los pimientos se pueden comer enteros, rellenos de carne picada y asados al horno. Éste es un plato que hemos perdido, como todo lo que en la cocina da un poco de trabajo. En muchos establecimientos de restauración pública, estos picados de carne que rellenan los pimientos suelen presentar un carácter equívoco, muy relacionado con lo que el señor Rafael Puget bautizó como la «resurrección de la carne». Ahora bien, en los hogares particulares de confianza, estos pimientos rellenos son muy buenos. Yo los he comido en varias casas rurales del País Vasco y siempre me parecieron agradables y apetecibles en extremo.

Con los tomates de pera ya presentes y los pimientos rojos en la realidad inmediata caminamos hacia la *samfaina*, plato antiguo, lleno de color, tan vistoso como suculento. Es muy llamativo porque el pimiento rojo resulta altamente decorativo en la mesa, incomparable. La *samfaina* se hace también con un sofrito, exige el tiempo de cocción que sea preciso –cuando de cocer se trata nunca viene de media horita– y las largas tiras de pimiento se han de conservar íntegras, pues son el acompañamiento natural de la carne o del pescado que la cazuela contenga. Es un plato muy ligado con el momento del año y muy rico, especialmente el hecho en familia. La presencia del pimiento en el plato ha suscitado críticas entre las personas de estómago delicado, las cuales alegan que el pimiento es una sustancia indigesta y aberrante. Muy bien. Soy partidario, en esta materia como en todas, de respetar los diferentes puntos de vista. De todos modos, con respecto al tema que nos ocupa, me atengo al criterio antiguo: para comer hay que tener hambre, como para dormir hay que tener sueño. Todo produce molestias. A decir verdad, la vida está tan saturada de molestias, que acaban resultando secundarias. Cuanto más civilizada es la vida, mayores son las molestias.

La *samfaina* se puede hacer con pollo; con costillas de cordero de la infancia adecuada; con algún pescado de buen diámetro y con bacalao. En todos estos platos, el pimiento rojo constituye el punto relevante y lo que da el sabor, que en ningún caso es fuerte ni picante –soy enemigo acérrimo de la cocina fuerte y picante– sino siempre delicado e incluso, si me permiten la expresión, apologético e incitante. En efecto, a la *samfaina* se le podría aplicar aquella observación de los franceses según la cual «*l'appétit vient en mangeant*», que suele ser verdad.

El pimiento rojo, en la cocina, tiene realmente el valor de hacer asequibles los alimentos, de esponjarlos, de suavizar el punto de dureza que puedan tener. El pollo acaba produciendo una fatiga considerable a la gente que se mueve por el mundo –y quien dice a estas personas dice a quienes tienen que asistir a comidas y cenas, oficiales o no, pero siem-

pre caracterizadas por una presencia inmoderada de comensales–, pues se ha convertido en el plato más recurren-
te en los establecimientos de restauración, con lo cual ha dejado de tener cualquier interés y se come, fatalmente, de
manera mecánica. Si es de granja y procede del mundo socialista y ordenado, no sabe a nada; si ha vivido en libertad,
es por lo general duro y fibroso y es poco ameno. Acompañado del pimiento de la *samfaina* se vuelve tierno, se re-
blandece y alcanza una calidad y un aliciente notorio. En
nuestro país es un plato antiquísimo, y lo menos que podemos decir de él es que nuestros antepasados vieron esta
cuestión tan claramente que nos dejaron marcado un camino que difícilmente podrá ser superado.

La costillas de cordero tierno, si tienen la juventud apropiada y provienen, en nuestro país, del infanticidio habitual, se suelen comer a la parrilla. Es la manera en que esta
carne logra una elevada consideración. Estas cosas de la cocina plantean muchas cuestiones económicas que les son inseparables. Cataluña, hablando en general, no produce bastante carne de cordero, en relación a la demanda, y esto hace
que tenga que importar de otras regiones de España, y del
extranjero en los últimos años, cabezas de ganado vivas o
frigorificadas. En general estos corderos, sobre todo si están
vivos –los llamados *castellanets*–, valen poco y corderean
mucho, tienen un gusto de lana excesivo. Los entendidos en
la materia descubren rápidamente las diferencias existentes
entre las costillas autóctonas y las importadas, que suelen
ser muy fibrosas, llenas de nervios y de tendones y presentan una carne de muy escaso provecho y de bocado extremadamente precario. En la mesa no son nada más que un
simple pretexto para decir que se ha comido una insignificancia. Pues bien, la costilla de cordero, si es del país, ya es
un plato respetable hecho a la parrilla; pero en *samfaina* no
desmerece desde ningún punto de vista, si es que no mejora. De hecho creo que las costillas con pimiento y tomate
constituyen una de las mejores *samfainas* que se pueden
comer.

Del bacalao hecho de esta manera, que no tiene nada

que ver con el bacalao a la vizcaína, servido con tomate, también habría mucho que decir. Soy de una época en que el bacalao, en mi tierra, era muy bueno. Después, en general, no lo ha sido mucho. No ha tenido autenticidad, ni de origen ni de manipulación ni de preparación. La gente joven ha perdido el gusto del bacalao. Aquí se ha estado a punto de perder el bacalao, probablemente, porque éste ha sido precisamente uno de los países que más lo ennobleció con una cocina de alto copete. Por lo menos, éste es mi criterio. En estos últimos tiempos ha mejorado un poco, pero aun así ha quedado muy incierto y poco seguro. El bacalao en *samfaina*, como el típicamente barcelonés bacalao *a la llauna*, fueron platos magníficos, de muy vasta aceptación. La *samfaina* de bacalao, justamente por la fuerza que tiene el pimiento, el elemento principal de la combinación, hace que éste sea uno de los mejores platos de bacalao de la cocina de este país. El bacalao en estado de inflada vaporosidad acaso parece una vianda mejor de lo que es en realidad, como si se hubiera sublimado. ¿Qué más se puede pedir? La causa es la presencia del pimiento, que lo mejora todo, tanto cocinado como en crudo. Estoy convencido de ello. Hay quien dice que el pimiento es una cosa un poco bárbara que reclama estómagos bien pertrechados. Es posible. Pero en ocasiones, estas cosas ejercen una extraña atracción, por razones que sería incapaz de explicar aunque quizás intuyo, a pesar de que siempre he comido más con los ojos que con la boca.

A mi juicio es tan considerable el poder de transformación del pimiento rojo en la cocina, que algunas clases de pescado de muy escasa categoría se convierten, tratados con este acompañamiento, en alimentos de calidad indiscutible. No creo que se pueda decir, por poner un ejemplo, que el dentón sea un pescado de primera calidad. (En esta larga digresión el lector encontrará una clasificación del pescado del Mediterráneo elaborada según un criterio de gusto, criterio ciertamente personal, pero basado en los dictados de una larga experiencia.) El dentón es un pescado de tercera o cuarta categoría: es un pescado enjuto y fibroso, sin esa cosa fácil, melosa y suculenta de otros pescados. Pues bien: yo he comido dentón sobre un fondo de buen aceite de oliva y pimiento rojo y he quedado sorprendido de la mejora experimentada por su carne. La tendencia que muestra a fibrarse desmesuradamente hasta quedar reseco, desaparece en gran medida. No cabe duda de que el aceite de buena calidad hace más ligeros sus tejidos, pero lo que a mi modo de ver lo transforma es el pimiento rojo. Al menos, así preparaba mi madre este pescado, con unos resultados que no he podido hallar en ningún otro lugar.

La *samfaina* mejora las cosas. Es un plato de un optimismo fundamental, razonable y positivo.

COCINA DE OTOÑO: LAS SETAS

Si a finales de verano caen cuatro gotas y el otoño se presenta húmedo y lluvioso, se forman las setas. Nuestro país es micófago, gran productor, y devorador, de setas.

En estas tierras han sido muy estudiadas, y las páginas que el doctor Font i Quer del Institut d'Estudis Catalans ha dedicado a esta clase de vegetales –además de en varios estudios monográficos, en su impresionante obra *Plantas medicinales*, Editorial Labor– son magníficas y difícilmente superables. Nuestra área lingüística, así como la vertiente norte de los Pirineos, el sur de Francia e Italia, son devoradores de setas. Son países micófagos, que viene del griego *mycos*, latín *mucus*, catalán *mocs*.

En 1931 nuestras instituciones de historia natural habían registrado 627 especies de setas superiores, prescindiendo de los micromicetes, de la flora micológica del país. A fines del mismo año estuvo aquí míster Pearson, presidente de la Sociedad Micológica de Londres, que fue acompañado por el doctor Cuatrecasas a Sant Pere de Vilamajor, al pie del Montseny, y en un solo día de campo añadió 35 especies nuevas a la primera lista. (Cuatrecasas llegó a ser director de los jardines y parques de Washington, D.C., capital de los Estados Unidos.) El profesor René Maire publicó, en 1933, un folleto titulado «Fungi Catalaunici», que editó la Junta de Ciencias Naturales, donde se añadían 257 especies más a la segunda lista. Posteriormente, el profesor Heim, del la-

293

boratorio de Criptogamia de París, fijó la existencia de 175 especies más. Una segunda campaña del profesor Maire aumentó todavía el catálogo –según opúsculo de sus «Fungi Catalaunici»– en 168 especies más. Rolt Singer, poco después, estudió las setas estivales –sus antecesores habían estudiado las otoñales–, y de este modo pudo dar noticia de muchas setas sin catalogar y aportar al inventario micológico 175 especies inéditas. Así se pasó, en pocos años, de las 627 especies de la primera lista a las 1.458 calculadas hasta hace poco tiempo. El aumento es considerable, y la lista no está agotada.

Cuando llega su temporada, el paisaje de este país se convierte en un gran parque de setas, principalmente las tierras gerundenses, una parte de las comarcas de Barcelona y el Rosellón. Las Islas Baleares también producen setas en abundancia. Quienes habitan estas tierras devoran no solamente lo que aquí se produce y llega al mercado o se recoge directamente, sino que importan grandes cantidades de setas de regiones micófobas como Aragón, Navarra, etc.

Y es curioso señalar que, así como hay, o había, 1.458 setas científicamente catalogadas en esta área, el pueblo tan sólo conoce una parte mínima de ellas, irrisoria. Según Font i Quer, la gente del país no conoce más de un centenar de piezas de la larga lista catalogada por la ciencia. Este gran botánico, que además es un gran filólogo, pudo dar los nombres concretos, en catalán, de doscientas especies. Pero entre estas doscientas especies, de un centenar sólo se conocía el nombre. No se sabía nada más, sin duda debido a su comestibilidad mediocre y a que no ofrecían nada del otro mundo. No conocemos más de un centenar de especies, o sea el 6,3 por ciento de la totalidad del catálogo establecido por los naturalistas. Y todavía habría mucho que decir.

El mundo de las setas es curioso y divertido. Las setas ofrecen con sus formas novedades permanentes; son tan enormemente variadas, insospechadas, inimaginables, sus colores son tan indescriptibles, que a su lado todos los productos de la fantasía, de lo que se denomina la imaginación calenturienta, se muestran de una precariedad casi ridícula.

Son un ejemplo típico de lo que puede dar de sí la realidad de la naturaleza, capaz de superar las fantasías humanas más extremas. Las setas son elementos del mundo vegetal, es decir, un género determinado de plantas con una característica muy singular: están desprovistas de clorofila.

Ante las setas existen dos clases de pueblos: los micófagos y los micófobos. Los primeros demuestran el interés que tienen por las setas porque están habitados por personas que las «cazan» –en nuestro país el número de *boletaires* es enorme– y se las comen, las devoran, sin duda por ser la ingerencia una de las manifestaciones del amor verdadero. Los micófobos las repudian, no quieren ni oír hablar de ellas, en realidad les tienen un miedo cerval. Considerada en conjunto, la península ibérica es un espacio micófobo, si se exceptúa nuestra área y el País Vasco. La parte micófila es pequeña, como se deja ver y puede comprobarse en Portugal, país lleno de setas absolutamente comestibles, que nadie come, que es como si no existiesen, sentimiento que esconde un horror intuitivo. Se las comen sólo los naturales de nuestro país radicados en Portugal, que casi todos proceden de tierras gerundenses.

¿Por qué hay pueblos micófilos y pueblos micófobos? ¿Por qué en Italia, en Francia, en el País Vasco y aquí se comen setas y no se comen en el resto de la península? ¿Por qué Rusia es un país micófilo y Grecia micófobo? ¿Por qué en los Estados Unidos y en Suiza cada día se comen más setas –el mejor libro sobre la materia es americano, escrito por el matrimonio Watson– y en cambio en los países escandinavos sólo comen una clase de setas y el resto les provoca una desviación instintiva? Nadie lo ha sabido poner en claro. La explicación más esclarecedora del fenómeno la dio el botánico Font i Quer; la copiamos: «La micofilia no es nada más que una consecuencia de la micofagia. Cuando ante las setas el hombre no siente ninguna repugnancia innata y se las come, se afciona a ellas; aprende a conocerlas y con facilidad las reconoce y las distingue: les pone nombre y sabe dónde y cómo se crían; prefiere las unas a las otras; aprende también a cocinarlas de la forma adecuada según la naturaleza de las especies y escoge o selecciona entre las buenas y las no comestibles y venenosas. Y así se origina la sabiduría popular sobre esta clase de vegetales que nadie siembra, que nacen sin saber cómo pero siempre en los mismos lugares, que en cada pueblo la gente más sagaz conoce uno por uno. Hay gente docta en la materia y otra que lo es menos y pueden discutir sobre el tema: cómo se crían las setas, cómo nacen, cuánto tiempo necesitan, según la estirpe y la estación del año, para conseguir su perfección después de la lluvia provocadora de su florescencia. La micofilia se manifiesta por estas señales y así son los micófilos».

La obra científica del doctor Font i Quer es admirable por su sabiduría y su experiencia. La sagacidad del empirismo del pueblo se ha acercado a las setas por razones culinarias y alimentarias. Los naturalistas las han catalogado; el pueblo las ha comido sabiendo discernir las que son buenas de las que son malas. La micofilia y la micofobia encarnan, en definitiva, posiciones antiquísimas que se mantienen activas en la vida diaria.

Luego está la seta buena y la seta peligrosa, letal. La experiencia popular se ha formado una idea jerarquizada de esta circunstancia. En el país donde vivo puede encontrarse el boleto de Satanás, una seta que nosotros llamamos *mataparent* y que podéis estar seguros de que nadie en el bosque recogerá. A pesar de su nombre, esta seta nunca ha matado a nadie. Pero la gente no la acepta de un modo espontáneo por su aspecto poco agradable y porque es indigesta. El nombre es una exageración popular basada en razones distintas de la nocividad. Tampoco es cierta la creencia en la nocividad de las setas que cuando se parten segregan un líquido lechoso: «Ninguno de estos lactarios es tan nocivo que no lo pueda soportar un hombre normal», ha escrito el doctor Font i Quer. Algunos se rechazan porque culinariamente no son del gusto de la gente. Otros son en extremo apreciados. Los níscalos son lactarios; el lactario anaranjado y el de leche dorada son excelentes a la brasa; la pebraza (*Lactarius piperatus*), que en nuestros bosques tratamos a patadas, en otros lugares es muy apreciada. Todo depende de la experiencia, de un empirismo positivo y vital antiquísimo.

El gran botánico ha dejado escrito: «Ningún catalán micófago aceptará ninguna regla para distinguir las setas buenas de las malas. Si no es un incauto, nadie se fía de las setas que no conoce. Estos conocimientos se han conseguido por una afición de origen remoto que no puede improvisarse». Es completamente exacto.

En nuestro país hay diversas formas de amanitas. Hay, en primer lugar, la *Amanita caesarea*, la oronja, que es la reina de nuestras setas. Viene luego la *Amanita muscaria*, la falsa oronja, también llamada matamoscas. Es tóxica. Y después está la seta más peligrosa de todas, la *Amanita phalloides*, hongo mortífero, terrible. De manera que el nombre científico de esta familia comprende la variedad mejor, la peligrosa y la más letal de nuestras setas. La *muscaria* contiene el alcaloide llamado muscarina, de fórmula conocida. Este alcaloide se encuentra en el aparato reproductor de la seta en pequeñas proporciones, pero si se comen en abundancia, produce los inevitables efectos. La *Amanita phalloides*, que en la sinonimia catalana es el *pixacà*, que significa «meaperro», palabra de sentido peyorativo, aparece en otoño y en bosques poblados, sobre todo, de robles y de hayas. Esta seta contiene diversos alcaloides: falina, amanitina, faloidina, sustancias tóxicas perfectamente establecidas. La amanitina es la sustancia que produce la gravedad de la intoxicación, cuyo peligro principal proviene del hecho de que sus primeros síntomas raramente aparecen antes de las diez o doce horas de la ingestión de los hongos, cuando ya se han digerido y la amanitina y la faloidina han sido absorbidas. A veces tardan veinticuatro horas en manifestarse los efectos, incluso un par de días.

La descripción de las intoxicaciones por esta terrible seta son espeluznantes. En realidad, la culpable del noventa por ciento de intoxicaciones por setas es la *Amanita phalloides*. La frase del doctor Font i Quer siempre es atinada: «Nadie que no sea un incauto se fía de las setas que no conoce». El pueblo responde a esta observación. De las 1.500 especies perfectamente catalogadas, la gente conoce unas doscientas por el nombre y apenas un centenar de hecho, y creo que en el mejor de los casos. Las intoxicaciones no ocurren a menudo, ni mucho menos. Pero cuando se produce alguna, es terriblemente mortífera.

Me cuento entre los entusiastas de la oronja, la reina de las setas, pues para mi gusto posee, exacerbadas, todas las cualidades que puede tener una seta: es pringosa y mucosa. Yo la he llegado a comer en el mes de agosto, cuando han caído cuatro gotas. Se ha de hacer a la brasa, con una picada de ajo y perejil no muy acusada. Es excelente.

Siguiendo un orden de calidad, tras la *Amanita caesarea*, que nunca se da en abundancia, yo situaría las pequeñas setas otoñales que se utilizan principalmente para cocinar, tanto frescas como saladas en potes de conserva. Los *boletaires* son muy dados a recoger y conservar, salándolas, estas y otras setas. En invierno, fuera de temporada, con un guiso de carne son excelentes. Entre estas setas, una de las cuales –ahora no recuerdo el nombre; era pardusca–, admirablemente gustosa, he comido con trucha en el Pallars, yo pondría las *múrgoles*, los *cama-secs*, las *cues de rata*, el *moixí*, el *carlet* blanco, rojo o amarillo, el *rossinyol*, el *negret*, las distintas *flotes*, etc. Utilizo los nombres que estas setas tienen en mi país, en otros lugares las deben llamar de otra manera.[1]

Los níscalos –*rovellons* y *pinetells*– son los más abundantes y los más corrientes, se pueden hacer a la brasa, guisados con carne, con cebolla para quitarles la fibrosidad seca que suelen tener, fritos con ajo y perejil. Lo más corriente es a la brasa con una vinagreta. Son, casi con toda seguridad, los más apreciados en el país. Ahora bien, estas setas se secan, pero muy rápidamente. En ocasiones sospecho que soy más aficionado a mirar las setas que a comerlas con la con-

1. El autor se refiere, por este orden, a la colmenilla; el mojardón y la senderuela; ninfas; el mijo silvestre o flecos de lana; los *bolets* bovino y granulado; la tricoloma, el higróforo escarlata y el champiñón silvestre; los rebozuelos o cabritos; la trompeta de los muertos, y las setas de chopo, colibias de pie fusiforme y armilarias color de miel. *(N. del T.)*

dimentación que sea. Es probablemente una inferioridad manifiesta.

La seta criada artificialmente, el champiñón según el nombre francés, no es nada más que lo que es: no tiene mucho gusto, pretende ser mucoso sin llegarlo a ser, es un recurso. Tiene mucho éxito. Las sopas de setas envasadas, que hacen en todos los países micófagos, son otro rápido expediente. Las sopas de setas naturales y recién cogidas son excelentes, de la misma manera que la sopa de espárragos silvestres es mejor que la de puntas de espárragos de cultivo.

COCINA DE INVIERNO: LOS CARACOLES

Cuando llueve en otoño los caracoles corren, deambulan por su territorio y la gente que va en su busca suele recogerlos a montones. Después los ponen en ayuno. Los mejores caracoles son los que han estado en ayuno. La operación consiste en meter el caracol en una jaula herméticamente cerrada y no darle nada de comer. Los caracoles, de este modo, son sometidos a lo que en la época del capitalismo arcaico se denominaba el pacto del hambre. Todos se secan. Unos cuantos mueren. Cuanta más hambre padecen, más apreciados son. Esta situación a veces se alarga. Y éstos son los caracoles en ayuno. El nuestro es un país devorador de caracoles; pero aquí los queremos a dieta; para entendernos: con los intestinos secos. Los caracoles tienen un aparato digestivo voluminoso e importante. En Francia, por el contrario, gustan los caracoles tiernos, redondos, llenos; para entendernos: llenos de mierda. Son los que se pagan más caros y los más apreciados.

En otoño se cogen y se ponen en ayuno, de manera que es en invierno cuando se comen con mayor prodigalidad. En las zonas realmente consumidoras, la gran época de los caracoles es la invernal.

Antes no costaban nada, ahora son muy caros. Sólo pueden comerlos la gente rica. Sin embargo, resulta que a las personas distinguidas y adineradas no les gustan los caracoles –sólo si se los sirven en algún restaurante de París–

porque los consideran vulgares y ordinarios. Y así, el consumo de hoy no es como el de años pasados, es menor en términos relativos. Al menos eso es lo que oigo decir a los profesionales.

Siempre me gustó pasear por el campo durante la noche, a finales de otoño y principios de invierno. Es la época del año en que las estrellas del cielo son más luminosas y producen colores más fascinantes. A veces, las noches son muy claras y las estrellas, tan precisas, son las más bellas que se pueden imaginar. No hay ninguna joyería comparable. En estos paseos nocturnos, siempre solía observar la presencia, sobre todo si la noche era lluviosa, de alguna que otra luz miserable que se movía, lentamente, a ras de tierra. Eran los cazadores de caracoles. Estos hombres solían calzar zuecos y llevar en la cabeza un saco a modo de capucha, y acarreaban un gran paraguas rural y un cubo para echar los caracoles. Vagamente iluminados por su candil moribundo, semejaban una aparición extraña. Recogían los caracoles siguiendo los senderos y los márgenes. Hablo de hace años... Ahora no me encuentro con tantos. Hoy en día los buscan cuando no corren, a plena luz del día, en sus escondrijos de las viejas tapias secas y de los ribazos. Es más cómodo y menos húmedo. La mercancía se encarecerá.

El caracol es un animalito muy curioso. Por un lado parece vagamente poético. Le gusta arrastrarse por lugares frescos y encaramarse a los retoños húmedos y pendulares. Pero pone límites en las aguas. No le gustan ni los chaparrones ni los aguaceros: ante los excesos desaparecen y se ocultan. Al caracol le atraen las perlas del rocío, los diamantes de la escarcha matinal, la lozanía botánica, fina y suave. Su estupidez es impresionante. Si después de un período de agostamiento, caen cuatro gotas, les encanta pasear por el asfalto mojado de las carreteras. Los neumáticos de los camiones y de los coches los chafan a centenares, a millares. El ruido del motor no permite oír la ruptura de la cáscara del caracol, que desaparece bajo la presión de las ruedas sin dejar rastro. Su cuerpo pasa a ser una molécula del asfalto oscuro y de la goma de la rueda fatídica y encegada.

En Francia, y en general en los países de influencia de la cocina francesa, el caracol se come en grandes cantidades y es apreciado, por no decir estimadísimo. El que tiene más fama es el originario de la Borgoña, que es grande y carnoso como nuestro *bover*, con lo cual todos los caracoles que se comen en Francia son de la Borgoña, como es de suponer, aunque lo cierto es que una buena parte de ellos ni siquiera son franceses. Leo en un periódico suizo que en Francia se consumen cada año 150 millones de caracoles, cifra limitada sin duda a los restaurantes de París, pues si se tuviesen que contar los que se devoran bajo las lámparas domésticas, el número sería mucho más espectacular. Ahora bien, de estos millones de caracoles franceses que se comen en las *gargotes* galas, al menos hay diez que provienen de la piel de toro. Esta península exporta caracoles; caracoles, no hace falta decirlo, de la Borgoña, o al menos que pasan fácilmente por tal denominación, por la razón que en seguida expondremos.

En el país vecino, los caracoles se presentan en cáscaras *ad hoc*, de la medida, de la forma y del color de los caracoles de la Borgoña. El peninsular, a pesar de tener un tamaño menor y un tono más oscuro –sin que esto signifique que no exista el caracol claro, que aquí llamamos el *joanet*–, se pone dentro de la cáscara de transmisión con la salsa, claro está, correspondiente, y se ofrece como un caracol de origen. El hecho de que los clientes acepten el cambio sin protestar no debe extrañar a nadie, porque nuestro caracol es excelente. No es el caracol de la leyenda negra, sino el verdadero. A decir verdad, no tiene ni el volumen ni la chicha del caracol del norte de Francia, porque ellos no lo someten al régimen cruel del ayuno, o sea al pacto del hambre que aquí les hacemos soportar, pero es un caracol gustoso, fino, exquisito, de viña y de secano, para entendernos, en comparación con el francés, que es graso, macilento, dulzón y triste. Pero los franceses nos superan en el acondicionamiento y en la presentación. El caracol a la francesa obedece a fórmulas inteligentes y sabias.

En Francia es un plato reducido y caro. En un buen restaurante, el cliente que pide una docena de caracoles sorprende a las personas sentadas a las mesas contiguas. Generalmente se piden seis, que se sirven en platos especiales, con unas concavidades para colocar en cada una de ellas, invertido, el caracol correspondiente, y que se comen con tanta parsimonia, con tanta tenaza y con un punzón tan afilado, que su número parece que se duplica al instante. En este país, en los buenos tiempos de las caracoladas –pongamos que haga unos cuarenta años o más– he visto comer en cantidades ingentes a conocidos y amigos míos, con la mayor tranquilidad. Podría dar nombres y apellidos de personas que se comían cien, doscientos e incluso trescientos caracoles, socarrados puramente en el fuego humeante de la paja, al aire libre y de una sentada, por supuesto con la vinagreta oportuna. Cuando en mi pueblo se decía, de una persona determinada, «es un doscientos, o un trescientos caracoles...», es que se trataba de alguien normal, pero importante, que irradiaba un halo de respeto derivado de un asombro real.

Yo nunca he pasado de ser un treinta caracoles justitos, ni en mis mejores tiempos. En este punto, como en todo lo demás, mi mediocridad ha sido notable. Mi difunto amigo Bofill de Carreras, que en el segundo decenio de este siglo fue juez de paz en mi pueblo natal, me explicó lo que es la justicia empírica, única, en su opinión, que tiene realidad. Me solía decir:

–¿Eres un treinta caracoles? ¡Desengáñate! Nunca serás nada en la vida, nada, nada..., hagas lo que hagas.

Lo acertó, en realidad así ha sido.

Mi país ha sido un tanto desvergonzado con sus mezclas culinarias. Algunas han logrado mucha aceptación y se han hecho célebres: la langosta con pollo; las gambas con salchichas y otras barbaridades por el estilo. De todas maneras, la mezcla mentalmente más verosímil –la langosta con caracoles–, no ha sido explotada, a pesar de la ancianidad de la combinación, sin duda porque el caracol no va con el talante finolis progresivo de la gente distinguida. La carne de la langosta tiende a la dulzor, como tiende igualmente el caracol. Para salir de este estado de cosas no había más remedio que ilustrar el sofrito básico con alguna especie más bien cargada. Por eso es un plato tan querido por el mundo rural, de paladar tan dado a la monotonía y, por contraste, a los incendios palatales. Si esta integración se acierta y el subrayado no es excesivo, se puede recibir perfectamente, claro que siempre dentro de la fantasía de la cocina romántica. Es un matiz de la langosta guisada de cierta originalidad popular.

En la actualidad los caracoles han hecho mucho camino. Los utilizan para acompañarlo todo: pescado, crustáceos, carne, pies de cerdo, conejo. En sí mismos, los caracoles tienen muy poco gusto, son bastante apáticos. Los caracoles serían bien poca cosa si no fuesen subrayados con vinagretas, ajoaceite, todo tipo de salsas picantes, tomates, especias. En las combinaciones que se hacen con caracoles es muy difícil decir si los caracoles son los acompañantes o los acompañados. Yo más bien creo que son los acompañantes, en el sentido de que los elementos que los acompañan les dan un sabor del que ellos por sí mismos carecen. Por esta razón la preponderancia que van cogiendo se produce siempre a partir del caracol mojado y en detrimento del caracol seco. Existe una tendencia evidente a creer que los caracoles se pueden añadir a cualquier sustancia. En realidad, lo cierto es lo contrario: son las sustancias las que se van añadiendo a los caracoles, que son bien poca cosa, para aderezarlos. Nunca he sido apasionado, ni tan siquiera partidario de estas delirantes mezcolanzas, de estas combinaciones tan difíciles de combinar. Nunca son los caracoles los que actúan sobre la guarnición. Es la guarnición la que actúa sobre los caracoles.

Hace años asistí, en mi país y en el Rosellón, a algunas considerables caracoladas organizadas al aire libre, generalmente en las eras de alguna casa de labranza. Se ponían los caracoles sobre la paja, bien colocados uno al lado del otro, se prendía fuego a la paja y las cáscaras aparecían sobre la ceniza caliente. Con un pincho de acebo se extraían los caracoles de la cáscara y se empapaban en vinagretas endemoniadas para comerlos luego con pan y abundante vino.

No eran malos, sobre todo los que al no haber sido calcinados por la paja, quedaban un poco crudos y mantenían la vivacidad. Todas las operaciones se realizaban con los dedos. Nunca me ha gustado comer con los dedos, mayormente si los alimentos son untuosos. Las servilletas no han de cumplir otra función que la de decorar las mesas. Para mi gusto, los caracoles deben comerse cuanto menos mojados y grasos mejor, y para llegar a comerlos secos, se han de colocar sobre una lata y pasarlos por un horno de panadero o de cocina apropiada. Con un golpe de fuego fuerte y rápido se obtiene este resultado. O puede hacerse como en Francia: utilizar una tenaza y descascarillarlos con un punzón.

En la edición número 64 de *La cuisinière de la campagne et de la ville* (París, 1886) aparece la manipulación del caracol de la Borgoña según el clasicismo galo más estricto. Primero hay que hervir el caracol y sacarlo de su cáscara. Después hay que hacer una pasta con ajo, cebolla, perejil y la mantequilla, la sal y la pimienta correspondiente. En cada cáscara se ha de introducir un poco de esta pasta y luego el caracol. Los caracoles se han de poner boca arriba sobre una fuente que contenga un buen vaso de vino blanco y recibir el calor del fuego por debajo y por encima durante media hora. Y ya están listos para servir en el acto.

El libro que acabo de citar es muy bueno, se usa mucho y contiene pocas fantasías. La fórmula de los caracoles es apreciable, y no obstante, ¿hay alguien de menos de noventa años que haya comido caracoles hechos según esta receta? Lo dudo. Quizás en alguna casa particular francesa muy tradicional algún maniático del caracol los coma así todavía. El vaso de vino incluido en la receta da un punto de poesía ciertamente delicado. Ahora bien, en el mundo de hoy, toda esta cocina se ha ido a pique y en lo tocante a la preparación de caracoles, en nuestro país, se han instalado la anarquía y la confusión más fenomenales.

Los caracoles, que se reproducen con celeridad y profusión, fueron estudiados por Mendel, el célebre hombre de ciencia austríaco que formuló las leyes de la herencia biológica.

COCINA DE INVIERNO: LA COMIDA DE NAVIDAD

En los textos que tratan de las viejas costumbres del país, la comida de Navidad, y sobre todo la comida de Navidad de Barcelona, ocupa un lugar destacado por haber sido objeto de una composición y una elaboración especiales.

Era ésta, y a veces aún lo es, una comida esencialmente hogareña y de mucha densidad sentimental. Estaban invitadas a ella los miembros de la familia que por una razón u otra vivían de manera errabunda y solitaria en pensiones o con familias que no eran la propia.

Por un momento las desavenencias y antipatías familiares parecían quedar al margen –no siempre, claro– porque la efusión sentimental navideña establecía el principio según el cual «para Navidad, cada oveja en su corral». Algunas personas de sentimientos muy manifestados acogían en el banquete a algún pobre asilado en la Casa de la Caridad o a alguien del Hospicio y lo colocaban en un lugar preferente de la mesa; en ocasiones, le servía la señora de la casa. En la época del capitalismo arcaico, los payeses comían a las doce y los obreros a las doce y cuarto. La clase media, a la una menos cuarto, y las familias ricas, aristocráticas o burguesas, a la una y media. Se buscaba cualquier pretexto para subrayar las diferencias de clase, y la concentración crematística implicaba un horario específicamente diferencial. Todo esto venía de muy antiguo, exacerbado en la época del barroco, que acabó de perfeccionar las diferencias entre clases. En la actualidad, todas estas historias muestran un sentido favorable a la uniformidad; sin embargo ha cundido una costumbre que me parece un completo absurdo: en lugar de uniformar el horario adelantando el momento de la comida, se ha tendido hacia el extremo contrario. Nos hemos ido contagiando de los hábitos de Madrid, ciudad burocrática que cierra tarde las oficinas y a la que, por tanto, favorece este horario. Pero para una ciudad industrial y comercial como Barcelona, el cambio ha resultado nefasto: de hecho, nos ha separado más del mundo que realmente trabaja. Por Navidad, en cualquier caso, se rompía el protocolo establecido y todos, pobres y ricos, comían a las dos de la tarde. Los cumplimientos y las relaciones navideñas cambiaban el horario.

Para este día tan señalado se preparaban dos menús claramente diferenciados. Las familias aristocráticas, de reminiscencias feudales y militares, tuvieron un menú específico y copioso, pero basado en el gallo. En este país, el número de personas de la alta aristocracia fue siempre reducido; a pesar de que la cantidad de nobleza que se produjo en la época del barroco, entre títulos reales y títulos papalinos, llegó a tener un volumen considerable, seguramente desorbitado. El factor fanfarronería, en este país, nunca debe olvidarse. Desde tiempos inmemoriales, todo este pequeño mundo tuvo la costumbre de comer gallo por Navidad. Según el señor Balaguer –don Víctor–, autor de una *Historia de Cataluña* legendaria y que fue ministro con Sagasta, gracias a la amistad que le unió a los marqueses de Marianao, esta propensión al gallo navideño procede de los antiguos usos caballerescos impuestos en estas tierras por los condes de Urgel, influidos por la nobleza provenzal. No debemos confundir aquel gallo indígena, que en definitiva no era más que un gallo capado –hoy diríamos el capón del Prat–, con el pavo, que se importó de América, concretamente de México, mucho más tarde. Es un hecho constatado que el pavo gustó a los conquistadores, que lo importaron a Europa, y que fue Inglaterra el país que lo adoptó y lo cultivó con mayor constancia. Hay personas que se pirran por comer todo lo que sea raro y exótico y que no tienen capacidad para formular la menor objeción si esa cosa inusitada padece algún defecto: se quedan como embobados ante la cosa rara. Mi opinión es que cuando el pavo no ha llegado a ese punto de gordura indispensable para hacerlo apto para gente normal, su carne es muy seca y difícil de masticar, conque comerlo es un ejercicio meramente prehistórico y mandibular. En mi humilde opinión, un capón del Prat, chorreante de grasa, es infinitamente mejor que un pavo. Pero en fin, se trata de un animal reciente –si no ando equivocado, Hernán Cortés desembarcó en México en 1515– y por otra parte, es además un animal extraño, nada corriente, ya que en el mercado se ve sólo una vez al año, para las fiestas de Navidad, propiedades ambas que apasionan y dejan pasmada a la considerable cantidad de esnobs que deambulan por este país.

En Barcelona, ciudad donde el comercio, gracias a Dios, siempre domina, el menú de Navidad de la inmensa mayoría de la gente fue un cocido –*escudella i carn d'olla*– monumental. El recipiente para hacerla, por poco numerosa que fuese la familia, fue la olla más grande de la casa, que fue bautizada, con un punto acusado de reticencia, como olla de las cuatro órdenes mendicantes, o sea de las cuatro carnes, por las razones que en seguida expondré. (Al lector de hoy, estas cosas no le han de extrañar, pues antes de la quema de los conventos de 1835, Barcelona fue una ciudad literalmente repleta de iglesias y conventos, hasta tal extremo que cuando hoy leemos los documentos de aquellos tiempos, nos parece inimaginable.)

La olla de las cuatro carnes o de las cuatro órdenes mendicantes tenía un sentido literal, pues no se concebía la *escudella* de Navidad sin el cerdo, el buey –si era fácil de obtener–, la gallina y el cordero; aparte, claro está, de todos los demás elementos que forman parte del gran plato: la *pilota*, las patatas, la col y no digamos las legumbres, judías y garbanzos. El garbanzo es un elemento importante del cocido castellano; se ponían pocos en él, como siempre ha sido habitual en el país, en cambio era corriente añadir judías secas en mayor cantidad. Las cuatro clases de carne que se echaban en la olla tenían sus correspondientes protectores o abogados: el cerdo tenía por símbolo a san Antonio Abad, el buey a san Lucas, el cordero a san Juan y la gallina a san Pedro. Todo esto debía de hacer mucha gracia, en la actualidad no hace ninguna. En definitiva se trataba de que de esta abundancia saliese un caldo con mucha grasa, de modo que la superficie del líquido se cubriese de esas manchas redondas y amarillentas que se llamaban lunas, sin las cuales el caldo carecía de existencia auténticamente real.

A este caldo de la *carn d'olla* se le incorporaba a continuación la pasta, que inicialmente constaba de elementos de gran tamaño, como unos macarrones llamados de fraile o de canónigo, o los llamados «dedos de gigante». Era una pasta bastante tosca, voluminosa, fenomenal. Con el paso de los años y los prodigios de la industria, estas pastas se han ido adelgazando y sutilizando; desde el punto de vista del volumen, hay una gran diferencia entre aquellos macarrones de canónigo y los actuales fideos de cabello de ángel. En este sentido y desde mi punto de vista, el cambio propiciado por el progreso material ha mejorado la pasta, ha sido favorable en muchos aspectos. Tampoco soy partidario de un caldo con tantas lunas y con semejante cantidad de aparente sustancia. En la cocina –solía decir mi madre, que se había fijado–, hay que poner de todo, ¡pero poco! Se debe poner lo indispensable, y esto no solamente por razones de degustación –ni demasiado tomate ni demasiado ajo ni demasiadas grasas–, sino para poder seguir trabajando y conservar la salud, que es lo importante. La cocina tradicional catalana, incluso la actual, tiende a ser una cocina de caballo, algo excesiva.

Ollas de *escudella i carn d'olla* tan colosales como la navideña se hacían dos más durante el año: la cena de martes de Carnaval, por ser ese día la puerta de los rigores –irrisorios– de Cuaresma y la del santo del señor de la casa. Pero según los viejos papeles, estos dos cocidos de ningún modo alcanzaban el esplendor y la densidad del cocido navideño: nunca fueron ni tan espectacularmente sustanciosos ni tan abundantes. Fueron importantes, pero de un tono menor, hablando claro.

Después de este plato impresionante no sé si se ofrecía algo más. Sospecho que sí, porque comer mucho es una vieja tendencia de la gente rica o enriquecida; tendencia que, por otro lado, no suele concretarse en la realidad. ¡Pero en ocasiones sí! Había gente que comía mucho; otros comían poco. Era perfectamente comprensible y natural. Se trataba de las ideas de la época: la diferencia de clases. Es perfectamente posible que la gente que entonces comía tanto, ahora lo haga con más parsimonia, porque hoy la salud ha adquirido una importancia en nuestras vidas que nunca tuvo en el pasado. Y no hablo ahora de los primeros decenios de este siglo, sino de bastante más tarde. La calidad de la cocina burguesa ha descendido, ¡qué duda cabe! Se come de otra manera. La longevidad ha aumentado; lo que no aumenta es la duración de la vida humana en términos generales.

A continuación del suculento plato de Navidad, se comía, desde luego, el pollo asado. Este *rostit* se utilizaba para todas las fiestas y festejos públicos y privados. Era el plato habitual. Después de la comida de Navidad, las defunciones eran inevitables: se moría más gente que en cualquier otra época del año, seguramente más que tras los excesos del Carnaval.

El postre de Navidad por excelencia fue, durante muchos años, el turrón de Agramunt. Más tarde los fabricantes de turrones del antiguo Reino de Valencia –Xixona, Alicante, etc.– invadieron el mercado barcelonés y sostuvieron una encarnizada lucha comercial para imponer sus productos. Hubo gran rivalidad. El turrón específicamente catalán –de nieve, de avellana, etc.– se vino abajo. El turronero de Agramunt llevaba una *barretina* morada; el valenciano se cubría con su gorrito pequeño y pintoresco, circunvalado. Todos los turrones eran buenos, o al menos, hace sesenta años, a mí me lo parecían. Los turrones duros exigían una dentadura de caballo. En fin, cuando llegaba Navidad, la ciudadanía comía mucho, seguramente demasiado. Era un error,

pero la vida era así y no había otra. Si una cosa tan agradablemente normal como el comer ha de producir alguna molestia, el punto de vista es equivocado.

Después del sentimentalismo de Navidad, los parientes
seguían reñidos durante todo el año, naturalmente.

SOBRE EL VINO TINTO

Una de las mayores desgracias de la adjetivación catalana ha consistido en utilizar el adjetivo «*negre*» para designar una determinada clase de vino. El adjetivo «negro», si el uso no se acierta de una manera clara, es horroroso, y referido al vino, inapropiado y falso. El vino nunca ha sido negro, ni siquiera el más oscuro. Cuando no corresponde al sustantivo determinado, se convierte en un adjetivo de un mal gusto estremecedor. Se puede decir «la negra noche» o «el velo negro que llevaba la viuda en el entierro de su marido»; pero del vino nunca se puede decir que es negro, porque no es cierto. Ninguna otra lengua románica ha caído en esta intolerable aberración: castellano *vino tinto*; francés *vin rouge*; italiano: *vino rosso*; portugués: *vinho tinto*. Al vino que ahora llamamos *negre*, yo propondría que lo denominásemos vino *roig*, calificativo mucho más exacto y más abierto y claro socialmente. Ahora tenemos una especie de Academia de la Lengua que es la Sección Filológica del Institut d'Estudis Catalans, formada por especialistas muy prestigiosos. Si yo tuviese influencia, habría solicitado que el adjetivo *negre* aplicado al vino hubiese sido desterrado y sustituido por el adjetivo *roig*. Mas en fin, probablemente no habría ido muy lejos. Así lo hemos encontrado y así lo dejaremos. Es la rutina.

Y concluida esta breve enmienda, haré otra relacionada conmigo mismo, pues resulta que uno de los principios que yo más había propugnado sobre la degustación del vino, desde hace tiempo, me está resultando hoy bastante desatinado. Llegué a París hace muchos años, en 1920. Frecuenté restaurantes de toda categoría. En todas partes me dijeron lo mismo: el vino tinto, o sea el vino *roig* que yo propongo, se ha de beber a la temperatura de la habitación donde se toma. No se ha de establecer ninguna diferencia: este vino siempre se ha de tomar *chambré*, por decirlo con la palabra francesa exacta.

Cuando llegué a París, no sabía absolutamente nada de estas cosas. En Palafrugell y en Barcelona, lugares donde había vivido hasta el momento, me habían enseñado que el vino blanco se ha de beber fresco –para quitarle el dulzor que pueda tener, que en mis tiempos era insoportable– y el vino tinto se ha de servir natural. En la época de que hablo, no existía ningún procedimiento para refrescar el vino blanco, porque la heladora era excepcional y el hielo muy escaso y, por tanto, prohibitivo. El vino tinto, sin embargo, servido tal como salía de la botella, se consideraba absolutamente normal.

En los restaurantes parisienses me presentaron una novedad sobre el vino tinto: me demostraron que el vino tinto no se ha de servir natural, sino *chambré*, o sea a la misma temperatura de la mesa. Bebí el vino de esta manera y me pareció positivamente mejorado. Esta mejora del vino tinto la he defendido, durante cincuenta años, por todos los ambientes donde he concurrido o simplemente pasado. Me parece que la manera de beber líquidos que he citado ha tenido una aceptación muy vasta, hasta el extremo de que hoy todo el mundo la aplica de la forma más natural, en especial entre los ambientes que podríamos denominar cultivados.

Muchos años más tarde –en 1971, o sea después de la cosecha de 1970, que en toda Europa fue excelente en cantidad y calidad– he estado en Macon, la capital del Beaujolais. Conocía un poco la Borgoña, pero nunca me había parado en el Beaujolais, que se encuentra en el sur de esta región, en todos los aspectos tan considerable. Bebí el vino del país, como es de suponer, y mientras tanto, mantuve varias conversaciones con el boticario de la población, gran aficionado al vino de la comarca. Fueron unas largas conversaciones que me ahorraron hojear la fabulosa bibliografía que sobre el vino de Beaujolais existe en estos y otros lugares. El vino del Beaujolais es uno de los más populares y célebres de Francia. En todas partes he oído afirmar que éste es el vino bueno más popular del país, y me parece perfectamente explicable. Eso sí, bebido en su país de origen, lo he encontrado más adorable que nunca.

Como es lógico, sobre el beaujolais hay mucho que decir. Es una cuestión muy larga. El país produce, primero, grandes vinos, grandes *crus* para hacerme entender, vinos de marca y después un vino corriente bueno, que es realmente de gran calidad y que en la comarca suelen denominar el *beaujolais village*.

Ahora que puedo comparar un poco, me parece que este vino no es muy exportable, sobre todo hacia los países del sur, más calientes y de un clima inadecuado. Es un vino que hay que beber en su país natal o más al norte. Bebido en el sur se estropea y pierde calidad. En su país o más al norte, no tiene rival. He observado, además, un proceder que me ha sorprendido sobremanera: mientras que en todas partes sirven el vino tinto a la temperatura del comedor o del lugar donde se bebe, en el Beaujolais, en cambio, lo sirven frío, no digo helado, pero sí más bien bastante fresco. El hecho me ha perturbado. Me ha perturbado en el sentido de que he descubierto que este vino, a la temperatura a que lo sirven aquí, gana en color y en *bouquet*, en perfume y en calidad. En mi sistema mental, esta comprobación está haciendo añicos muchos prejuicios que hasta ahora consideraba graníticos e inapelables. Durante muchos años creí que los vinos tintos había que servirlos *chambrés*, a la temperatura de la habitación donde se consumen. Defendí esta opinión durante casi una vida, y ahora...

—A ver, a ver... Un momento... —me interrumpió el farmacéutico de Macon con mucha gravedad—. Los grandes *crus* de Borgoña o del Beaujolais se han de servir a la temperatura de la *cave*, de la bodega donde se han conservado.

Los vinos corrientes de Borgoña o del Beaujolais se han de servir frescos, aunque nunca helados. Ésta es la realidad que se practica en este país, que en cuanto a vinos, no es precisamente corto de alcances. A esta temperatura yo creo que ganan. Ganan, como usted ha dicho, en calidad, en perfume y en color. Es incuestionable.

–Mi experiencia es muy escasa y le agradezco su opinión.

–Aún le diré más, y no por ganas de charlar, sino porque he realizado algunas experiencias con vinos franceses e italianos corrientes. Estos vinos han de servirse refrescados, y cuanto más populares sean estos vinos más refrescados se han de presentar. Yo creo que ganan. Pruebe lo que le digo y estoy seguro de que me dará la razón y se acabará de convencer.

–Le prometo comunicarle los resultados. En realidad, lo que aprendí en Macon y en estos pueblos del Beaujolais pone en entredicho todas mis convicciones –unas convicciones que tenía muy arraigadas y que consideraba inmutables. Me las enseñaron en París hace más de cincuenta años. Este vino tinto fresco del Beaujolais es realmente admirable.

–Estoy seguro de que sus noticias serán favorables.

–Cada día se aprende algo nuevo...

–En esta comarca, todo esto no tiene nada de nuevo. Es absolutamente arcaico. Los vinos de gran marca se han de beber a la temperatura de la bodega. Los vinos tintos populares se han de beber refrescados. Los blancos, helados. Un Chablis del norte de Borgoña, blanco, de un buen año, es inolvidable.

–Yo también lo creo.

–A estas cosas hay que prestarles atención, porque no son precisamente vulgares. Estas tierras, que llamaremos de Borgoña para entendernos, producen los mejores vinos del mundo civilizado. Son vinos de gran calidad y cada día más caros, por tanto, merece la pena no andarse con improvisaciones, son cosas que hay que meditar... Pero yo le hablo de esta manera sin saber si está usted a favor o en contra de estos vinos.

—Mi tendencia es absolutamente favorable.

—En este caso, haga su camino por estas tierras, y espero que nuestro vino justificará su estancia.

Y esto es lo que me dijo el boticario de esta ciudad de Macon, tan provinciana y agradable.

En el Beaujolais, las viñas se encuentran sobre la ribera derecha del Saona, y digo derecha mirando hacia el sur, el Roine y el mar.

Pensando en el siniestro adjetivo «negro», que aplicamos a una determinada clase de vino en nuestro país, es casi seguro que tal calificación proviene de la oscuridad de la botella dentro de la cual el vino ha sido embotellado. Así pues, la aplicación del adjetivo debe de tener por origen nuestra ancestral pereza mental.

LOS BUÑUELOS

Ha llegado la Cuaresma, época del año perfumada de mimosas y de violetas, y por tanto estamos en tiempo de buñuelos, que en el Ampurdán, dicho sea de paso, son exquisitos. (En el Ampurdán, a los buñuelos los llamamos *bunyols*.) En realidad, con el nombre de buñuelos del Ampurdán se ha impuesto en todo el país, y sobre todo en Barcelona, un producto de la repostería que tiene mucha fama, probablemente merecida.

No conozco bastante la manipulación de esta mercancía –aun habiéndola visto hacer en casa, para San José, tantos años seguidos– para hablar de ella con la indispensable experiencia, pero me parece que hay muchas clases de buñuelos. Añadiré en seguida, y con la esperanza de que no se ofenda nadie, que para mi gusto son preferibles los buñuelos de las casas particulares a los de las confiterías. Estos últimos suelen ser aceitosos, a veces demasiado, y en mi opinión pecan de dulces. El de las casas particulares es, quizás, un buñuelo con menos malicia, a lo mejor más modesto, pero elaborado con completa naturalidad. El azúcar que entra en su producción, como el polvo de azúcar que interviene en su presentación, nunca se da a manos llenas. Además, es menos vaporoso y más seco, lo cual contribuye a su conservación. Estas particularidades son francamente positivas.

En los buenos tiempos de los buñuelos, en el Ampurdán, los hacían a capazos. Había el buñuelo de antes de San José y el de después de este importante santo. Se tenían por tanto que conservar, sin que el exceso de aceite los convirtiese en un paisaje melancólico, blandos, húmedos y desfibrados. El buñuelo nunca ha de ser excesivamente plástico. Cuando se le hinca el diente ha de oponer una ligera resistencia, aunque sin exagerar, naturalmente. Ésta es, tal vez, la característica más notoria del buñuelo. Los de confitería son mucho más plásticos y de un color más oscuro que los familiares, que son más dorados y secos. Los primeros se comen sobre la marcha, y si pasan bien, como pasan... ¡No hablemos más! Los otros se han de conservar, cosa ya más difícil. En definitiva, hay buñuelos blandos y buñuelos secos.

Por lo que estoy viendo, estamos deslizándonos hacia una vieja polémica: la de averiguar qué grado de grasa y de azucaramiento –y en definitiva de tonalidad– ha de tener la pasta de la repostería de este país.

En Cataluña existe una producción de repostería popular que es especialmente agradable a las personas que comen dulces pocas veces al año. A estas excelentes personas, les toca acudir al restaurante muy de tarde en tarde; escogen, de la carta, lo que les parece más grandioso, más intenso y menos habitual. Cuando se enfrentan con toda esta historia, disfrutan un momento, después... Pero hay otra posición, que quizás es más razonable: consiste en ir al restaurante en un estado de absoluta normalidad. Si les sirven a pedir de boca, no hacen ningún aspaviento, y si les resulta placentero, sólo ellos lo saben. En este país, todo lo que hace referencia a los establecimientos de restauración pública está dominado por un provincianismo indescriptible. Se han hecho algunos progresos, no lo podemos negar; pero el tono provinciano todavía es muy notorio. En los países de repostería intensiva se prefiere, siempre, la pasta neutra, o sea ni excesivamente dulce ni excesivamente blanda en su complexión interna. No lo sé con seguridad, pero me parece que alguien inventó –seguramente alguien del norte de Europa– el dulce ligeramente salado, que por cierto, tiene sus encantos. En fin, dejemos estos temas a los casuistas de la repostería. Para muchas personas, muy típicas del indigenado, la repostería siempre se echa a perder por falta de azúcar y de grasa; en este caso, de aceite de oliva. Mi convicción personal es que más bien sobra en exceso.

El buñuelo es un producto de la repostería de los viejos grandes monasterios y conventos. En el Rosellón y en el Ampurdán, hubo muchos y son antiquísimos. Fueron centros de colonización de enormes superficies de tierra, llevada a cabo desde un principio por hombres del norte. Esta información se puede encontrar en las monografías especializadas y en los libros de historia general, sin olvidar la *Historia del Ampurdán* del señor Pella i Forgas, libro ciertamente arcaico, pero que el profesor Vicens i Vives aspiraba a convertir en un documento con las últimas noticias. Transformaron el buñuelo en una pasta para el período cuaresmal, en cierto modo para compensar con ella los ayunos que en aquella época se practicaban. Ayunos de pacotilla, evidentemente, pues en este país el pescado es una maravilla exquisita. Pero esto no viene al caso. Lo importante es la convención del ayuno, y las convenciones son indestructibles. El buñuelo fue un contrafuerte –lo que los castellanos llaman un «tentempié»– ante las abstinencias que a la sazón hubo que practicar. La mayoría de estas abstinencias han desaparecido en nuestros días, a causa de las enormes calamidades de nuestra época, calamidades de unas proporciones que nunca habían sido conocidas en esta tierra. Los tiempos oscuros y crueles de la Edad Media han sido batidos por nuestro tiempo a una escala fabulosa, indescriptible. De todos modos, tan pronto como le ha sido posible, la gente ha continuado elaborando buñuelos, en menor medida, ciertamente, pero los ha hecho. En los peores años de esta última etapa, hacer buñuelos no fue nada fácil. Cuando una saca de harina costaba un dineral y una docena de huevos lo que ustedes, jóvenes, han oído contar, el precio de coste de estas pastas fue prohibitivo. Los buñuelos se convirtieron en un producto exclusivo de los propietarios ricos, porque, a pesar de haber sido una golosina de las más generalizadas –pues buñuelos, hacía todo el mundo, los ricos, la clase media y los pobres, y todos mantenían una calidad excelsa–, es un hecho que se limitó considerablemente. ¿Pero quién se acuerda de la época del hambre? Por fortuna, las personas no tienen memoria, y envejecen y llegan al final de sus vidas con una cabeza como las de las criaturas de pañales.

El buñuelo resucitó con las lluvias, con las mejores cosechas, con la llegada de harina americana y la normalización de los precios agrícolas. De todas maneras, el retorno a los viejos tiempos es ya inconcebible. Todavía se hacen buñuelos en los hogares; pero muchos menos. La harina, la levadura de la harina, la cocción de los buñuelos en las grandes cazuelas llenas de aceite hirviendo, era una pequeña fiesta familiar que ya ha pasado a la historia, como tantas otras cosas que se han ido para siempre. Hoy día hacer buñuelos parece una parodia, quiero decir una realidad ficticia.

El buñuelo es un producto de repostería que invita a acompañarse de un buen vino. Aparece en la época en que el vino del año ha cubierto el ciclo: la uva recogida hacia septiembre y el vino correspondiente han pasado, al llegar la Cuaresma, por todas las evoluciones, los avatares y movimientos principales de su ciclo vital. El vino no es un objeto inerte, como una mesa o una silla, sino algo que tiene vida. En este tiempo llega el momento, tan delicado, de catar lo que se ha hecho. Cuando sale de buena embocadura, afrutado, ligero –y para mi gusto, seco– se produce la combinación perfecta con los buñuelos. En este punto, sin embargo, tampoco creo que lleguemos a un mínimo de ecuanimidad y coincidencia. Hay muchas personas, en efecto, sobre todo en el hidromiel de Barcelona, que no pueden concebir la repostería si no es regándola con vinos rancios, dulces y pesados. Ante este hecho, yo me atrevería a discrepar, modestamente. Y añadiré que adicionar, en el paladar, el azúcar de la repostería con el vino dulce es algo de un empalagoso posiblemente excesivo. Ya sé que los asuntos del gusto son muy difíciles de discutir, pues no existen dos personas iguales desde ningún punto de vista, y cuando se trata de sensaciones aún menos. Sólo hay que observar lo que come la gente, lo que le gusta, para constatar que los hombres y las mujeres son un puro misterio; un misterio no convencional, pero sí muy misterioso.

A mi modo de ver, sin embargo, los contrastes constituyen una buena parte de la gracia de las cosas, y el gusto dulce de la repostería queda muy mejorado y se hace más accesible cuando se contrasta, en el paladar, con un pequeño vino –digo pequeño– aéreo, ligero, sutil y evidentemente, seco. Pero en fin, vale más que sean los casuistas y los desveladores de misterios quienes discutan sobre estos temas, que se pueden verificar en las sensaciones sin posibilidad de acercamiento. Me permitiré, únicamente, recordar un hecho: el vino, como todo lo que está vivo, en el momento de su formación es una caja cerrada, sujeta a muchos y complicados imponderables. Cuando sale bueno, tal como se había soñado, los buñuelos son mucho más ricos y logran una gracia que la pasta, por sí sola, no tiene. Cuando el vino sale desgraciado, por las razones que sean, los buñuelos pierden cortesía y se vuelven un poco pesados de digerir. Estas consideraciones acaso demuestren que el elemento de lubricación de los buñuelos no es el aceite de oliva, sino el vino que uno bebe, cuando puede.

Cadaqués es un pueblo que después de haber vivido tantos siglos en un absoluto aislamiento terrestre, ha conservado una gran riqueza dialectal y a los buñuelos los llaman *crespells*, como no me dejarán mentir los naturales del lugar. He comido buñuelos en muchos pueblos del Ampurdán. Pues bien: los *crespells* de Cadaqués son absolutamente de primera. Claro que el aceite de Cadaqués no tiene parangón. En cambio, no creo que deban su calidad ni al trigo que se recoge en el término ni a la harina, que son escasos. Son buenos por el aceite en que se fríen y por el vino rosado y seco de las cuestas y pendientes de aquel país. El poeta de la población y de sus alrededores, mi amigo inolvidable Víctor Rahola, ya fallecido, que fue un epicúreo escéptico, escribió un poema nostálgico y elegíaco sobre los *crespells* de Cadaqués, un canto lleno de los sabores y de los perfumes del cabo de Creus. A mi juicio, es lo mejor que se ha escrito sobre la materia. Cada año, cuando llega esta época, lo leo con gran provecho.

EL *RECUIT*

El *recuit* es un postre de leche típicamente invernal que el *Diccionari* del señor Francesc de B. Moll define de esta manera: «Leche cuajada con *herba-col* y dejada escurrir dentro de un trapo de manera que se elimine la parte acuosa».

El *recuit* no es un producto meramente local, dado que el *Diccionari* lo sitúa en la Cerdaña, en el Ampurdán y en la plana de Vic, pero tampoco tiene una presencia generalizada. Como no conozco más que el *recuit* de mi país, no puedo compararlo con el de otras comarcas que cita el *Diccionari.* Cuando se tiene una pequeña experiencia de las cosas de la alimentación, se constata que no hay dos productos iguales, ni tan sólo los que llevan el mismo nombre. Las personas de lengua castellana llaman al *recuit* «requesón» y los barceloneses lo denominan *mató.* En mi juventud el *mató* de Pedralbes tuvo mucha fama; la mezcla de *mató* con miel da origen al *mel i mató,* postre que ha sido respetado. Sospecho que todos estos postres han decaído mucho, o al menos se ha hecho muy difícil el acceso a ellos en los actuales establecimientos de restauración pública de Barcelona. Es probablemente verosímil que el *recuit,* el *mató* y el requesón tengan un origen similar y una manipulación sin duda muy semejante, pero opino que el resultado no es el mismo. Establecer las causas de estas diferencias es, para mí, imposible, pues no me lo permiten mis cortos conocimientos, pero me parece verosímil que parte de la disparidad provenga de la variedad de leches utilizadas en su fabricación. En sus mejores tiempos, el *recuit* se produjo a partir de leche de cabra o de oveja y el *mató* barcelonés con leche de cabra; del requesón no tengo ni idea. Precisamente porque todos cuantos me conocen saben que nunca he padecido de patrioterismo local, me permitiría decir que el *recuit* es, de todas las formas de leche cuajada que aparecen en el mercado, la de mayor calidad, la mejor de estas clases de leche. Y ahora me estoy refiriendo al *recuit* de mi país, que a mi modesto entender, no tiene rival.

El *recuit* se elabora con dos clases específicas de leche: la de cabra o la de oveja, separadas o mezcladas. Esta mezcla no ofrece ningún inconveniente decisivo. Yo creo que al principio se utilizó, sobre todo, la leche de cabra. Cincuenta o sesenta años atrás, las cabras abundaban mucho más que hoy, había numerosos rebaños de estos animales. Por suerte, las cabras han ido a menos y los rebaños casi han desaparecido. Y digo por suerte porque estos animales eran muy perjudiciales: la cabra es una de las bestias más antibotánicas que existen, un bicho de enorme voracidad, sin limitaciones ni preferencias en su alimentación, que le lleva a destruir todo lo que se le pone por delante, con preferencia, a ser posible, por los retoños de los árboles. Así pues, el *recuit* de leche de cabra ya no podría hacerse. No se ha perdido nada, porque el de leche de oveja es mucho más fino, indiscutiblemente superior. Las coagulaciones de otras clases de leche no ofrecen un punto de comparación digno de aprecio.

He escrito este párrafo en presente, pero tengo la fundamentada sospecha de que me he equivocado de tiempo. A veces me sucede que me equivoco de época. No me cabe duda del porqué: los grandes cambios que hasta la fecha se han producido en la alimentación. Estos cambios son la causa de una confusión extraordinaria del espíritu. La memoria es débil y borrosa. Acabo de escribir que el *recuit* se hace, en mi país, con leche de oveja. ¿Responde esta afirmación a la verdad? Me parece que no. El lector que conozca mis opiniones sobre los daños ocasionados por la industrialización en la cocina, posiblemente pensará que mi crítica del *recuit* actual obedece al hecho de que el producto se ha industrializado. De todos modos, decir que se ha industrializado sería muy exagerado. Conozco algunos brotes de industrialización de este postre: son diminutos. Lo que sucede es mucho más serio.

Hace cincuenta años no había un solo pueblo en estas tierras, por pequeño que fuese, por insignificante que pareciese, que no dispusiese de una casa –que solía ser una masía– donde elaborasen *recuits*, que algunas veces hacían para vender y otras para el consumo familiar. Estas masías tenían, generalmente, un rebaño, y solían elaborar sus *recuits* con leche de oveja. Yo soy de esa época. ¿Cuántas casas quedan, en la actualidad, que los produzcan? Muy pocas, poquísimas. Hay una razón concreta para haber llegado a este resultado: para obtener leche de esta clase hay que ordeñar las ovejas. ¿Y quién ordeña hoy las ovejas? Existe otra razón todavía más poderosa: esta leche es mucho más rentable si se utiliza para que mamen y engorden los corderos de las ovejas, que valen un dineral. Además, la faena es mucho menor. La razón económica, por tanto, tiene un peso considerable. Los *recuits* que se encuentran hoy en el mercado, hablando en general, ya no son de leche de oveja, sino de leche de cabra; se trata, por otra parte, de una leche que ha sido cuajada con un líquido, que supongo que se puede comprar en la farmacia, y cuya composición y nombre desconozco, pues carezco de la suficiente curiosidad por este tipo de sucedáneos. Alguien dirá, como si lo oyese: «Usted está cargado de manías». Sí señor. Yo tengo, en esta materia como en otras, muchas manías. Lo siento en el alma, pero no pienso abandonarlas.

Claro que cuando menos te lo esperas aparece un *recuit* elaborado a la antigua usanza, o sea a la manera arcaica. Es la maravilla de las maravillas. Todavía quedan algunos, pocos, poquísimos románticos del oficio.

La leche se ponía a hervir y una vez hervida se dejaba entibiar. Cuando llegaba a un punto determinado de tibieza –los viejos payeses tenían un termómetro que les marcaba este punto, asunto considerado importante–, tiraban en el líquido la hierba que producía la coagulación. La proporción entre la cantidad de líquido y la cantidad de cuajo era muy precisa. La hierba se pesaba en las pequeñas balanzas pertinentes. Romper la proporción señalada, naturalmente, no tenía ningún sentido.

En nuestra manera de hablar, al factor de coagulación lo denominamos el *presò*, y está contenido en la *herba-col* de la familia de las rubiáceas, enorme familia que reúne a su alrededor unas cuatro mil quinientas especies. (Font i Quer *Plantes medicinals*, pág. 749, entre las cuales está el galio, que Linneo llamó *Galium verum*.) Sinónimos catalanes del *Galium* son *gali, herba de mató, herba-col, herba colera, herba nuada, espunyidera groga, herba de talls, cuallallet, herba mosquera*. Florece por junio, y para San Juan está en plena floración. Se produce en casi todo el país, en senderos y riberas, y es bastante conocida. Su flor surge redonda como una alcachofa chafada y plana, pero más pequeña y en el centro de su sumidad floral hay unos filamentos, como un pequeño penacho, que añadidos a la leche en la cantidad correspondiente al volumen del líquido, según la proporción que comentábamos, la cuaja al cabo de veinticinco o treinta minutos de establecer contacto. Cuajada la leche, la ponían sobre un trapo de cuyas cuatro puntas salían unos cordeles, que anudados formaban una especie de paquete listo para colgar; antes lo solían colgar de una caña. Al servir el trapo de filtro espeso, el cuajado iba eliminando el líquido acuoso que contenía. Cuando consideraban acabada la purga, colocaban el paquete sobre la mesa y con su contenido llenaban los pucheros de diferentes medidas que a tal menester tenían preparados o envolvían en un trapo de un blanco luminoso algunos pedazos de *recuits* rectangulares, y entonces se llevaban los bultos al mercado. A los *recuits* envueltos en un trapo los denominábamos «*recuits* de la Bisbal», y es un postre que me parece que ha quedado en la memoria de la gente, y en mi recuerdo, como uno de los mejores que han existido. Era el mejor *recuit*, el más fino, aéreo y sabroso porque había sido elaborado con la leche de oveja más auténtica y de una pureza más real.

El *recuit* se come desliendo su contextura con una cantidad más o menos grande de azúcar, a gusto del consumidor.
En mi opinión debe ser denso y flojo, no ha de contener ni
una sola gota de agua ni tener, en modo alguno, el gustillo
agrio que tiene el yogur, que tantas personas aprecian y
otras menos; tiene que ser dulce, pero de un dulzor acordado al gusto personal. Constituye un postre excelente, que
apasiona a las criaturas y a gente de todas las edades porque, realmente, es exquisito. Pero todo esto no es para ser
escrito. Lo suyo es acercarse, probarlo y constatar la calidad.

Desde el punto de vista de la confitería y de la repostería, este país es muy dulce. Para mi gusto, lo es excesivamente. Nuestras Navidades, Nocheviejas y Reyes son de un
azucaramiento que tal vez se pasa de la raya. Los postres de
que hablo, que son de invierno, pero poco navideños, son
dulces según la voluntad del cliente, lo que constituye una
ventaja positiva. Usted pondrá más azúcar y yo menos. Admirable.

Tenemos en nuestra repostería un elemento que acaso es
el menos dulce de todos: son las *neules*. Estas *neules*, con el
recuit, dan origen a una estupenda y positiva combinación.
La alimentación humana consiste fundamentalmente en
una serie de combinaciones bien integradas y bien hechas.
La que cito ahora es de las mejores que hay. Quizá la mejor
de todas es la de un buen queso francés o inglés y una botella de Borgoña de un buen año. Ésta del *recuit* y de las *neules* es un poco descolorida, pero real. Las *neules* han de estar
doradas, en absoluto flojas ni húmedas; han de ser sutiles y
quebradizas, se ha de notar, en su pasta, el sabor del horno
y del fuego. A la leche de oveja cuajada le va admirablemente bien este gustillo a horneado y a golpe de fuego. La
mezcla, además, no está sobrecargada de melaza ni de sa-
carina. Es muy ligera, esbelta y apenas tiene peso. Lo acabo
de decir: es una mezcla descolorida pero absolutamente
real. Debemos conservar lo que tenemos. Debemos respetar
nuestras combinaciones. Si las destruimos, no quedará nada,
y volveremos a la cocina del salvajismo desenfrenado.

LA ENSAIMADA MALLORQUINA

He dicho y escrito muchas veces –el lector de esta digresión crítica es testigo– que la repostería y la confitería de mi país, y la afirmación acaso pudiera hacerse extensiva a toda el área lingüística, son excesivamente dulces y en ocasiones, para mi gusto, demasiado grasientas. Los buñuelos, los dulces, el mazapán, los turrones, las pastas y delicadezas de todo orden, incluso la crema y el brazo de gitano, en fin, todas las innumerables variedades locales de la repostería, pecan de un dulzor, o de lo que sea, excesivo para un paladar normal y corriente.

Éstas, si queréis, críticas, a mi entender positivas, me llevan a proclamar mi entusiasmo y mi admiración más absolutos por la ensaimada de Mallorca, que considero el producto de más alta calidad que puede presentar nuestra área lingüística en el terreno de la repostería. En un país tan pesadote, seco y tosco, de tan poca expresividad como el de los mallorquines, ¿cómo se las han ingeniado para realizar tan fina maravilla? La ensaimada mallorquina es la creación más ligera, aérea y delicada de la repostería de toda nuestra zona. ¿Cómo han hecho para producirla? No lo sé. En alguna ocasión he pensado que pudieran haber llegado a la ensaimada gracias a su misma pobreza, a su admirable y respetable pobreza, que les habría obligado a no poner nada de más, a no verter nada excesivo en esta impresionante delicadeza. Todo hace suponer, en efecto, que los mallorquines han puesto en práctica el «de nada demasiado» de los antiguos. Sea cual fuere la causa de este resultado, no se puede negar que ha sido excelso.

En principio y tomando el tema en su aspecto filológico de seriedad auténtica –es decir, eliminando lo que la etimología de las palabras pueda tener de popularismo pintoresco o de la solemnidad del *Diccionario de la Academia Española*, tan sembrado de impresionantes necedades–, la palabra *ensaimada* provoca, de entrada, una especie de escalofrío, aun teniendo un aspecto tan soleado. En efecto, esta denominación procede del vocablo *saïm*, que es la palabra que los mallorquines utilizan en su delicioso hablar para dar a entender lo que nosotros llamamos la grasa. Se entiende, la grasa por antonomasia, la del cerdo.

Ante esta comprobación, tenderemos siempre a creer que la ensaimada está afectada, precisamente, por la grasa, que dicho sea de paso, cuando está en exceso, nos gusta poco o nada. Ahora bien: es un hecho incontrovertible que los mallorquines han demostrado un tacto admirable en la elaboración de la ensaimada. No niego que esta mercancía, probablemente, debía de contener en sus inicios una cantidad excesiva de grasa, que al llegar a paladares menos rústicos, un poco más exigentes o acaso algo fatigados, fue reduciendo la dosis arcaica hasta llegar a ese punto de imperceptibilidad actual. Ignoro cuándo sucedió este hecho. ¿En los decenios de preponderancia de la concepción burguesa? ¿En los años de esplendor de esta cocina? Ni la menor idea. Sólo puedo decir que fui por primera vez a Mallorca en 1920. Hace ya, por tanto, cincuenta años, pues escribo en 1970. Pues bien: la ensaimada que me sirvieron entonces, medio siglo atrás, era exactamente igual a la que comí el año pasado con mi amigo Baltasar Porcel en un café del Born de Palma. Idéntica.

El hecho descrito es impresionante y tiene mucho mérito. Y lo curioso es que en el curso de este último medio siglo, a esta mercancía le ha tocado padecer considerables vicisitudes y resistir catástrofes de un tamaño mayor a las acontecidas a cualquier otro producto. Y sin embargo, lo repetiré, la ensaimada que comí el año pasado con el escritor Porcel era en efecto absolutamente igual a la que me sirvieron en 1920 en otro café del mismo Born, en compañía del señor Biel Alomar y del periodista Pinya: en ambos casos se trató de un producto admirable, desprovisto de cualquier acentuación azucarada o mantecosa, algo delicioso. Las ensaimadas quedan grabadas en la memoria; yo guardo de ellas un recuerdo vivísimo, mucho más presente que el de cosas y personas que parecían tener cierto volumen y resultaron ser todo apariencia. Ante esta admirable persistencia de la ensaimada no ha funcionado, en ningún momento, aquel sistema de exaltaciones y de depresiones intermitentes y sucesivas que, en principio, habíamos colocado en la esencia de nuestro carácter. El caso es que en los hornos de confiteros y de panaderos de Mallorca se ha ido elaborando la ensaimada con un espíritu de continuidad digno de admiración. Si ahora pensamos en la cocina de estos últimos decenios, ¿acaso podríamos hallar algún otro producto que haya mantenido a través de los años una autenticidad tan permanente? Eso es lo que ha ocurrido con esta joya de la repostería mallorquina.

Sí, evidentemente. De los mallorquines se puede esperar de todo, incluso sensatez y ecuanimidad. En ocasiones tienen demasiada. De todos modos, siempre fueron personas de mucho tacto, dentro de un espíritu de negociación activo y positivo. Desconozco si el turismo acabará por imprimirles una tendencia distinta, de un aire peyorativo. Hay quien así lo cree. Se ha despertado en Mallorca, como en todas las Baleares, una obsesión por el dinero, por el enriquecimiento, por acumular dólares, y una indiferencia por las cosas de calidad que es de veras alarmante. Sea como fuere, es imposible separar a los mallorquines de su pasado: disfrutan de un panorama prodigioso y de finísima discreción, tanto su paisaje de mar como el del interior de la isla. La floración de los almendros en aquellas tierras es uno de los espectáculos más bellos del Mediterráneo. Han creado una poesía fina, delicada, normal; han levantado magníficas obras arquitectónicas; manifestaciones del pensamiento equilibradas; han desarrollado una vida social en otros momentos abrupta y hoy bastante agradable. No sé de ninguna isla del Mediterráneo, y conozco unas cuantas, dotada de tantas bellezas, y no en un sentido arqueológico, sino como realidad vital. Dicen que todo esto les viene de las auras de Italia. Es posible. De todas maneras, algo le debe de venir de Cataluña y del poblamiento básico de la isla. En ocasiones da la impresión de que a Mallorca, además de la minoría de locos correspondientes, marcharon todos los catalanes epicúreos. Que en Mallorca ha habido bastante loco parece evidente. ¡Pero cuánta sensatez! A veces demasiada. En algún momento puede haber parecido que lo que a un país le faltaba, al otro le sobraba. Son dos países complementarios y todo lo que tienen de contrario los une o los aproxima, aunque parezca mentira.

En la larga lista de cosas típicas de Mallorca, la ensaimada ocupa un lugar delantero. El sentido equilibrado, suave, habitual de la isla, tan contrario a las genialidades siniestras, se manifiesta cada día en la producción de ensaimadas. En el volumen 5, página 23, del *Diccionari* de Moll, se dice que la ensaimada es una especie de coca hecha con la flor de la harina cocida con *saïm* o con aceite, huevos y azúcar, que tiene forma redonda y está formada por una especie de cordón de pasta enrollada en espiral. Las hay que son más complejas. Hay un tipo de ensaimada de tres cordones enlazados, como los que forman algunas cuerdas, que denominan *entorcillada* o *estrunyellada*. Todo esto permite suponer un refinamiento muy destacado.

La totalidad de las posibles ensaimadas, en realidad, son de un acceso muy ligero, que no causa fatiga. Se trata de una suavidad que en contraste con el grano fuerte del país se convierte en una insospechada sorpresa; su calidad no es la de la abrumadora repostería compacta, que tanto abunda, sino la ligereza. Tiene, por así decirlo, un peso atómico tan a la medida del paladar humano y de su espíritu, que su embocadura nunca puede tener consecuencias desorbitadas. Es excelente en todos los momentos del día. En este país, que apenas conoce el desayuno de tenedor, la combinación de un buen café negro y una ensaimada mallorquina es, sospecho, lo mejor que se puede desayunar. Hablo ahora genéricamente, y la opinión es personal, en el sentido de que aspira a este valor y a ningún otro. Creo que acompañada de café negro, la ensaimada llegaría a crear un desayuno de calidad insuperable. ¿Se imaginan lo que sería la combinación de esta mercancía con una taza, o dos, de café elaborado en Italia? Es un acercamiento tan acertado que parece una pura ilusión, casi irreal, del espíritu. El café de Italia es el mejor del mundo, pero lo que allí suele acompañarlo es bien poca cosa; aquí, en cambio, la ensaimada no tiene rival y el café tiene una gracia más bien escasa, por no decir nula. Siempre sucede igual... Por eso la gente invoca la paciencia tan a menudo. ¿Y por la tarde, a la hora de merendar? Si para el desayuno a mi manera no tiene rival, para merendar ni la comparación es posible. La mejor ensaimada es la que acaba de salir del horno y se sirve tibia. Como merienda, que suele ser a una hora incierta y crepuscular, la ensaimada pasa sola, volando, tiene una incitación positiva.

En Palma de Mallorca hay un pequeño café situado en la plaza de Cort, que es una plaza auténtica con un edificio importante, el palacio municipal de la ciudad, al cual acudo siempre que dispongo de un rato de ocio en las horas matinales y al declinar de la tarde. Se puede ocupar un lugar en la minúscula terraza del establecimiento, desde la cual se ve el palacio a escuadra, una vista agradable. He tomado ahí montones de buenas ensaimadas con una taza de café y un vaso de agua helada. Y siempre me ocurre lo mismo: el vaso de agua me crea la ilusión de estar en Grecia; el café me incita a pensar en Italia; la ensaimada es estrictamente local, mallorquina, sin raíz parecida en ningún otro lugar. ¿Se puede pedir más? ¿Puede suscitarse una sugestión de tanta fuerza imaginativa? ¡Y las muchachas que van y vienen, esas al·lotes mallorquinas! Y total, de Barcelona a este café de la plaza de Cort hay tres cuartos de hora de vuelo, más o menos. Bien mirado, vuelos más idiotas se pueden hacer por los aires de este mundo...

LOS TURRONES

En la economía de este país que llamaremos empírica, la economía vulgar, ocurre a menudo un fenómeno que podríamos calificar de asombroso: cuando un artículo aumenta de precio, su calidad, generalmente, desciende. Se produce un alza doblada.

Espero que no me considerarán lo bastante ingenuo para sostener que una mercancía determinada puede subir de precio por razones exclusivamente ligadas a su producción o a la caída del precio de la moneda. El precio de una mercancía puede subir por múltiples razones, a veces inseparables de su producción, como por ejemplo la subida de materias primas, la escasez, el coste de la mano de obra, la efectividad de la maquinaria, el rendimiento de patronos y obreros, etc., y además puede subir por razones aberrantes, como en nuestra época ha podido observarse de modo tan profuso. El hecho de que con un producto se gane más dinero no implica que se trabaje más. En ocasiones se trabaja menos. Hemos podido observar este proceso en los turrones, que cada día son más caros sin haber mejorado en nada.

Para mi gusto, los turrones tienen el defecto genérico de la repostería del país: son demasiado dulces, su azucaramiento es en exceso pródigo e invasor, su densidad de dulzor es exagerada. Pero las cosas son así, y la repostería se hace para un paladar muy amplio, que sin duda exige estos matices y ante el cual ninguna crítica se muestra eficaz. La gente lo quiere así y así le es dado.

Si tomamos, por ejemplo, el turrón de Xixona, que así se llama en nuestra lengua, es incuestionable que se ha impuesto totalmente en el mercado y, de hecho, hace mucha sombra al resto de variedades. La clave de este turrón, sin embargo, sólo es una: su autenticidad. Si yo afirmo que el turrón de Xixona es demasiado dulce, me limitaré a expresar una opinión consecuencia de un gusto personal intrascendente. Ahora bien: si esta mercancía, que se come tan pródigamente, pecase de falta de autenticidad, el hecho sería mucho más grave. Cuando por la razón que sea, generalmente comercial, un artículo se presenta como si fuese otro, y se explota el parecido ficticio que el sucedáneo tiene con el original, lo menos que se podría pedir es que se produjese el cambio de nombre. En muchas ocasiones, el turrón de Xixona se tendría que llamar de otra manera, porque no lo es, ni lo ha sido nunca.

En efecto: ¿por qué este turrón de la ciudad valenciana, que durante un período tan largo del año es un elemento de la repostería ampliamente aceptado, ha de llevar ese nombre si no responde a la realidad, si no tiene nada que ver con el original, si por razones perfectamente concretas carece de todo parecido con el que se llama así por rotundo y propio derecho?

Los auténticos turrones de Xixona se fabrican con almendra, miel y un poco de azúcar, todo bien molido, calentado y moldeado en forma de pastilla alargada. En los de menor calidad la almendra es sustituida por cacahuete, en todo o en parte. Este turrón, que hasta 1920 se elaboró según formas artesanales, se industrializó a partir de esa fecha y hoy existen en la población más de treinta establecimientos, algunos de ellos de gran volumen, que en los momentos de mayor actividad dan ocupación a más de tres mil personas. Este turrón, para mi gusto –lo he dicho reiteradamente– es demasiado dulce. Pero con todo es el menos dulce de cuantos turrones de Xixona se han prodigado a tan alta escala, apropiándose del mismo nombre y desprovistos de toda legitimidad. Estas imitaciones han derrochado dulzor a extremos desaforados. Conque dentro de lo que cabe, el turrón de Xixona es siempre el mejor y, en definitiva, tiene derecho, por tanto, a que sus precios vayan acordes con las circunstancias económicas, siempre complicadas. La calidad no se puede mantener de otra manera. Así que yo seguiré comprándolo a mi ritmo personal, ciertamente limitado, y hasta donde alcancen mis posibilidades. Cuando se me agoten los posibles, dejaré de comprarlo y no pasará absolutamente nada.

Ahora los turrones se ofrecen envueltos en papel de plástico. Los genuinos se mantienen firmes y compactos dentro del envoltorio. Las imitaciones, aun con el envoltorio, se desfibran, convirtiéndose en una pasta de grasa dulzona, casi chorreante, insoportable.

Y entonces, ¿por qué se obstinan en despachar un turrón de Xixona que no tiene nada que ver con el original? ¿Por qué conservan el mismo nombre para dos artículos tan diferentes? ¿Por qué ha de mantenerse este odioso criterio, absolutamente diabólico, que destruye una marca universalmente conocida, tradicional y de calidad indiscutible? Casi todos los problemas que la calidad de los productos plantea en el mundo de hoy van implícitos en estas preguntas. La producción es enorme y general. Dentro de este pequeño mundo, la confusión se origina por la tendencia a dar el mismo nombre a cosas que pueden tener cierto parecido, pero que son distintas. Todo debe llevar su propio nombre, es decir, el auténtico. Hay que respetar las tradiciones y las calidades con el máximo interés, aunque este interés pueda parecer candoroso a tantos aprovechados. Obligarnos a defender los productos tradicionales con engañifas y mistificaciones es, seguramente, excesivo.

En el curso de los últimos años los turrones y, en general, los bienes de consumo han degenerado bastante, perdiendo muchas condiciones apreciables. Existe una especie de falsificación a escala nacional. En principio, la palabra falsificación es muy compleja. He visto productos auténticos, pero, por ejemplo, primitivos, cuya falsificación ha

335

dado lugar a nuevas formas que han mejorado el original. Sin embargo no ha sido éste el caso de los turrones. Hoy, el turrón imitado del de Xixona se puede comer todo el año, en plena canícula, como todo el mundo sabe. De la misma manera que se pueden comer habas para Navidad y no envasadas, sino viajadas –y literalmente horribles–, hay turrones en julio y agosto. Ahora bien: el mantenimiento del sabor de los alimentos exige cierto respeto al calendario, a las propias cosechas, a la marcha natural de las cosas, si no queremos crear una confusión palatal salvaje.

Por otra parte, en estos años pasados, hemos asistido a la extinción del turronero –que algunos también llamaban el *xixoner*– que venía de su tierra a vender turrones por estos pueblos y ciudades. Era algo importante, pues la presencia del turronero suponía la garantía de autenticidad de los productos que despachaba. Estos hombres, que a menudo vestían ropas típicas y populares –solían llevar un gorrito redondo que era una monada–, alquilaban un rincón en los bajos de una casa, organizaban una tienda, vendían la mercancía y, cuando se agotaba la temporada de invierno, regresaban a su tierra, después de haberse despedido de sus amistades. Estos hombres –es correcto repetirlo– aseguraban una continuidad. En la actualidad os ofrecen turrones durante todo el año en las confiterías; turrones que no lo son, notoriamente falsificados, groseramente fabricados, demasiado dulces; turrones que plantean constantemente dudas acerca de lo que llevan dentro. Y eso sí, siempre pensando en subir los precios. Examinando el asunto con cierta detención, se puede observar que ni por la composición ni por el color ni por el aroma ni por el gusto guardan ninguna relación con el original. Unas veces la almendra que se les pone es muy vaga, a pesar de lo que se ha pagado. Otras veces me ha parecido notar –es triste haber tenido que acudir tantos años al restaurante– que les añaden grasas animales. ¡Qué no les pondrán con las trampas que ofrece el empirismo químico actual! Hoy día, este turrón ya se fabrica en todas partes. Lo fabrican, por lo que he podido ver, muy cerca de casa, con maquinaria muy perfeccionada. Xi-

xona es ya el nombre del turrón peninsular por antonomasia. La tendencia parece haberse generalizado: cada día más
precio y menos calidad.

En mi infancia y en mi juventud existían variedades locales de turrón que eran apreciables. La salida que tuvo el
turrón de Agramunt, hace muchos años, todavía hoy se recuerda. Era éste un turrón de difícil acceso, fuerte, para dentaduras de caballo, en una época en que el arte del dentista
era pura irrisoriedad y parecía una reminiscencia de la
Prehistoria. Pero no se puede negar que los turrones fuertes
siempre fueron menos dulces que el resto. En Santa Coloma
de Farners –patria del gran erudito y profesor de árabe y he-
breo Millàs Vallicrosa y población que, por otra parte, produce excelentes galletas y es un mercado importante de piñones– se elaboraban o se elaboran unos turrones de nieve
y de avellana que conforman un recuerdo indeleble de mi
infancia. El turrón de avellana tiraba a blando, compensado
por la dureza relativa de la avellana seca, y el de nieve era
blanco, blando, suave y delicado, una nieve esponjosa,
como el maná que Moisés ofreció a los israelitas en el de-
sierto, huyendo de Egipto, y que leíamos en la Historia Sa-
grada. Era una delicia y lo comíamos para merendar; los de
avellana eran más duros de pelar, porque la fruta seca no
era muy apropiada para dentaduras infantiles, poco habituadas. También siento debilidad por el turrón de mazapán
denominado de yema tostada, hecho de mazapán y yemas
de huevo; todavía hoy lo como y me parece uno de los turrones del país más apreciables.

Podríamos citar muchas clases de turrones. Recuerdo
ahora un turrón desaparecido, que llamábamos con un
galicismo «turrón de crocante», y era fuerte, de color de
chocolate, duro, y había que romperlo. Los turrones de Alicante son de la misma índole y hay que partirlos con los
dientes.

Comoquiera que sea, el de Xixona ha desbancado a todos los demás. Es el que se despacha generalmente. Además, si es genuino tiene una cotización internacional. Y aun
así lo están desvirtuando, y llegará un momento en que per-

derá todo parecido con el original. Mucho turrón de Xixona todo el año, pero de auténtico cada día menos. La tendencia es a suprimir la matización, pase lo que pase, y a igualar los productos por la base, por su cualidad más ordinaria. El ideal es dar urraca por perdiz, como por aquí decimos, gato por liebre, matarratas por bebidas auténticas.

La literatura moderna, que ha escrito tanto réquiem espantoso, creará sin duda el de este turrón, que está a un paso de extinguirse...

EL TABACO

Un señor que estaba sentado cerca de mi mesa, en el restaurante, fue despachando con parsimonia la comida que le habían servido, pidió a continuación un café y encendió un cigarrillo. Debí de poner cara de extrañeza, pues mi vecino de mesa me comentó:

–¿Quiere probarlo? Si es aficionado a fumar tabaco negro, le gustará, o al menos sospecho que le gustará...

Era un pitillo muy largo, casi el doble de largo que los ordinarios, y de papel blanquísimo. La longitud le daba un aspecto de objeto elegante. Estaba, además, muy bien hecho, muy bien vestido. Sumado al perfil de un hombre alto, delgado y esbelto, un cigarrillo tan luengo y fino habría aumentado el efecto del fumador. Estos últimos años ha aparecido, en este país, una novedad: el cigarrillo con filtro. Son unos objetos que llevan en la embocadura un poco de algodón introducido en un cartoncito de forma cilíndrica. El algodón lo pondrán seguramente para evitar que la nicotina penetre a través del humo en el organismo del fumador. El nuestro es un país de fumadores que se tragan el humo; se lo tragan incluso las señoritas. Por mi parte, ignoro si este filtro de algodón evita la nicotina; pero que pone cierto empeño parece evidente. Sea como fuere, el cigarrillo que mi vecino de mesa me había ofrecido carecía de filtro; era un espécimen de tipo tradicional, corriente.

–¿Es un cigarrillo de tabaco de La Habana? –pregunté.

–No señor. Es tabaco negro, pero no es de La Habana. Es un cigarrillo filipino, lo último en cigarrillos en aquellas islas. Pruébelo...

Me alargó uno y luego me ofreció su encendedor, una monada de encendedor de gas flamígero.

Habiendo sido un viejo fumador de cigarrillos y en concreto de tabaco negro, a la primera calada noté que tenía en las manos un producto de calidad. Era un cigarrillo ligero, suave, muy manejable, considerablemente aromático; si bien no tan aromático como el tabaco de La Habana, sí con todas las esencias del tabaco, las más agradables, muy acentuadas.

–Y estos cigarrillos, ¿dónde los venden? –pregunté a mi gracioso donador–. Entran ganas de comprarlos...

–No los venden en ningún sitio. A lo mejor algún día se venderán, pero por ahora, las relaciones comerciales entre España y Filipinas son más bien inexistentes. Si algún día llegan a ser una realidad, estos cigarrillos deberán entrar.

–¡Es una pena! El cigarrillo me ha parecido muy apreciable. Le aseguro que, si pudiese, me compraría un paquete o un par en el primer estanco.

–Si le ha gustado, aquí tiene mi paquete. Yo tengo más, me los envían amigos que viven por allí abajo. Fúmeselo, no se preocupe... No importa.

–No, no, esto es demasiado...

Me tendió un paquete rectangular muy elegante, de color rojo tornasolado, con la marca de fábrica encima. La leí. La marca era Super-King, que traducido quería decir «el súper rey», «el rey de los reyes». Cuando un país lanza una marca comercial en que figura la marca comercial *king*, o sea rey, casi siempre significa que el sistema republicano está implantado. Tuve que darle las gracias.

Conforme fui fumando el cigarrillo, me pareció que aumentaban sus cualidades positivas.

Nunca antes había fumado cigarrillos filipinos ni entraba en mis propósitos fumarlos en adelante. No habiendo sido nunca fumador de tabaco rubio, más que por necesidad, creía que el tabaco de La Habana ocupaba un lugar insuperable. Me vinieron a la memoria algunos principios escritos en verso. Como este, por ejemplo:

De La Habana fumarás
Partagás y nada más

Sin olvidar aquel otro que dice:

Partagás,
son los tabacos que gustan más

Todo lo que se cuenta en estas y otras cancioncillas sobre el tabaco Partagás de hoja y de pastilla puede aplicarse a las grandes marcas de tabaco cubano, universalmente conocidas. Me hago cargo de que en cuestiones comerciales, y en muchas otras, existe siempre un componente hiperbólico y que la hipérbole nunca ha mejorado la calidad de las cosas, pero aun contando con eso, ante el tabaco de La Habana no hay objeciones que valgan: la realidad es la que es.

—Eso que usted dice del tabaco de La Habana —me comentó mi vecino de mesa— tiene una verosimilitud muy aceptable. Pero las cosas no deben regirse por la propaganda, y menos por la propaganda arcaica. Tiene usted el aspecto de un ex fumador inquieto ante la eventualidad de una trombosis de coronarias.

—Es del todo exacto.

—Debe de haber fumado bastante tabaco de La Habana...

—Todo lo que ha estado al alcance de mis posibilidades, siempre precarias.

—Sabrá usted que con el tabaco habano, como por otra parte con casi todos los tabacos, ocurre que a medida que se va fumando, el cigarrillo va volviéndose cada vez más fuerte por la cantidad de nicotina que se acumula al final con cada chupada, de modo que cuando uno llega a la colilla, la boca se le ha llenado de fibra y de nicotina...

—¡Sí señor! Y para el auténtico fumador, esa mezcla es agradable. Si no me equivoco, al auténtico fumador le gusta la nicotina.

–De acuerdo. Pero la nicotina hace daño. La gente adinerada que fuma, a veces tira el cigarrillo antes de llegar al final. Es higiénico y sano, pero irrealizable si no se es un fumador de posibles. También los hay que los agotan, que se fuman hasta la colilla... Ahora usted está acabando este cigarrillo filipino. Ha llegado a la punta. Si se pasa el tabaco por la palma de la mano, constatará que la nicotina que contiene es insignificante: apenas le dejará mancha. Compruébelo y verá que es cierto.

Lo hice. Me pasé el tabaco por la mano y la mancha oleosa y amarillenta que suele dejar la nicotina era efectivamente insignificante.

–¿No es curioso? –inquirió mi vecino de mesa.

–Sí señor. Y encima el cigarrillo no tiene filtro. Es realmente extraordinario.

–A decir verdad, no es que el tabaco filipino no tenga nicotina. Lo que usted acaba de decir, o sea que a los fumadores lo que les gusta del tabaco es la nicotina, lo que hace daño, es cierto. Habría podido añadir que hace cincuenta años los marineros y navegantes y muchas otras personas no se fumaban el tabaco, sino que lo masticaban porque así encontraban más el sabor, es decir, el sabor de la nicotina. Ahora que se ha comprobado científicamente la nocividad del tabaco, todo el problema estriba en saber si es posible encontrar un tabaco, de hoja o en picadura, que contenga la mínima cantidad posible de nicotina, sin que queden eliminadas las sensaciones placenteras que gracias a esta planta experimenta el fumador. Le quiero decir una cosa: el cigarro filipino, lo que aquí llamamos un puro, es decir, una tripa de hoja de tabaco filipino cubierto por una hoja de tabaco de Sumatra, es probablemente el mejor cigarro que existe.

–No lo sé. Nunca he estado en esos países tan lejanos. Es lo menos que se puede decir, ¿no le parece? Pero ya que me habla de estas cosas, le confesaré que años atrás, hallándome en Holanda, se me ocurrió una idea parecida. Ahora en cambio, puestos a concretar, no encuentro qué decir. Me ronda por la cabeza que en Holanda fumaban cigarros de esta clase. Los cigarros alemanes son parecidos a los holandeses, aunque tal vez sean su *ersatz*.

–Estos cigarros los fuman los naturales del país radicados en aquellas lejanas tierras y muchos chinos arraigados. Y además, los holandeses, que han sido siempre destacados fumadores de cigarros entre los pueblos situados fuera de los países productores de tabaco. Está claro que los franceses tuvieron el imperio colonial de las Indias Orientales, donde dejaron tantos rastros... Y lo que le digo de los cigarros puede extenderse a los cigarrillos, como es lógico.

–El cigarrillo filipino que usted me ha ofrecido es realmente notable. Lo he encontrado ligero y lleno de amenidad, y el no tener tanta nicotina lo hace muy saludable. Es una lástima que las Islas Filipinas nos sean tan remotas y tan desconocidas. Si bien se mira, este cigarrillo me producirá una desilusión, pues cuando haya fumado el paquete de Super-King que ha tenido la generosidad de regalarme, tendré que volver al caldo de gallina de la Arrendataria, que son los cigarrillos que fumo habitualmente y que constituyen la «labor» construida con la más notable falta de imaginación. ¿Pero qué le vamos a hacer? Es el cigarrillo que me sienta menos mal.

–¿No fuma rubio?

–No señor. Nunca lo he fumado. He observado que en este país son los patriotas, sobre todo, quienes fuman tabaco rubio, y le confieso que jamás he reunido suficiente patriotismo para arriesgarme. Pero en fin, da lo mismo, la vida está hecha de ilusiones, es decir, de desilusiones sistemáticas.

Mi vecino de mesa se despidió sin querer aceptar el agradecimiento que traté de formular por sus incomparables cigarrillos. Como no sé su nombre –pues nunca lo supe– y es absolutamente incierto que algún día nos volvamos a encontrar en algún otro lugar, le doy las gracias.

Estoy a punto de dejar de fumar. Llevo dos o tres años de retraso en la decisión definitiva, pero es casi seguro que un día u otro llegaré. A mí me habría gustado fumar un tabaco potable. Pero éste del tabaco es un problema muy peliagudo. De haber podido, habría fumado siempre cigarros de La Habana, y probablemente sería ya difunto, como les ha ocurrido a algunos amigos míos. No habiendo podido permitírmelo, habría fumado cigarrillos de La Habana, lo que seguramente me habría conducido más pronto a la consulta del médico. En definitiva, he ido pasando por la puerta estrecha, porque he fumado, casi siempre, un tabaco horripilante. De todas maneras, la opinión pública de los fumadores se mantiene muy reticente ante los productos del Monopolio, y lo demuestra el éxito que ha obtenido el tabaco rubio importado. Está claro que, en este país, el patrioterismo ha sido siempre muy voluminoso, vidrioso y arrogante.

La solución habría sido fumar un tabaco negro de calidad. Tal vez ésta habría sido la tradición del país y lo que su ciudadanía habría merecido. Pero no ha sido posible, hasta tal extremo que sería muy difícil llegar a saber lo que en el curso de la vida hemos fumado. Aunque a lo mejor, objetivamente, esta miseria es lo que, por ahora, nos ha salvado.

CAFÉ, COPA Y PURO

El café, copa y puro es una institución típica de este país desde la época granada de la burguesía, y en definitiva, es una consecuencia perfectamente natural del régimen de alimentación que hemos adoptado, consistente en un desayuno generalmente precario, una comida copiosa y fundamental y una cena sustanciosa, aunque cada día menos, todo ello enmarcado en un horario absurdamente tardío. Este régimen nos vino de poniente, y es el que más se adapta a un tipo de sociedad burocrática que lo hace todo tarde, pues se levanta tarde, trabaja poco y pasa el rato, de sobremesa, en interminables tertulias de café o de casa particular. Así era el Madrid que yo conocí. Esto fue hace años, cuando vivía allí, ahora me dicen que Madrid se ha transformado en los últimos años, que todo el mundo va mucho más deprisa. Esto viene a demostrar, simplemente, que cuando hay algo que rascar, el castellano ha revivido.

Este régimen se implantó en Barcelona y fue aceptado, por imitación, en la época granada de la burguesía y cuando el provincianismo llegó a la médula de los huesos. En nuestro país, que es tan áspero y enjuto, la cursilería, sobre todo la cursilería intelectual, se imponía con gran facilidad. En el presente, a causa del horario de trabajo, de la densidad de las grandes poblaciones y de las distancias, el absurdo régimen vigente es muy discutido, aunque dudo que nunca se logre extirpar.

Después de las comidas copiosas y fundamentales, la familia y los invitados pasaban al salón, más o menos contiguo, donde se servía el café y se ofrecían los licores y los cigarros de las magníficas cajas de tabaco de La Habana. El café, mucho antes de las máquinas, tanto en Barcelona como en el litoral, era bueno, ligero y perfumado, porque los cafés arcaicos y las aguas del lugar eran como uña y carne. Los licores, tanto los dulces o clericales, como entonces se llamaban, como el coñac, eran excelentes. El coñac acostumbraba a ser francés, pues auténtico no había otro. Más tarde, con el sistema económico autárquico, se llegó a imitaciones inenarrables, a matarratas. Los cigarros eran excelsos, debido al grado de humedad imperante en Barcelona y en la franja costera, donde la preponderancia de los vientos del sur recreaba a la perfección la circunstancia del cigarro. Los cigarros requieren humedad, como en sus países de origen y crianza, y sus hojas no se han de secar ni deshojar, como ocurre constantemente en las atmósferas secas. El sabor, el aroma, el humo de un cigarro, sólo pueden degustarse en las atmósferas húmedas.

Tras una comida fuerte, con los comensales satisfechos, la compañía de la institución del café, copa y puro creaba el ambiente propicio a la tertulia holgada y confortable, que podía alargarse indefinidamente por la amenidad de quienes no tenían nada que hacer, y si para alguno era diferente, encontraban solución. (Han aparecido algunos escritos sobre las tertulias barcelonesas públicas, en cafés o clubes; pero para mí que el auténtico meollo de aquellas charlas se cocía en las casas particulares.) Con la saturación de alimentos, cafés, licores y cigarros, las horas de las tardes quedaban reducidas a bien poca cosa, en ocasiones a la inanidad completa, o casi. El catalán siempre ha sido aficionado al chismorreo y a la política. Tanta política hubo que convirtieron Barcelona en el hazmerreír de la humanidad; de chismorreo ha habido el normal, pero picante, pues todo el mundo imitaba las modas de París. Después de semejante ingestión de alimentos, ¿qué se podía hacer con la dispersión brillante de la tertulia, con la vidorra que todo ese mundo, tan regalado, representaba? La tarde pasaba volando y su pérdida era total. En conjunto no representaba nada, era la pura trivialidad, la facilonería, en el sentido más despectivo que esta palabra pueda tener.

La costumbre estaba tan arraigada, que las personas solteras o las que no tenían vivienda propia acudían a un café u otro donde encontraban su tertulia habitual. Los cafés eran infernales y el ruido ensordecedor, pero las tertulias toleraban la explosión general; y si no iban al café, concurrían a las tertulias que se organizaban en los clubes o en las sociedades, que a veces eran culturales, como el Ateneo Barcelonés, de la calle Canuda o en el Círculo del Liceo, que es maravilloso, o en Cazadores o en el Ecuestre, etc. Pensando hoy en las personas que hemos conocido y pasando revista a la situación a que han llegado, se podría hacer una afirmación que para muchos resultará insólita, y sin embargo es cierta: la gente de mi tiempo que trabajó por la tarde ganó dinero y se hizo rica; en la Barcelona de que hablo, el hecho representaba un considerable esfuerzo de voluntad. Los que carecieron de ánimo para aprovechar las tardes se limitaron a ir tirando, cuando no se empobrecieron por pura y simple vagancia.

Los alemanes tienen un refrán que dice que la mañana sabe a oro. No es que la atmósfera matutina tenga ese gusto, si no se tiene en cuenta la influencia de las dentaduras. Ahora bien, no cabe duda que la mañana es comercial e industrial, y de aquí proviene la realidad del refrán de los alemanes. En nuestro país las cosas tienden a ser diferentes. La mañana tiene más bien un punto de amargor, y la precariedad del desayuno contribuye a ello de una manera notoria. Quienes desayunan poco, fatalmente han de trabajar poco, y pasan la mañana con el estómago empobrecido esperando la tan deseada comida. Estoy hablando en general, por supuesto. La mañana cuenta poco y la gente empieza a vivir cuando se sienta a la mesa para comer. Se ha perdido una buena parte de la mañana, de la aurífera mañana, de una manera apagada, pasiva. Si estas personas pierden también la tarde como consecuencia de aquellos tres platos que se comían antes –y que supongo que se continúan comiendo si existen posibilidades– y con la tertulia consiguiente de cafés, licores y cigarros, el día pasa a ser una pura, insignificante, ilusión del espíritu. Después se tenía uno que acostar con la señora o con la amiga, de modo que la nada quedaba redondeada casi matemáticamente. He conocido a mucha gente de esta clase: personas que de la manera más normal y razonable dilapidaron sus vidas casi totalmente. En una sociedad feudal o de monopolios comerciales, como fue nuestro país en la Edad Media, la clase dirigente pudo vivir regaladamente de la cucaña. En una sociedad comercial e industrial, si no se quiere inmovilizar la riqueza –y por tanto, perderla, pues lo que no sube baja– estas vidas pueden ser útiles porque abren resquicios por donde se cuelan todos los que desean tirar adelante, que en nuestro país siempre han sido legión. La ventaja de nuestra burguesía es que representa la movilidad.

En la vidorra en pura pérdida, los licores que se tomaban de sobremesa fueron la droga más general. El coñac francés, en realidad único existente, alcanzó mucho renombre y fue muy apreciado. Alguno bebía ron porque era más seco, y quizás andaba más acertado que quienes preferían el coñac. Los licores dulces eran extremadamente apreciados. Aquellos licores eran el estupefaciente de la tarde, el sopor de las horas, una forma de bienestar. Luego de haber sido ingeridos, ni la política, por dramática que fuese, tenía ninguna importancia ni el chismorreo llegaba más allá de pequeños líos de faldas intrascendentes y puramente maquinales. Con el café, eran licores adecuados. Se bebían con una facilidad prodigiosa. Tenían una entrada suave. El coñac, la chartreuse, la benedictina o el anís –que se producía en este país– eran sustancias reconocidas como las más positivas y buenas que la inteligencia humana había imaginado y elaborado. Los licores llamados clericales, cuyo nombre era una reminiscencia de las fórmulas de los grandes monasterios y abadías de la Edad Media y que aún hoy se venden, tienen un contexto considerablemente positivo. Estos licores eran degustados, principalmente, por las amables personas del sexo femenino y por los representantes de las órdenes religiosas, que solían ser invitados a las casas, representantes de comprensión vasta, dados al trato social y a las conversaciones discretas y ligeramente picantes. Eran palabreros y agradables. En la historia de este país, el feudalismo monástico o episcopal no nos ha dejado muchos recuerdos eficientes, y sin duda contribuyó en determinados momentos –pocos, desgraciadamente– a la paz interna y escasamente a la paz internacional. Ahora bien, mi opinión es que habiéndonos dejado estos cordiales, ya nos podemos dar por bien pagados. Son los licores de la conversación plácida, del intercambio social tolerante y sostenido, los licores de la amistad. Un licor para conversar: ¿se puede pedir un licor más serio y eficaz?

En aquellos años, tan lejanos, el género masculino se dedicaba fundamentalmente al coñac, y algunos al armañac, que se consideraba un líquido con más cuerpo y virilidad, porque había líquidos para los señores y líquidos para las señoras. Habría sido un síntoma de poca salud, lamentable, ver a un hombre con toda la barba, hirsuto y peludo, con una copita de chartreuse en la mano. (En aquella época había muchos borrachines disimulados, y del hecho, nunca se hablaba.)

Ahora todo este pequeño mundo antiguo ha dejado de existir. Todo parece mucho más mezclado, embrollado y disperso. La inmensa mayoría de las tertulias se han acabado, tanto las públicas como las privadas, pero sobre todo las públicas. Aún hay personas que toman coñac. El coñac, no seré yo quien lo niegue, tiene dos grandes condiciones: va bien con el café y admirablemente bien con los cigarros. No creo que se pueda pedir más de las cepas situadas al norte de Burdeos. Pero todo forma parte del pasado. En los momentos actuales, el gran licor es el whisky. El escocés, cuando la gente se ha adaptado a él, es más seco, provoca menos dolor de cabeza, es diurético y mucho más sano. Con el café, es maravilloso. El mundo del coñac ha quedado en el pasado; persisten todavía algunos aspectos, pero todo parece indicar que está en las últimas. El coñac, en general, ha perdido cualidades después de la última guerra, que en todos los aspectos ha creado un descenso de puntos muy acusado.

De aquí a unos cuantos años, la gente no se podrá explicar por qué sus abuelos perdieron tanto tiempo con tantas copitas en tantas tertulias inacabables. Tendrán razón, pero sólo tendrán razón en parte. La gente de hoy no hace tertulias públicas ni privadas, porque no tiene nada que decir; el motivo no me importa. Y el alcohol es más bien escaso debido a que el régimen alimentario es más bien precario. La culpa de todo esto se la echarán a la prisa; pero si ahora empezáramos a hablar de la prisa de la mayor parte de la gente, mi animadversión sería total.